Les Histoires du Pays de Santerre

L'Eldnade

4. Vorgrar l'Esprit Mauvais

Données de catalogage avant publication (Canada)

Saint-Hilaire, Luc

L'Eldnade
Édition revue et augmentée
(Les Histoires du Pays de Santerre)
L'ouvrage complet comprendra 4 volumes.
Les 2 premiers volumes de cette série ont été publiés antérieurement sous le pseudonyme Gouand sous le titre : Le Santerrian. 2005.
Sommaire : v. 1. Ardahel le Santerrian -- v. 2. Loruel l'Héritier -- v. 3. Eldwen la Désignée -- v. 4. Vorgrar l'Esprit Mauvais.

ISBN 978-2-89074-741-8 (v. 1) ISBN 978-2-89074-742-5 (v. 2)
ISBN 978-2-89074-743-2 (v. 3) ISBN 978-2-89074-744-9 (v. 4)

I. Gouand. Santerrian. II. Titre. III. Titre : Ardahel le Santerrian. IV. Titre : Loruel l'Héritier. V. Titre : Eldwen la Désignée. VI. Titre : Vorgrar l'Esprit Mauvais.

PS8613.O79E422 2007 C843'.6 C2007-941228-9
PS9613.O79E422 2007

Édition
Les Éditions de Mortagne
Case postale 116
Boucherville (Québec)
J4B 5E6

Distribution
Tél. : 450 641-2387
Téléc. : 450 655-6092
Courriel : edm@editionsdemortagne.com

Aspects visuels
Conception de l'auteur
Illustration de couverture : Carl Pelletier
Cartes : dessin de François St-Hilaire, graphisme de Roger Camirand

Dépôt légal
Bibliothèque nationale du Canada
Bibliothèque nationale du Québec
Bibliothèque Nationale de France
4e trimestre 2007

ISBN : 978-2-89074-744-9

1 2 3 4 5 – 07 – 11 10 09 08 07

Imprimé au Canada

Nous reconnaissons l'aide financière du gouvernement du Canada par l'entremise du Programme d'aide au développement de l'industrie de l'édition (PADIÉ) et celle du gouvernement du Québec par l'entremise de la Société de développement des entreprises culturelles (SODEC) pour nos activités d'édition. Gouvernement du Québec – Programme de crédit d'impôt pour l'édition de livres – Gestion SODEC.

Luc Saint-Hilaire

Les Histoires du Pays de Santerre

L'Eldnade

4. Vorgrar l'Esprit Mauvais

ÉDITIONS DE MORTAGNE

Remerciements

Je veux remercier tellement de gens que j'ai peur d'en oublier. Voici donc, de façon bien incomplète assurément, quelques personnes dont l'apport a été précieux.

Mon épouse Hélène, qui facilite à sa manière mes incessants voyages en Monde d'Ici. Mon fils François, qui a fait les magnifiques finaux de mes cartes du Monde d'Ici. Mon chum Roger, à qui je dois de voir tant de mes brouillons devenir si beaux. Paul Bordeleau, illustrateur du manuscrit original dont le génie visuel demeure toujours présent. L'équipe des Éditions de Mortagne – Alexandra, Caroline, Carolyn, Marie-Claire, Mathilde, Max, Sandy –, chacune et chacun m'étant si précieux par leur enthousiasme et leur complicité.

Je tiens surtout à remercier tous les lecteurs qui me font l'honneur de m'accompagner en Pays de Santerre. Vos impressions de voyage sont chaque fois une récompense inestimable.

À Isabelle

À tous ceux qui savent s'émerveiller

... Je fus sincèrement captivé par cette Eldnade que les Gens du Pays de Santerre me confièrent si généreusement. De tous les récits recueillis dans la multitude de Mondes parmi lesquels j'ai voyagé, bien peu me parurent à la fois aussi sombres et lumineux, aussi tragiques et remplis d'espoir.

Je décidai alors de le mettre par écrit et de le faire connaître en tous ces lieux que le Moyen Peuple nomme tout simplement les Mondes d'Ailleurs.

Car il y avait pour les acteurs de l'Eldnade
toutes les laideurs du Mal,
toutes les beautés du Bien,
tous les espoirs de la Vie,
toutes les grandeurs de la Vérité,
toutes les richesses de l'Amour,
tous les chemins de l'Éternité.

Car si la présence de l'Esprit Mauvais affectait les Gens du Monde d'Ici, le Dieu de tous les Mondes de l'Univers leur donnait la force de son Esprit Bienveillant...

Gouand

Les Histoires du Pays de Santerre

L'Eldnade

Tome 4 : Vorgrar l'Esprit Mauvais

Avant-propos

Ainsi qu'il fut raconté dans les trois premiers tomes de L'Eldnade, le Prince Ardahel et son ami Loruel de Nulle-Part prirent la tête d'une Compagnie de guerriers Fretts pour se rendre en Pays du Levant afin d'en chasser les envahisseurs Sorvaks. En cours de route, Ardahel rencontra Eldwen, une jeune aveugle dont il tomba amoureux. De même manière, le Frett Tocsand rencontra puis épousa l'Autegentienne Meil-Thimas. Or, sa mère JadThimas devint une ennemie acharnée d'Ardahel.

Le peuple Saymail et la Compagnie Frett formèrent la Troupe qui s'engagea sur le Plateau des Alisans. Ce fut l'occasion d'épreuves, mais aussi d'une alliance surprenante avec des membres de cette race. Après des mois de voyage, ils arrivèrent en Kalar Dhun où Ardahel et Loruel redonnèrent espoir aux Rebelles. Loruel fut reconnu par les siens en tant qu'Héritier du Trône Argenté et il prit la direction des combats. Il assiégea finalement les derniers résistants Sorvaks dans la forteresse de Vorka. L'intervention d'un Alisan, Mitor Dahant, permit enfin de mettre un terme à la guerre en Pays du Levant. Conscient de son véritable rôle, Loruel s'affaira dès lors à reconstruire la Paix dans son pays en accordant aux Sorvaks une place d'égaux et non de vaincus.

Tocsand retourna en Santerre où il fut appelé à devenir le nouveau Roi. Sa nomination par le Roi Thadé et son union avec l'étrangère constituaient des précédents exceptionnels, ce qui fit naître au sein du peuple le sentiment que ce Roi imposé devait impérativement jouer un rôle spectaculaire à la tête du pays. Or, les années passèrent sans que rien justifie un tel manquement à la tradition de Santerre. Cela créa des conditions facilitant le travail de sape de l'autorité de Tocsand entrepris par des serviteurs de Vorgrar.

Ardahel et Eldwen se retirèrent en leur domaine de Nalahir pour organiser la suite du combat contre Vorgrar. Vingt années s'écoulèrent dans l'attente tandis que les jumeaux Noakel et Eldguin progressaient en âge.

Vingt ans aussi durant lesquels Vorgrar planifia minutieusement la conquête du Monde d'Ici en se réservant le Lentremers pour la fin. Il confia la direction de ses armées à un Akares habile et déterminé. La Cahanne Belgaice, chargée à l'origine par Vorgrar de surveiller Kurak, en devint amoureuse et sa maîtresse.

Alors que Loruel se trouvait en visite avec son épouse Lowen en Pays de Santerre, Eldwen reçut la visite d'un Vrainain du nom de Sabyl qui la guida sur un chemin éprouvant. L'aveugle dut faire face à ses propres sentiments, à ses forces et à ses faiblesses. Elle rencontra des personnes qui l'obligèrent à se remettre en question et à se préparer à rencontrer Almé lui-même, présence physique du Dieu Elhuï en Monde d'Ici. Confirmée comme étant la Désigné pour affronter Vorgrar, Eldwen retourna d'abord en Nalahir. Elle trouva le Domaine Caché dévasté par JadThimas. L'affrontement entre les deux femmes se termina par la défaite et le suicide de l'Autegentienne. Révoltée par les agissements de sa mère, MeilThimas décida de se ranger aux côtés de son époux Tocsand et de prendre les armes.

De retour au Temple du Roi et des Sages, Eldwen affronta son parent, Maître Alios. Elle osa même dévoiler au grand jour son identité et le relégua au rang de simple figurant dans l'affrontement à venir. La dernière inconnue demeurait pour Eldwen l'identité d'Ogi, son maître à penser alors qu'elle était une fillette.

Au moment de reprendre la lecture de L'Eldnade, il convient de rappeler que Gouand, le troubadour qui nous a rapporté ce récit depuis le Monde d'Ici, utilise une formule bien connue de nous : *Il était une fois...* L'expression n'est pas toujours reprise dans cette version de ses récits, mais il aurait été dommage de passer ce détail sous silence. En effet, cela prouve que dans tous les Mondes de l'Univers, les récits merveilleux demeurent les mêmes, c'est-à-dire des moments privilégiés où l'esprit oublie la raison pour rêver à des histoires peut-être plus vraies que la réalité perçue par nos sens. Sait-on jamais...

Alors donc : *Il était une fois en Monde d'Ici...*

Chapitre premier
Passé, présent et à venir

– Tout cela n'est que pure folie ! Confier le destin du Monde d'Ici à des arrogants qui ignorent tout de la Sagesse. Nous avons cru être les guides des Races Nouvelles, alors que nous n'étions que des aveugles.

Encore une fois, seul avec lui-même, Maître Alios s'adressait les pires critiques. Plus sarcastique que jamais à son endroit, il avait pris sa forme de membre de la Race Ancestrale. Comme d'habitude, on n'aurait pu affirmer s'il – ou si elle – était homme ou femme car tout en cette Race exprimait un équilibre absolu. En temps normal, ils étaient masculin et féminin, doute et certitude, pouvoir et faiblesse, savoir et ignorance... Or, désormais, cette plénitude était faussée.

Ils n'étaient plus que deux de leur race. Vorgrar et lui. Et il lui semblait si cruellement clair que l'un était certitude et l'autre doute. Que l'ennemi était pouvoir, et lui, Maître Alios, faiblesse.

Malgré les angoisses qui le rongeaient toujours quant à son titre de Roi, une sorte de frénésie avait gagné Tocsand depuis qu'Ardahel et Loruel l'avaient forcé à se ressaisir. Après tant d'années à feindre l'insouciance, à se plier au secret exigé par Delbon et à se sentir impuissant, le Roi de Santerre semblait retrouver sa vraie nature. Au grand jour, sans que ses paroles ou ses gestes dussent encore trahir sa pensée, il pouvait préparer le pays à se défendre contre une menace précise, celle que les troupes de Kurak l'Akares faisaient planer sur le Lentremers.

Les joutes suscitaient toujours un grand intérêt, particulièrement celles auxquelles participaient le Roi, les Princes et les responsables militaires des quatre régions du pays.

Tocsand organisa rapidement un tel événement au Temple du Roi et des Sages afin de rassembler les chefs de guerre et de coordonner les préparatifs dans une atmosphère stimulante. Il désirait aussi faire taire les rumeurs à son sujet en démontrant qu'il était toujours un guerrier redoutable. De plus, il voulait profiter de l'occasion pour préparer une fête officielle soulignant le départ de ses visiteurs royaux du Pays de Gueld, Loruel et Lowen.

Le Roi annonça à MeilThimas qu'il ferait un rapide aller-retour au bac de Noak et Irguin. Il voulait les convaincre de quitter leur poste afin de se joindre aux adieux à Loruel. En effet, celui-ci considérait le couple de bateliers comme ses parents en Pays de Santerre. De plus, Meilsand était assurément de retour de voyage en compagnie des jumeaux Noakel et Eldguin. Tous ces prétextes lui permettaient de justifier d'aller lui-même au bac chercher son fils ainsi que le batelier, son épouse et leurs enfants. Cependant, son épouse n'était pas dupe. Tocsand ressentait un étrange besoin de se rendre à cet endroit. Sans l'exprimer clairement, il était tenaillé par un malaise, un pressentiment obsédant sur un sujet qu'il s'obstinait à taire. Sous sa façade d'enthousiasme retrouvé, le Roi de Santerre restait accablé par le doute et le poids de toutes ces années de secret.

Ardahel et Loruel décidèrent de l'accompagner, trouvant eux aussi des motifs pour se rendre au bac. Ils affirmaient qu'ils feraient tous les trois le voyage très rapidement ; en réalité, ce voyage de Tocsand les intriguait et ils désiraient demeurer près de leur ami. L'épisode malheureux de l'interrogatoire de Jontel et les échanges qui avaient suivi n'avaient rien pour rassurer les compagnons du Roi. De nouveau, les trois Cavaliers de Lumière chevauchèrent leurs montures resplendissantes du Nalahir. Tocsand au centre, flanqué d'Ardahel et de Loruel, ils remontèrent le cours de la Rivière Alahid pour se rendre chez Noak et Irguin.

Ils arrivèrent sur la colline qui dominait le bac au moment où le jour tirait à sa fin. Dans les derniers rayons du soleil, ils virent les Guetteurs, ces quatre immenses rochers émergeant à la source de la Rivière Alahid. Il y avait de cela fort longtemps, les Gens du Moyen Peuple avaient taillé le roc de manière à faire ressembler ces rochers à quatre sentinelles, chacune tournée vers l'un des points cardinaux. À celle qui fixait de son regard de pierre la Mi-Jour, donc vers le Temple du Roi et des Sages, une épaisse couronne de bronze avait été ajustée. La légende voulait qu'aussi longtemps que le Guetteur serait ainsi couronné, la puissance du Roi de Santerre ne se démentirait aucunement.

Or, la première chose que virent les cavaliers fut la couronne qui gisait dans le courant, la tête du Guetteur littéralement fracassée.

Ardahel se tourna vers le Roi et constata son trouble.

– Tocsand, n'accorde pas d'importance à ces roches et aux vieilles légendes.

– Je savais que je verrais cette scène, répliqua tristement le Roi. J'ai fait ce rêve plusieurs fois dernièrement... Depuis que j'ai interrogé cet étranger, Jontel... Mes amis, allez rencontrer Noak et Irguin. Que ces retrouvailles se déroulent dans la joie. Je veux demeurer seul ici quelques moments, puis j'irai vous rejoindre.

Tocsand descendit de cheval, puis fit signe à ses compagnons de partir. Un silence embarrassant plana sur le petit groupe, finalement brisé par Ardahel. Le Prince incita Loruel à le suivre.

– Viens, Tocsand a besoin de parler à la Rivière Alahid, et à elle seule.

Puis le Santerrian s'adressa au Roi.

– Prends tout le temps qu'il te faut, ami Tocsand. Tu sais que tes amis sont tout près.

– Merci, répondit simplement le Roi, avant de se diriger lentement vers le cours d'eau.

En quelques instants, Ardahel et Loruel furent au bac, réclamant à grands cris que le batelier traverse à leur rencontre. À l'endroit où les câbles reliaient les deux rives, la distance atteignait à peine une cinquantaine de jambés. Il était donc facile d'identifier ceux qui réclamaient le passage. Lorsque Noak les reconnut, il s'empressa d'appeler ceux qui se trouvaient dans la maison. Irguin sortit la première, suivie des jumeaux Noakel et Eldguin, puis de Meilsand, le fils de Tocsand et MeilThimas.

Ils étaient si pressés d'accueillir leurs visiteurs qu'ils se rendirent immédiatement tous les cinq à leur rencontre. Les joyeuses retrouvailles, les chaleureuses accolades et les présentations se firent sur la rive, dans les rires et la bonne humeur. Loruel et les jumeaux se rencontraient pour la première fois, cela avec grand plaisir. Ils étaient frères et sœur d'adoption puisque le couple de bateliers avait accueilli Loruel au sein de leur famille et qu'il était le frère d'Ardahel par l'échange du sang.

Noak était rayonnant malgré son grand âge.

– Quel bonheur que notre famille soit enfin réunie au complet ! De vous voir ensemble me remplit d'une joie si profonde.

Irguin aussi savourait intensément cet instant, les yeux remplis de larmes de joie, un sourire radieux sur le visage.

Au travers des éclats de joie, Meilsand s'informa de son père auprès d'Ardahel.

– J'aurais aimé que père vous accompagne ! Comment va-t-il ?

– Tocsand est effectivement avec nous. Pour l'instant, il constate les dégâts causés au Guetteur. Il viendra nous rejoindre plus tard...

– Mais pourquoi s'attarder là-bas ? Je vais aller le chercher immédiatement.

– Attends qu'il revienne, Meilsand. Ton père a besoin de solitude en ce moment.

– À cause de cette vieille légende ? railla Meilsand. Il n'a pas à se faire de soucis pour cela. Et puis, ce n'est pas l'eau de la rivière qui a fait tomber la couronne comme le voulait le récit des Anciens. Un éclair a frappé le Guetteur il y a plusieurs nuits. Avec une telle masse de métal exposée aux tempêtes, il est plutôt surprenant que ce ne se soit pas produit avant !

Cette nouvelle troubla les compagnons de Tocsand dont l'attitude envers Jontel hantait toujours les esprits. Ardahel retrouva toutefois rapidement son entrain pour inviter le groupe à gagner l'autre rive sans plus tarder. Il y avait certainement quelques bonnes bouteilles à ouvrir pour fêter cette occasion.

Fils des bateliers Noak et Irguin, les jumeaux Noakel et Eldguin atteignaient le terme de leur vingtième année. Ils partageaient beaucoup de traits communs, un visage franc où brillait de grands yeux verts comme l'eau de la Rivière Alahid, des cheveux châtains qui ondulaient sur leurs épaules, un corps ferme et vigoureux de noble prestance. Noakel devait à son père une solide carrure et des mains puissantes. Eldguin tenait de sa mère une beauté admirable, celle venant de l'intérieur et non de l'apparat. Tous deux s'entendaient à merveille, partageant tout, joies et peines, espoirs et sentiments les plus secrets. Ils portaient avec fierté un bandeau de tête vert en signe d'attachement à leur frère Ardahel.

Meilsand, d'une année plus jeune que les jumeaux, ressemblait plus à sa mère Autegentienne qu'à Tocsand son père, même s'il lui devait la robuste constitution des Fretts. Son visage ovale, bien dégagé par une courte chevelure noire, enchantait par sa parfaite symétrie, les grands yeux bruns en amande, le nez et la bouche finement dessinés. Élevé surtout par sa mère, Meilsand eut été fort à son aise avec les Autegens.

Doué pour les choses de l'esprit et pour les Arts, il aimait à s'instruire sans cesse pour connaître le mieux possible la vie des Gens du Monde d'Ici. Il composait des chants à la douce musique et aux paroles adroitement tournées.

Les trois jeunes gens avaient établi entre eux une profonde complicité. Ils voyageaient beaucoup ensemble, se plaisant alors à dire qu'ils se complétaient à merveille. Meilsand était le curieux, celui qui cherchait à trouver l'exceptionnel en chaque endroit, le fonceur du groupe. Eldguin faisait montre de prudence, savait peser les actions et tempérer au besoin ses grouillants compagnons. Noakel, pour sa part, rassurait les deux autres par sa puissance et son sang-froid en toutes circonstances.

La nuit était déjà tombée ; Tocsand avançait difficilement dans le courant froid de la rivière. La lumière de la lune lui suffisait, du moins le croyait-il, mais l'eau noire dissimulait ses pièges et le Roi se retrouva souvent renversé par les remous. Il suffoquait et crachait de l'eau lorsqu'il arriva enfin au pied du Guetteur. Exténué par ses efforts, Tocsand reprit son souffle sans vraiment faire attention à quoi il s'agrippait. Il réalisa soudainement qu'il serrait à deux mains la couronne du Guetteur, un grossier ouvrage de bronze, épais comme un avant-bras, d'à peine un tail de hauteur et d'un diamètre assez grand pour qu'une personne puisse s'y étendre au centre, les bras tendus devant soi, sans toucher des pieds ni des mains aux rebords. La couronne était couchée de travers dans le courant, plus de sa moitié sous l'eau. Tocsand l'examinait d'aussi près pour la première fois.

Il vit une masse grugée par les intempéries, couverte de limon et de saletés. Un sourire désabusé lui vint aux lèvres.

« Voilà un symbole en bien piètre état, pensa-t-il. Ne suis-je pas moi-même un symbole lamentable, un Roi qui n'a guère le respect des siens ? Et un Roi qui dirige quoi ? Les deux Conseils décident de presque tout ce qui regarde la marche du Pays de Santerre, alors que je ne m'occupe vraiment que du combat d'Ardahel. Quoi qu'en dise Loruel et Ardahel, je devrais céder ma place. Au Prince Gasgar peut-être ou bien à Toulame qui serait une Reine de grande valeur. Je pourrais aller me battre au côté du Santerrian et ensuite, si j'en reviens, me retirer en Augenterie avec MeilThimas pour terminer paisiblement ma vie. »

Dans l'eau jusqu'à la taille, le Roi s'adossa à la masse froide du Guetteur, en proie à une grande fatigue tant physique que morale. Il demeura ainsi un long moment à ruminer de sombres pensées, laissant le désespoir s'insinuer de nouveau dans son esprit. Tocsand revoyait la scène pénible avec le prisonnier Jontel, ses affirmations indiquant la présence d'un traître au Temple du Roi et des Sages, et aussi la certitude que Vorgrar n'avait pas été dupe de ses manœuvres pour tenir les guerriers de Santerre prêts à la guerre tout en voulant donner une impression d'insouciance.

« À quoi tout ça aura servi, se disait Tocsand, puisque l'ennemi a deviné nos plans et que cela tournera à son profit. Finalement, les armées de Santerre risquent de ne pas être prêtes et surtout, mes ordres seront remis en question. Oui, je dois céder la place à un autre Prince qui, lui, commandera les soldats. Mais comment être certain que cette tâche ne reviendra pas au félon que craint tellement Ardahel ? Il faut ruser encore, démasquer l'espion avant de lever les armées. Mais dans ce cas, faut-il feindre encore, alors que le danger se précise ? »

Une nouvelle fois, Tocsand sentit le découragement s'emparer de lui. Puis, il pensa à la Fiole Franche d'Ardahel.

« Même si cela est une insulte profonde au Conseil des Princes, je vais tous les obliger à se plier à un interrogatoire en présence d'Ardahel et je vais lui demander d'utiliser la Fiole Franche. Ardahel répugne à cela, mais il devra obéir. Tous doivent m'obéir car je suis l'autorité suprême en Santerre. Le Roi Thadé m'a désigné parce qu'il avait confiance en mon jugement. Je ne puis me soustraire à mes responsabilités au moment le plus critique. Je suis le Roi ! »

Debout dans l'eau tourbillonnante, Tocsand se répéta cette affirmation à plusieurs reprises. Il lui semblait que l'eau se faisait plus bruyante et il éleva la voix pour couvrir le bruit des remous jusqu'à crier sa certitude.

– Je suis le Roi de Santerre et j'irai jusqu'au bout de ma tâche !

– Bien sûr que tu es le Roi, répondit une voix. Pourquoi en douterais-tu ?

Tocsand releva la tête pour voir qui s'adressait ainsi à lui. Il aperçut alors son fils Meilsand qui lui adressait de grands signes de la main depuis la berge. Le Roi s'élança dans le courant. Trébuchant à nouveau dans l'eau furieuse, il avançait péniblement. Constatant cela, Meilsand se précipita à sa rencontre et, finalement, père et fils se retrouvèrent tout mouillés sur la rive, se serrant dans les bras l'un de l'autre.

– Meilsand, quel bonheur que tu sois ici ! Jamais je n'ai autant eu besoin de ton réconfort.

– Pourquoi te soucier des vieilles légendes, père ? Oublie cette couronne renversée et viens te joindre à nous pour fêter. Nous avons tous les motifs de célébrer.

Tocsand regarda son fils et découvrit tellement d'enthousiasme heureux dans ses yeux.

« Je n'ai pas le droit de trahir cela, pensa-t-il. Qu'importe les remarques des Anciens, ils pourront critiquer et me mettre en doute, leur temps achève. C'est à ceux qui nous suivent qu'il faut penser. »

Le père adressa un large sourire à son fils, puis ils prirent le chemin de la demeure de Noak en marchant, se contentant de tenir leurs montures par la bride. Malgré le froid de la nuit et leurs vêtements détrempés, ils prolongeaient cet instant ensemble. Tocsand s'informa de son récent voyage et Meilsand lui raconta les merveilles vues en Forêt des Chasseurs d'où il revenait avec ses amis. Le jeune homme s'enflamma à décrire les paysages, la nature, les animaux ; il relata quelques bonnes anecdotes qui eurent le don de dérider son père. Bientôt, il rit de bon cœur, de ce rire puissant des Fretts qui font confiance à la vie et à leur destinée.

Bien avant que Tocsand et Meilsand se présentent à la porte de Noak, ses compagnons entendirent ses éclats de voix et se réjouirent d'accueillir le vrai Tocsand, le Frett jovial et confiant.

– Eh bien, Meilsand réussit mieux que les fêtards de l'auberge de Bober à redonner la joie à notre Roi, déclara Ardahel. Faisons donc bon accueil à Tocsand !

Cette nuit-là, il y eut beaucoup de rires et de chants chez Noak et Irguin. Les récits des jumeaux et de Meilsand ravivèrent les souvenirs heureux d'autrefois pour les trois Cavaliers de Lumière qui avaient affronté les Sorvaks en Terre du Levant. Spontanément, Ardahel, Loruel et Tocsand avaient retrouvé leur complicité et ils s'amusaient à défier les plus jeunes à des jeux d'adresse et de force.

Les bateliers regardaient tout cela d'un œil amusé. Noak se tourna vers son épouse pour lui parler à l'oreille.

– J'avais peur de la réaction du Roi lorsqu'il verrait que le Guetteur a perdu sa couronne. J'appréhendais son accablement. Heureusement, on dirait au contraire que le poids du passé a cessé de peser sur ses épaules. Tocsand a un bien meilleur regard qu'à sa dernière visite et son rire est sincère.

– Je m'en réjouis, approuva Irguin. Il me semble revoir le véritable Tocsand de la Région des Neiges. Je crois que cette réunion, plutôt que de lui donner la nostalgie du passé, lui aura redonné l'optimisme pour l'avenir.

Le réveil attendit fort tard dans la journée. En fait, le soleil descendait vers l'horizon lorsque Ardahel et Noakel, les premiers réveillés, sortirent prendre l'air, souriants, la tête encore lourde des célébrations de la nuit.

– Il y avait longtemps que je ne m'étais autant amusé, murmura Ardahel en exagérant son mal de tête. On va s'en souvenir !

– Tu peux en être assuré, mon frère, répondit Noakel avec un sourire entendu.

Le Prince passa un bras sur les épaules du jeune homme et l'entraîna le long de la rivière. Il se sentait toujours un peu mal à l'aise lorsque Noakel ou Eldguin l'appelaient « mon frère ». Devait-il toujours cacher qu'il avait été adopté, qu'il n'appartenait pas exactement à la même race qu'eux, qu'il était en fait l'enfant d'Alahid lui-même, premier Roi du Pays de Santerre ? Et eux, enfants des bateliers, que savaient-ils des Paroles Oubliées qui les désignaient comme les premiers d'une Nouvelle Lignée ? Certains textes anciens affirmaient même qu'ils coucheraient à jamais Vorgrar.

Ardahel se mit à penser à Eldwen ; il aurait apprécié sa présence pour le conseiller. Devait-il s'ouvrir aujourd'hui de tout cela aux jumeaux ?

– Je te regardais avec ta sœur et Meilsand, hier, durant la fête, commença Ardahel. Je ne sais trop comment dire... Euh... En fait, que savez-vous de moi, du domaine où je me retire fréquemment avec Eldwen, de nos combats d'autrefois ?

L'embarras d'Ardahel était si évident et il paraissait si gauche que Noakel ne put s'empêcher de se moquer.

– Eh bien ! Sans la présence de notre belle-sœur Eldwen, tu manques grandement d'assurance, mon frère. Comment croire que tu as accompli tant d'exploits autrefois ?

Le jeune homme taquina encore son frère, puis il reprit son sérieux. Ils continuaient à marcher en se tenant par les épaules et Noakel sentait bien les émotions du Prince qui le serrait plus ou moins fortement contre lui pendant qu'ils parlaient.

– Eldguin et moi savons bien peu de choses en réalité. Le Nalahir t'appartient parce que tu l'as mérité par tes actions. C'est un domaine merveilleux, différent de ce que nous connaissons. À voir ta monture et les autres venues du Nalahir, tu dois vivre en des terres vraiment surprenantes. Nous avons déjà manifesté notre ressentiment de n'y être jamais conviés. Père nous a alors expliqué qu'il n'était pas simple pour toi d'y inviter des gens et qu'il ne fallait pas t'en vouloir.

Le jumeau fit une pause avant de reprendre d'un ton ferme.

– Père nous a aussi révélé que tu es notre frère par adoption, que tu es un personnage bien spécial chargé d'une lourde mission qui ne te permet pas d'agir comme tu le souhaiterais.

– Et toujours, vous m'avez appelé votre frère !

– Car nous te considérons ainsi. N'as-tu pas été nourri et élevé par les mêmes parents que nous ? N'appelles-tu pas Noak et Irguin « père et mère » ainsi que nous le faisons ? Lorsque nous sommes ensemble, n'es-tu pas un véritable frère pour nous ?

– Tes paroles sont une grande joie et un soulagement pour moi, Noakel mon frère. Tu sais que Loruel, Roi de Gueld, et moi avons mêlé nos sangs. Je le nomme mon frère avec les mêmes sentiments que ceux que j'éprouve pour vous.

– Certes, mais cela n'engage que toi. Nous avons fait la connaissance de Loruel pour la première fois hier. Je le considère comme une personne de grande valeur, mais il demeure quand même un étranger pour moi.

– J'aime ta franchise, Noakel, et ta façon de concevoir les choses.

Ardahel serra son frère contre lui, puis il l'obligea à s'immobiliser. En le fixant dans les yeux, il le questionna d'un ton grave. Discrètement, il avait ouvert la Fiole Franche.

– Mon frère, il y a une question que je dois te poser et à laquelle il me faut une réponse franche. Est-ce que toi, Eldguin ou Meilsand avez eu conscience qu'une force inconnue vous proposait quelque pouvoir que ce soit ? Une force indescriptible faisant miroiter les avantages de régner en maître sur des individus ou tout autre être du Monde d'Ici ? Une force invitante, terrible et séduisante à la fois.

– Pour ma part, je n'ai rien vécu de semblable et jamais Meilsand ou Eldguin ne m'ont fait part d'une telle expérience. Quelle importance cela a-t-il ?

– Celui que nous combattons tente souvent de diriger les pensées de ceux qui peuvent accomplir de grandes choses en ce Monde. Heureusement, en ces temps où s'affine votre pensée, vous êtes souvent en voyage et je crois que vous savez tirer avec sagesse les leçons de vos expériences.

Ardahel et Noakel marchèrent encore un peu le long de la rivière pour finalement revenir au bac. L'activité reprenait lentement dans la maison ; Meilsand s'affairait dehors à nourrir les animaux, tandis qu'Eldguin mettait de l'ordre à l'intérieur avec Tocsand. Le Prince nota encore une fois à quel point le Roi s'intéressait aux deux amis de son fils, multipliant les occasions de s'entretenir avec eux sur tous les sujets. Ardahel sourit, imaginant le puissant Frett dans son rôle de père inquiet qui couve sa progéniture.

Profitant du fait que Meilsand se trouvait seul, Ardahel alla le rejoindre et l'entraîna à l'écart pour le questionner dans les mêmes termes qu'avec Noakel. Meilsand se tenait visiblement sur la défensive.

– Quelle étrange question, en vérité ! De quelle force veux-tu parler ?

Ardahel insista en ouvrant discrètement la Fiole Franche, ainsi qu'il l'avait fait avec son frère.

– Réponds-moi. Tu sais ce que je veux dire, n'est-ce pas ?

Le front de Meilsand se couvrait de sueur, et il hésitait à se confier.

– Je... Oui, cela m'arriva. J'ai vécu une expérience semblable à ce que tu décris. Je l'ai racontée immédiatement à MeilThimas, ma mère. C'est elle qui m'a suggéré de voyager beaucoup, de m'éloigner le plus souvent possible du Temple du Roi et des Sages en affirmant que Vorgrar voulait me séduire. Ensuite, elle m'a fait jurer de ne jamais écouter cette voix.

– Vorgrar s'est-il manifesté encore après cela ?

– Oui. Il s'est aperçu qu'il ne pouvait avoir d'emprise sur moi.

– Pourquoi peux-tu affirmer cela ?

– Ardahel, j'ignore comment tu m'obliges à te révéler cela, quelle force tu possèdes pour me faire dire ce que je veux taire, mais ne me contrains pas à trahir les secrets que MeilThimas ma mère me confia.

– Dis-moi seulement ce qui te permet de m'assurer que Vorgrar n'a aucun pouvoir sur toi.

– MeilThimas appartient à une race différente de celle du Moyen Peuple...

– Je sais cela, elle est Autegentienne et je connais énormément de choses concernant ce Peuple.

Meilsand fut soulagé de constater qu'il ne trahissait rien concernant sa mère en s'ouvrant à Ardahel.

– Alors, écoute ceci. Si tu connais les Autegens, tu sais que nous possédons de grands pouvoirs. Je dis bien « nous », car je suis plus Autegentien que de la race de Santerre. Même mon père l'ignore, car MeilThimas préfère garder cela entre elle et moi. En fait, elle aurait désiré que je l'ignore moi-même, mais c'est impossible. Pour te rassurer, sois certain qu'un Autegens n'accepte jamais une Pensée contre sa volonté. Je me suis fermé à Vorgrar et il ne peut rien y faire. Il le sait et il ne tentera jamais plus de me séduire. Quant à Eldguin, je suis en mesure de t'affirmer qu'elle n'a jamais eu affaire à Vorgrar.

– Je te crois, Meilsand, et je saurai taire ce que je viens d'apprendre tant que cela ne mettra aucun de nous en danger. Et s'il fallait que je doive utiliser cette information, sois assuré que je le ferais avec sagesse et prudence.

Meilsand retrouva son sourire coutumier et tout son entrain.

– Merci, Ardahel, je te fais confiance. Maintenant, allons rejoindre les autres pour profiter de cette magnifique journée.

Lorsque Noak et Irguin s'éveillèrent enfin, à l'heure du repas du soir, Tocsand avait pris la situation bien en main. La maison était propre comme à l'accoutumée et un bon repas attendait chacun pour se remettre en forme.

Loruel blaguait, taquinant le Roi sur ses talents de maître du logis. Lorsqu'il vit Ardahel de retour, il s'empressa de le prendre à part.

– Voilà Tocsand redevenu celui que je connaissais lors de nos aventures. Ou plutôt, il est devenu celui qu'il doit être pour diriger son pays à l'avenir ! Mais dis-moi, Ardahel, quel était en fait le but de notre visite ici, chez Noak et Irguin. En quittant le Temple, tu as dit que nous avions à faire, mais sans préciser de quoi il s'agissait.

Ardahel eut un sourire indéfinissable.

– Je ne le savais pas vraiment. Maître Alios avait affirmé que nous devions y rencontrer des alliés dans notre lutte contre Vorgrar. Je crois que c'est fait !

Chapitre deuxième
Fête, joutes et adieux

La joute organisée par Tocsand se tenait sur trois jours, dans divers bâtiments du Temple ou dans les champs avoisinants, les épreuves d'habileté et de force gagnant continuellement en intensité. C'est durant la dernière journée que se déroulaient les combats les plus spectaculaires à cheval et finalement en salle. Selon la tradition du Moyen Peuple, le Roi et les Princes relevaient et lançaient des défis, affrontant les meilleurs combattants du pays en des duels éprouvants où les titres ne comptaient plus. Des Sages agissaient comme arbitres pour faire cesser les affrontements avant qu'il n'y ait de blessures graves, car il importait surtout de désarmer ou de maîtriser l'adversaire. Toutefois, chacun donnait le meilleur de lui-même et personne ne se faisait ménager, Tocsand pas plus qu'un autre. Le Roi livra plusieurs batailles à l'épée ou à mains nues dont il sortit chaque fois victorieux. Plus satisfaisant encore pour lui, Tocsand constatait qu'il gagnait continuellement en popularité et en respect auprès des personnages clefs des organisations politiques et militaires.

En cette dernière journée de la joute, les combats singuliers constituaient l'événement le plus couru, une sorte de grande finale à laquelle participaient ceux qui s'étaient le plus illustrés durant les jours précédents. Des centaines de spectateurs se massaient dans l'immense salle de fête du Palais Royal pour apprécier les épreuves. La foule compacte dégageait plusieurs cercles pour les combattants, chacun encourageant bruyamment ses favoris. Il régnait une grande agitation dans la salle, les gens se déplaçant continuellement d'un cercle de combat à l'autre pour voir les affrontements les plus attendus.

Tocsand venait de terrasser à la lutte un Frett fort coriace lorsque le Capitaine Bilgor, un Artan grand responsable des armées de la Région des Métiers, le défia à l'épée. Le redoutable combattant n'avait pas encore connu de défaite et il avait attendu ce moment intense de la joute pour défier Tocsand.

C'est alors que MeilThimas intervint. Elle s'était présentée dans la grande salle avec sa tenue de guerrière Autegentienne, son glaive FenThas au dos.

– Tu lances ton défi alors que le Roi n'a pas eu le temps de souffler, fit MeilThimas en toisant l'Artan. Permets que ce soit moi qui le relève en son nom.

Le silence se fit dans l'assistance ; rapidement, les autres combats cessèrent. Un grand cercle se forma autour de l'Artan et de la Autegentienne. Tocsand voulut s'interposer, inquiet pour MeilThimas. Du regard, son épouse le rassura.

– Je suis d'accord si les autres le sont aussi, répondit finalement Bilgor.

– J'approuve moi aussi, déclara en souriant le Roi. Mais je te préviens, Bilgor, tu viens de trouver un adversaire encore plus redoutable que ton Roi. Moi-même je n'ai jamais osé la défier en vingt ans d'union !

Des rires incrédules accueillirent ces paroles et le combat débuta. Les premiers chocs des armes n'avaient rien d'impressionnant, les deux combattants cherchant à jauger l'autre. Puis les coups se firent plus puissants de la part de l'Artan. MeilThimas les faisait dévier habilement, se contentant de parades bien exécutées sans vraiment se lancer à l'attaque. Des exclamations de surprise fusaient, saluant les meilleures passes d'armes de l'épouse du Roi.

Le duel avait semblé bien inégal au début, Bilgor dominant d'une tête et demie l'épouse du Roi. L'Artan était grand, les épaules larges, le torse impressionnant et les jambes solides. Ses longs cheveux blonds attachés derrière la tête, son visage glabre, ses traits marqués et ses grands yeux bleus lui donnaient une allure animale, fière et puissante. Devant lui, la Autegentienne paraissait encore plus menue, plus délicate, malgré la fermeté évidente de son corps. Comme elle n'avait pas mis son casque, tous voyaient bien son expression déterminée.

D'abord trop confiant, Bilgor réalisa que l'adversaire était coriace. Désireux de maintenir sa réputation, ses attaques se firent plus furieuses, mais tout aussi inefficaces. Alors, la colère gagna l'Artan ; il dépassa la retenue de mise au cours de pareilles joutes. Le guerrier déploya toute sa puissance et toute son expérience pour vaincre MeilThimas. Dans la salle, il n'y avait plus qu'un cercle de combat, plus grand qu'à l'accoutumée, et plus aucun spectateur ne parlait. Dans ce silence inhabituel, le choc des armes résonnait avec force. Bilgor accentuait la pression, frappant rapidement sous tous les angles. La longue lame de l'épée FenThas le tenait encore à distance, mais les coups de l'Artan obligeaient la Autegentienne à reculer. Tocsand serra les mains sur son épée, prêt à bondir à la défense de son épouse.

Soudain, MeilThimas cessa de céder du terrain. Son arme se mit à luire, laissant une traînée bleutée dans sa course de plus en plus rapide. Les coups s'abattirent avec de plus en plus de force, obligeant Bilgor à parer de son mieux, incapable de soutenir l'attaque. En fait, MeilThimas retenait son glaive plus qu'elle ne le lançait à l'attaque, car FenThas menait ses charges en tirant de sa nature autegentienne la force de ses coups. Cela, les spectateurs ne pouvaient le savoir. Les Autegens sont inattaquables, car ils savent retourner les charges de leurs agresseurs contre eux. Plus la charge est intense, plus la réplique est grande.

Stupéfaits, les gens massés dans la salle virent donc l'épouse du Roi imposer sa loi à l'Artan. Bilgor fit un effort désespéré pour retrouver l'avantage et le combat se fit encore plus saisissant. Rarement, dans une joute, des armes avaient-elles fendu l'air si rapidement, rarement leurs chocs avaient-ils été si violents. Beaucoup plus petite et assurément de la moitié du poids de Bilgor, la Autegentienne démontrait aux gens de Santerre qu'elle ne pouvait être défiée impunément.

Le Capitaine Artan fut renversé, sa lame brisée en deux par FenThas. Dans un silence ébahi, MeilThimas remit son glaive au fourreau. Elle tendit la main à Bilgor pour l'aider à se relever. À peine fut-il debout qu'il se prosterna, un genou au sol, la tête courbée en soumission devant la Autegentienne.

MeilThimas s'inclina en un salut respectueux.

– Tu es certes le concurrent le plus redoutable que mon épée ait affronté à ce jour, assura-t-elle. J'ai la certitude qu'il n'existe aucun ennemi de Santerre capable de te vaincre !

– Et moi, s'écria Bilgor en relevant la tête, je jure par mes Ancêtres ne pas connaître d'adversaire à ta mesure. J'ai cru que tu serais inutile dans les combats qui viennent et je t'en demande pardon. J'ai porté mauvais jugement envers toi et envers notre Roi Tocsand dont nous avons tous vu la valeur durant cette joute. Que chacun se fasse son idée ! Quant à moi, j'irai maintenant au combat sans douter de vous. Vive Tocsand ! Vive MeilThimas !

Tous les gens présents dans la salle répondirent avec ferveur aux cris de l'Artan. Jusqu'au soir, la joute se poursuivit sans que personne n'ose se mesurer à MeilThimas. Tocsand n'engagea qu'un seul autre combat. Avec Ardahel et Loruel, les trois compagnons se rappelèrent les combats contre les Sorvaks en affrontant à cheval un groupe de Fretts conduits par Laulane. Le frère et la sœur croisèrent le fer avec entrain, la victoire restant au Roi. Loruel de Gueld fit grande impression chez les Gens de Santerre par sa dextérité et sa puissance, éblouissant des adversaires par ses feintes habiles.

Noakel, Meilsand et Eldguin prirent part eux aussi à la joute. Malgré leur peu d'expérience, leurs performances enthousiasmèrent Ardahel qui les surveillait avec intérêt.

✧ ✧ ✧

À la nuit tombée, d'immenses tables avaient été dressées dans la grande salle du Palais, ployant sous les mets les plus invitants et les cruches de boissons les plus diverses. Sur une estrade, danseurs, conteurs et musiciens se succédaient pour divertir et faire danser l'assemblée. La fête se poursuivit ainsi toute la nuit en soulignant les exploits des jouteurs.

Avec le jour levant, les fêtards commencèrent à se retirer pour prendre quelque repos. Tocsand, Loruel et Eldwen avaient fait largement honneur au vin et tous trois chantaient encore à pleins poumons de vieilles ballades du Pays de Santerre en compagnie d'un groupe de Fretts joyeusement entraînés par Ulinas, dit Belle-Langue, autrefois de l'expédition en Pays de Gueld. Vacillant légèrement lui aussi sur ses jambes, Ardahel était sur le point de rejoindre les bruyants compères lorsque Noakel vint le trouver pour l'entraîner à l'extérieur.

– Viens vite, Noak et Irguin nous demandent.

Le ton grave de Noakel fit naître un sombre pressentiment chez le Prince. En toute hâte, les deux frères se rendirent à la chambre mise à la disposition de leurs parents. Meilsand et Eldguin s'y trouvaient déjà, ainsi que le Sage Golbur et Maître Alios. Noak et Irguin étaient étendus sur un lit, visiblement à l'approche du terme de leur vie en Monde d'Ici.

D'une voix à peine encore présente, mais sereine, Noak s'adressa à Ardahel et aux jumeaux.

– Il nous a été accordé de vivre longtemps et heureux, fit le batelier. Maintenant, il nous est accordé de quitter ce monde avant que la guerre ne le ravage et que des êtres chers ne soient emportés par cette folie.

– Nous avons peu à vous laisser, poursuivit Irguin. Peu de biens palpables et de richesses.

Ardahel était bouleversé tout autant que les jumeaux. Même s'il connaissait le bonheur de se trouver en Royaume d'Elhuï, la perspective de l'absence de ses parents adoptifs le troublait. Il lui semblait que le couple de bateliers représentait une oasis de stabilité, un repère fiable dans la tourmente des combats.

– Ne parlez pas ainsi, supplia Ardahel. Il vous reste encore bien des ans à vivre. Eldwen possède de grands dons de guérisseuse, je vais lui demander...

– Non, mon fils, fit Noak en secouant lentement la tête. Nous avons vécu, et bien vécu, plus longtemps que les Gens de Santerre ne peuvent l'espérer. Nous voici au terme et nous en sommes heureux. Pourquoi chercher à nous retenir, surtout toi, Ardahel, qui connais le bonheur du Festin d'Elhuï...

Le vieillard se tourna vers Noakel et Eldguin qui pleuraient silencieusement, adressant tant bien que mal à leurs parents un pâle sourire au travers de leurs larmes.

– Nous voulions ne jamais être séparés, continua Irguin. Cela aussi nous est accordé, car nous sentons en même temps le Repos Éternel venir nous prendre dans ses bras. Nous avons donné ce que nous pouvions ; il ne reste rien à ajouter, sinon que de répéter encore combien nous vous aimons.

– Je ne regrette qu'une chose, c'est de ne pas vous l'avoir dit assez souvent, répondit Noakel d'une voix étranglée. Je vous aime tellement.

Eldguin fut éloquente par ses gestes plutôt que par ses paroles. Tour à tour, elle se pencha sur ses parents pour les embrasser sur le front, sur la bouche et sur le torse, leur disant ainsi symboliquement tout son amour dans ses pensées, dans ses paroles et dans son cœur. À chacun, elle ajouta un simple et intense « Je t'aime ».

– Moi aussi, je vous aime profondément, murmura Ardahel. Je voudrais tant trouver les mots pour vous remercier.

Ardahel voulut parler encore, mais sa voix se brisa. Le dernier, Meilsand remercia les vieillards.

– Moi aussi, j'ai tant de gratitude à exprimer. Vous avez été de véritables parents pour moi, suppléant à ce que le Roi Tocsand ne pouvait me donner, trop accaparé par sa tâche...

– Dès le premier jour où tu es venu au bac, déclara Noak en souriant, nous t'avons considéré comme notre fils.

– Je tâcherai de toujours m'en montrer digne, répondit Meilsand.

– Mes enfants, reprit Noak, nous souhaitons être portés en terre au lieu de notre naissance, non loin d'ici, près de la Rivière Alahid. Golbur connaît l'endroit. À Noakel et Eldguin, nous laissons ce qu'ils jugeront bon de prendre en notre demeure. À toi, Ardahel, nous te laissons la responsabilité du bac. Ton domaine a été détruit, nous le savons. Nous n'avons que ce toit à t'offrir, loin du Temple du Roi et des Sages. Lorsque ta mission sera achevée, puisses-tu y vivre en paix et heureux avec Eldwen.

– Voilà, conclut Irguin, nos pauvres biens sont maintenant entre vos mains.

– Le plus important, vous nous l'avez déjà donné en quantité, fit Noakel.

Alors Noak et Irguin fermèrent les yeux en se tenant les mains. Des sourires calmes se dessinèrent sur leurs visages tandis qu'Ardahel serrait les jumeaux contre lui. Il nota alors comment Meilsand et Eldguin se tenaient la main pour se réconforter. Ils avaient tous les yeux rougis, pleins de larmes, mais ils s'efforçaient de sourire tendrement, certains que c'était la meilleure façon de saluer le vieux couple si serein. Sans vraiment se rendre compte à quel moment précis cela s'était produit, ils constatèrent que le batelier et son épouse ne respiraient plus.

Golbur et Alios dirent les paroles rituelles, puis ils adressèrent une longue prière au Dieu Elhuï afin qu'il accueille Noak et Irguin en son Royaume. Ainsi que doivent faire les Sages, Golbur constata que la vie avait bel et bien cessé pour les deux vieillards.

– Noak et Irguin nous ont quittés, que leurs âmes soient en paix.

– Et qu'ils partagent le Festin d'Elhuï, répondirent les autres.

Alors, Maître Alios se tourna vers les enfants du couple pour les forcer à quitter la pièce.

– Retournez avec les vivants. Golbur et moi veillerons. Nous sommes avec ce que nous connaissons bien et qui sera bientôt notre destin.

Ardahel, Noakel, Eldguin et Meilsand évitèrent de croiser des gens dans les corridors. Ils se rendirent dehors, dans la froidure du matin d'hiver. Ils marchèrent ensemble en silence jusqu'à ce qu'ils n'entendent plus les rires de la salle de fête.

– Que voulait vraiment dire Noak, questionna Meilsand, en affirmant que tu connaissais le bonheur du Festin d'Elhuï ?

Ardahel réfléchit un moment, puis il retrouva le sourire.

– Durant la guerre contre les Sorvaks, je fus frappé par une lance ennemie. Un coup fatal qui m'enleva la vie durant sept jours. J'ai comparu devant Elhuï et j'ai découvert ce qui vient après cette vie. Ensuite, il me fut accordé de revenir parmi les miens. Noak avait raison. Moi, moins que tout autre, je ne dois pas me désoler, mais plutôt me réjouir pour nos parents, car ce qu'ils goûtent en ce moment surpasse largement toutes les joies et toutes les splendeurs du Monde d'Ici.

Ardahel essaya de trouver des mots pour décrire le Royaume d'Elhuï, mais il n'y parvenait pas. Eldguin l'interrompit.

– Que tu nous affirmes que Noak et Irguin sont heureux me suffit. Je lis dans tes yeux qu'il faut considérer leur départ sereinement. D'ailleurs, nos parents nous ont quittés avec un si beau sourire, si paisiblement !

Ils marchèrent encore un peu tous les quatre dans la neige. Soudain, le vacarme d'une chevauchée brisa le silence ; trois joyeux cavaliers fonçaient sur eux en riant et en criant leurs noms. Tocsand, Loruel et Eldwen s'arrêtèrent près des marcheurs.

– Qu'est-ce qui se passe ? On vous cherche partout, s'écria Tocsand. C'est le temps de fêter ! Qu'est-ce que ces mines attristées ?

– Noak et Irguin nous ont quittés, répondit Meilsand.

– Déjà ? s'étonna Loruel.

– Ils nous ont quittés pour le Repos Éternel, soupira Ardahel.

Cette nouvelle effaça les rires des cavaliers. Ils descendirent de leurs montures pour sympathiser avec leurs amis. Tocsand, lui qui riait le plus fort, sembla le plus consterné. En reprenant le chemin du Temple, il murmura quelques vagues paroles contre le sort qui s'acharnait à ternir les moments heureux.

Tocsand se retira finalement avec MeilThimas dans ses appartements. Il s'abattit lourdement sur son lit, désireux de trouver au plus vite un sommeil réparateur. Avant de s'endormir, il regarda son épouse ; ses yeux exprimaient une grande lassitude.

– Tu as défait un adversaire que j'aurais craint d'affronter... Laisse-moi te dire combien tu m'as impressionné.

– Serais-tu jaloux, ô mon Roi ? taquina MeilThimas.

– Non, je suis inquiet. Où sont MeilThimas et Tocsand qui composaient ensemble de douces chansons sous le dôme autegentien de ta famille ? Nous en sommes l'un et l'autre tellement loin.

– Peut-être retrouverons-nous ces heureux instants très bientôt. Je l'espère.

MeilThimas aida Tocsand à se déshabiller pour ensuite s'étendre près de lui. Elle passa tendrement la main dans les cheveux et sur la figure de son époux, chantant doucement un air autegentien qui aide à trouver un sommeil paisible. Tocsand dormit toute la journée, comme la plupart des gens du Temple du Roi et des Sages. Le repas du soir fut léger et la soirée des plus calmes pour ceux qui avaient participé à la fête.

Puis la nuit entraîna avec elle un vent froid descendu de la Mi-Nuit qui faisait tourbillonner de gros flocons de neige. Les rafales devinrent plus violentes, poussant la neige en rangs serrés et piquants. En se perdant entre les constructions du Temple, la voix du vent se faisait tantôt grave, tantôt aiguë, mais toujours présente.

Malgré l'obscurité, le froid et les bourrasques de neige, quelqu'un marchait entre les bâtiments du Temple en prenant bien soin de ne pas être vu. Couvert d'une grande cape blanche au capuchon bien fermé sur le visage, l'individu semblait n'être qu'une forme se coulant le long des murs extérieurs. Il marcha prudemment, jetant régulièrement un regard vers les postes de garde pratiquement déserts. Finalement, il parvint à destination. Deux bâtiments du Temple avaient fait l'objet d'agrandissements au point de se toucher dans leur partie arrière. De ce qui avait été une rue, il ne restait qu'un passage couvert décrivant un angle pour contourner des fondations. Cela créait un petit espace abrité des regards et aussi du vent. L'homme s'installa de son mieux pour attendre.

Bientôt, une autre forme se glissa dans le passage, le visage totalement dissimulé. Le nouveau venu posa des questions convenues pour s'assurer de l'identité de son interlocuteur.

– Qui est le Maître ?

– C'est le plus grand.

– Et comment sa grandeur est-elle visible ?

– En regardant en soi.

L'identification se révéla satisfaisante, car l'homme s'empressa de donner ses ordres avec assurance. Il parlait d'une voix étouffée par l'épais tissu devant sa bouche. Elle était aussi certainement changée volontairement, les intonations n'ayant rien de naturel.

– Le Roi Tocsand a repris de main ferme la gouverne du pays. Il a été habile et il semble retrouver la confiance des chefs de guerre. Il faut rapidement le déstabiliser et le discréditer.

– Il sera plus difficile d'entretenir des rumeurs à son endroit, répliqua timidement l'autre. Ils sont nombreux à célébrer son nom et à proclamer leur loyauté.

L'homme à la voix étouffée semblait ne tolérer aucune objection. D'un ton brusque et cassant, il coupa la parole à son interlocuteur.

– Silence ! Cette fois, nous porterons des accusations directes, avec des preuves. Nous allons amener le Conseil des Princes à demander la destitution du Roi Tocsand.

– Pour quel motif ?

– Pour haute trahison envers le Pays de Santerre en raison de tractations secrètes pour ouvrir les frontières à l'envahisseur. La prétendue préparation des armées de Santerre n'est qu'une manœuvre habile de sa part pour laisser croire qu'il agit. Hier, son épouse nous a donné une première preuve que le roi entretient des liens avec une race de guerriers puissants et rusés. Comment une femme si petite pouvait-elle vaincre Bilgor ? Comment sont alors les autres membres de sa race ?

La conversation se poursuivit encore quelques minutes, puis les deux hommes repartirent chacun de leur côté. L'homme à la voix étouffée s'engouffra presque aussitôt dans l'un des bâtiments du Temple du Roi et des Sages, tandis que l'autre se rendait à un endroit d'où il pouvait sauter facilement de l'autre côté de la muraille entourant l'île du Temple. Il se rendit jusqu'au pont de la Mi-Nuit où une petite embarcation était dissimulée près des piliers. Il la lança dans le courant, se laissant emporter rapidement au loin.

Chapitre troisième
Traîtrise

Certaines années, l'hiver semble s'installer en Pays de Santerre, un hiver précoce qui blanchit le sol rapidement et semble chaque fois prendre les gens au dépourvu. Puis, le soleil revient plus fort et l'air se réchauffe. Le vent accourt depuis la Mi-Jour pour chasser la neige. Alors le Pays de Santerre retrouve un deuxième automne aux nuits froides, mais aux journées agréables durant lesquelles les voyages sont bien plaisants.

Il en fut ainsi cette année-là lorsque Loruel prit la route du retour vers le Pays de Gueld. Après des adieux pleins d'émotion à Tocsand et à tous ses amis de Santerre, il s'en retournait en Pays du Levant pour diriger les préparatifs contre l'attaque prévisible des armées de Kurak. Le trajet était le même que vingt ans auparavant, alors qu'il n'était que Loruel de Nulle-Part plongeant vers l'inconnu. Le Roi de Gueld se rappelait tous les valeureux compagnons de l'époque dont le destin s'était décidé durant l'expédition, certains y trouvant le bonheur, d'autres y perdant la vie.

Pour la première partie du voyage, jusqu'en Forêts Oubliées, Loruel et son épouse Lowen étaient accompagnés d'Ardahel et d'Eldwen, de Maître Alios, de Meilsand ainsi que des jumeaux Eldguin et Noakel. Ils avaient remonté le long de la Rivière Alahid jusqu'au bac de Noak où Ardahel et les jumeaux avaient encore une fois honoré la mémoire de leurs parents. Ensuite, les huit cavaliers avaient continué jusqu'au Pont de la Sortie pour finalement s'engager dans le corridor herbeux au pied des Monts Perfides, à la lisière du Magistan. Ils chevauchaient tous avec des montures du Nalahir, car Ardahel avait confié depuis plusieurs années déjà des chevaux de son domaine aux jumeaux et à leur inséparable compagnon. Ainsi, Eldguin montait SansTrace, au pelage blanc pour la tête et le poitrail, beige pour le reste. Noakel allait sur SageFort, un étalon roux aux membres puissants. GrandVent, un rapide coursier à la robe brune, portait Meilsand.

Même si les bêtes pouvaient aller beaucoup plus vite, le petit groupe ne forçait aucunement l'allure. Au contraire, ils voulaient provoquer des rencontres, cherchant à entrer en contact avec les Magistiens. Par la suite, Loruel et Lowen profiteraient de toute la vitesse de leurs montures pour traverser le Plateau des Alisans jusqu'au Kalar Dhun, puis se rendre en Pays de Gueld. Le voyage se déroulait donc paisiblement, sous un soleil d'automne agréable. Une halte fut décrétée à l'endroit où, vingt ans auparavant, le Saymail Trastar avait enlevé Eldwen pour la conduire chez la Seigneur Magomienne SpédomSildon. Le campement fut dressé et un grand feu allumé.

Après le repas du soir, Loruel se mit à raconter des souvenirs de son premier passage, rappelant les moments heureux avec la fillette aveugle qui avait effrayé les redoutables guerriers Fretts, puis qui avait fait la leçon à plusieurs, notamment au prétentieux Ardahel. Les blagues et les taquineries entre les deux anciens compagnons reprirent de plus belle, provoquant l'hilarité générale ; même Maître Alios en perdait son sérieux habituel. Meilsand en profitait pour multiplier les questions qui lui permettaient de découvrir d'autres facettes de son père, le Roi Tocsand, dans ses années de jeunesse, alors qu'il ignorait le destin vers lequel il se dirigeait.

Avec des gestes apparemment rendus gauches par le vin qu'il avait bu, Loruel se leva pour s'éloigner du feu.

– Allez, Ardahel, raconte encore comment tu étais irrité par nos rires lorsque tu t'étais bandé les yeux pour vivre une journée en aveugle à la manière d'une fillette qui te menait par le bout du nez... Ça va me donner amplement le temps de vider ma vessie !

– Tu peux bien rire, répliqua Ardahel. Je pense que j'y voyais plus clair que toi en ce moment ! Tu as l'air aussi facile à enivrer qu'un gamin.

Loruel répondit par une nouvelle pitrerie, puis il s'écarta de la lumière du feu de camp. Pressé de questions par Noakel et Eldguin, Ardahel raconta son expérience. Tout à coup, il croisa le regard inquiet de Lowen.

– Loruel s'est éloigné depuis déjà bien longtemps, fit la Reine de Gueld.

– Hé ! l'outre à vin, t'as bientôt fini ? cria à la ronde Ardahel avec un entrain qui masquait mal sa propre inquiétude.

Cette fois, le silence se fit autour du feu de camp. Dans la nuit noire, les masses tourmentées des Monts Perfides s'élevaient d'un côté, multipliant les zones d'ombres mystérieuses. De l'autre côté, la lisière de la forêt du Magistan foisonnait de bosquets épais devant une ligne d'arbres aux troncs massifs, s'élevant haut dans le ciel obscur, les branches pendantes chargées de longues aiguilles vertes comme les grands pins du Pays de Santerre.

En un instant, les compagnons furent debout, les armes à la main, scrutant les alentours à la recherche de Loruel. Le cœur serré, Lowen et Ardahel se dirigèrent vers l'endroit où il avait disparu, attentifs au moindre indice. Le Gueldan s'était dirigé du côté des Monts Perfides, puis ses traces dans l'herbe indiquaient qu'il avait amorcé un large détour pour revenir vers la lisière de la forêt. Soudain, venant d'un buisson tout près, ils entendirent des bruits de branches brisées et des exclamations.

Tout à coup, la voix de Loruel tonna.

– Allez, montre-toi ! Tu n'as rien à craindre.

– Je ne vous crains pas, répondit une voix sifflante. C'est vous qui devez répondre de votre présence ici.

Les buissons s'écartèrent pour laisser sortir un bien étrange personnage. Plus petit que Loruel qui venait de le débusquer, son gros crâne chauve frappait le regard. Sous ses arcades sourcilières proéminentes surgissait un nez épais et pointu ; une large bouche aux lèvres minces surmontait un menton saillant. De part et d'autre du visage osseux pointaient des oreilles au dessin tourmenté. Le nouveau venu était vêtu de cuir ; ses habits fort bien travaillés étaient assurément chauds et confortables. Ses mains maigres aux longs doigts agiles bougeaient sans cesse. Sa démarche se faisait tour à tour brusque et sautillante, ou noble et calme, comme s'il voulait se donner un genre mais que le naturel revenait sans cesse trahir sa volonté de paraître sûr de lui. L'épée à la main, Loruel obligea l'inconnu à s'approcher du campement.

De sa voix sifflante, il s'adressa directement à Eldwen lorsqu'il fut à proximité du feu.

– SpédomSildon, sale Magomienne, que fais-tu à l'orée de notre domaine ?

– Tu fais erreur, répondit l'aveugle. Bien que la ressemblance soit grande, je ne suis pas SpédomSildon et je n'ai rien d'une Magomienne. Nous venons du Pays de Santerre.

L'inconnu s'approcha encore, visiblement curieux et aucunement menaçant. Il reniflait bruyamment, la tête continuellement en mouvement, le visage agité de tics nerveux.

– Alors, tu ne serais pas cette gueuse de SpédomSildon ? Étrange comme tu lui ressembles, n'est-ce pas ?

Soudain, il fit un rapide mouvement devant la figure d'Eldwen. Dans l'espace vide entre ses mains, le visage de la jeune femme apparut, légèrement vieilli. L'aveugle demeura sans réaction, ne pouvant voir l'image que l'inconnu avait fait surgir. Ardahel avait bondi, prêt à défendre Eldwen. L'étonnant personnage ferma alors les mains et le prodige cessa.

– Celui qui se regarde entre mes mains aperçoit son âge véritable, expliqua l'inconnu avec emphase. Les Magomiens détestent cela au plus haut point, car ils se voient vieux et décharnés.

Devant la surprise muette des voyageurs, l'inconnu s'empressa de prendre l'initiative.

– Voilà un petit tour que nous aimons bien leur jouer lorsque l'occasion se présente. Cela me prouve que tu n'es pas SpédomSildon. Tu sembles même être réellement aveugle. Je crois alors que nous pouvons faire connaissance et vous m'expliquerez la raison de votre présence ici. Je suis Manke, du peuple des Magistiens. Honoré de vous rencontrer.

– Honoré, mais plutôt réservé, railla Loruel. Tu nous observes en cachette depuis hier. J'ai remarqué ta présence plusieurs fois et j'ai attendu le moment propice pour te surprendre.

Manke continuait à renifler en bougeant la tête en tous sens. Un sourire nerveux passa sur ses lèvres, découvrant ses dents jaunes, puis il examina les voyageurs de plus près, s'attardant plus longuement sur Ardahel.

– Oui, vous êtes venus par ici il y a bien longtemps. Si les rumeurs des Forêts sont exactes, les Magomiens n'ont guère apprécié ton passage en leur domaine. AuruSildon a perdu une main lors de votre rencontre, puis tu t'es bien joué de SpédomSildon. Je crois que les Grands Magistiens seraient heureux de vous rencontrer.

– Nous en serions très heureux également, fit Ardahel. Nous désirons mieux connaître votre Peuple, car des événements graves se préparent. Nous risquons tous d'en être affectés.

– Bien, répondit Manke. Je vais aller leur faire part de votre désir et je reviendrai demain. Attendez-moi ici.

Manke quitta aussitôt le campement pour s'enfoncer dans la forêt du Magistan. N'ayant rien de mieux à faire, les voyageurs s'installèrent pour la nuit après avoir organisé un tour de garde. Les premiers à veiller furent Maître Alios et Eldwen. Le membre de la Race Ancestrale n'avait guère prisé les paroles de Manke à l'endroit de SpédomSildon. De son antipathie envers le Magistien naissait une méfiance que l'aveugle estimait démesurée.

– Les Magistiens sont capables des pires bassesses, affirma Alios. Ce Manke risque de revenir avec tout un groupe prêt à nous faire un mauvais parti.

Eldwen se fit rassurante.

– Nous devons savoir de quelle manière les Magistiens et les Magomiens prendront part aux combats. Vorgrar a peut-être déjà pris contact avec eux. Il faut le savoir. Et puis, les Magistiens nous supposent en conflit avec les Magomiens, tout comme eux. Cela devrait nous aider.

– À toi le dernier mot, ma fille. Toutefois, je vous conseille la plus grande prudence !

– Cela va de soi, Alios.

Eldwen lui adressa un sourire confiant, puis l'attente se continua en silence. La jeune femme pensait à Matiowen qui demeurait autrefois dans les Remparts Vivants, déchirée entre son appartenance aux Magistiens et aux Magomiens ; une question lui vint à l'esprit.

– Dis-moi, Alios... D'après la description que vous m'avez faite, on ne peut croire que Manke soit très agréable au regard. Pourtant, on dit que Matiowen est d'une grande beauté. J'avais imaginé que les Magistiens seraient un peuple de fière allure.

– Ils le furent. Cependant, le temps a laissé sa marque. L'habitude de vampiriser des années de vie pour conserver une allure jeune n'existe que chez les Magomiens. Les Magistiens ne se soucient pas de cela. J'ai connu Valissa la Magistienne, mère de Matiowen, qui était très belle. Mais cela remonte aux Âges Anciens.

Maître Alios parla longuement de la Race des Magistiens, les décrivant comme un peuple très refermé sur lui-même, évitant autant que possible d'entrer en contact avec les autres. Lorsqu'ils prévoyaient trouver un intérêt immédiat chez des étrangers, ils pouvaient se montrer très coopératifs, mais aussi traîtres et fourbes. Durant les Âges Anciens, les Magistiens cultivaient toutes les formes de magie, de la simple illusion aux pouvoirs étranges et aux forces occultes. Cependant, jamais ils n'utilisaient leur science pour s'imposer aux autres peuples. Puis, vinrent les affrontements contre les Magomiens pour la domination des Forêts Oubliées. Lorsque les Remparts Vivants séparèrent le territoire en deux, créant le Magolande et le Magistan, les Magistiens prirent les Saymails blancs en esclavage, puis ils bannirent de leur domaine les autres races. Dès lors, les Magistiens se contentèrent de protéger leur territoire, espérant qu'un jour ils pourraient conquérir le Magolande.

Comme les Magomiens désiraient faire de même et s'approprier le Magistan, les deux races entretenaient un conflit permanent qui les tenait sur le qui-vive, mais qui les empêchait de disperser leurs forces contre d'autres peuples. Étant à l'origine de même ascendance, Magistiens et Magomiens maintenaient certains rapports entre eux. D'ailleurs, leurs richesses complémentaires les obligeaient à entretenir un commerce continuel de part et d'autre des Remparts Vivants. Ironiquement, la survie de chaque groupe dépendait de ses échanges avec l'autre. Maître Alios craignait que Vorgrar ne détruise cet équilibre en procurant la victoire à l'un des deux groupes pour ensuite l'engager à sa suite contre les peuples du Lentremers. Or, la présence d'AuruSildon en Aklarama, lorsque Ardahel y avait affronté le Maître Sorvak vingt ans plus tôt, semblait confirmer que les Magomiens entretenaient depuis longtemps des contacts avec Vorgrar.

– Voilà qui rend encore plus cruciale la rencontre avec les Grands Magistiens, conclut Eldwen. La contribution de Manke est donc à notre avantage.

La nuit s'était déroulée calmement. Les voyageurs terminaient à peine leur repas du matin lorsque Manke se présenta avec quatre autres Magistiens. Deux d'entre eux lui ressemblaient, quoique plus grands et probablement plus jeunes, alors que les deux autres étaient des femmes, grandes et de noble allure, qui avaient été certainement très belles dans les Âges Anciens. Ils se nommaient Dranke, Toame, Melda et Veisa, membres des Grands Magistiens du Magistan.

Les civilités d'usage furent échangées, puis Veisa prit la parole.

– Ardahel et Eldwen, votre présence a déjà marqué l'histoire des Forêts Oubliées. Vous nous accompagnerez et vous parlerez au nom de votre groupe. Dranke et Toame attendront ici votre retour.

Sans laisser le temps aux voyageurs de discuter, les Magistiens reprirent le chemin du Magistan tandis que Dranke et Toame s'installaient confortablement près des braises encore chaudes du feu de camp.

Bien que les Magistiennes faisaient montre d'une attitude accueillante, leurs instructions ne devaient visiblement pas être contestées. Ardahel s'empressa de glisser discrètement un objet entre les mains de Maître Alios, puis il se hâta de rejoindre les deux femmes et Manke avec Eldwen. Les cinq marcheurs rejoignirent rapidement un sentier bien entretenu qui s'enfonçait au cœur du Magistan. La forêt n'offrait rien de bien particulier aux regards, sinon que le chemin était libre de toute trace de neige alors qu'une bonne couche blanche couvrait déjà le sol par endroits.

Veisa, qui marchait la première, ordonna soudain une halte. La Magistienne désigna en silence un point bien précis loin devant elle. Ardahel chercha attentivement quelque chose de particulier dans la direction qui lui était indiquée. Pendant ce temps, Manke et Melda s'approchèrent silencieusement par-derrière. Eldwen pressentit un danger, mais avant qu'elle n'ait pu alerter Ardahel, elle se sentit comme comprimée de toute part, des pieds à la tête. En l'espace d'un éclair, la jeune femme avait été encoconnée dans un enchevêtrement de fins filaments d'une couleur laiteuse. Ardahel avait subi un sort identique. Ils se trouvaient désormais prisonniers, incapables de faire le moindre geste ni de parler.

Ils se sentirent soulevés de terre pour être ensuite déposés sur une surface dure qui s'ébranla, déplacée par une force qu'ils ne pouvaient identifier par les faibles bruits ouatés qui leur parvenaient. Ardahel rageait de s'être laissé capturer aussi facilement. Il se tortillait dans son cocon, essayant en vain d'en briser les mailles, mais ses efforts ne réussirent qu'à le mettre en nage, rendant son étroite prison encore plus inconfortable. Comme Eldwen, il dut se résoudre à attendre, impuissant et ignorant ce qui se passait, d'arriver à destination.

Les deux prisonniers avaient été déposés sur une plateforme de bois que la magie de Veisa faisait flotter à un demi-tail du sol. Avec une simple corde, les Magistiens se contentaient de diriger l'assemblage derrière eux, sans aucun effort. Après avoir effectué un long détour leur permettant de gagner les Remparts Vivants sans être vus des compagnons de leurs prisonniers, les Magistiens se dirigèrent directement vers le Magolande. Durant de longues heures, Eldwen et Ardahel furent transportés en silence par des passages secrets et des raccourcis de l'autre côté des montagnes séparant le Magistan du Magolande.

Le soir tombait lorsque les Magistiens arrivèrent à l'orée de la forêt du Magolande. À peine avaient-ils pénétré sur le territoire des Magomiens qu'un groupe de gardes fit irruption devant eux.

– Que venez-vous faire ici, chiens galeux de Magistiens ?

– Proposer une prise fort intéressante à SpédomSildon, espèce de larve infecte, répondit Veisa. Je veux en fixer personnellement le prix avec la Grande Magomienne !

Les Magistiens Dranke et Toame maniaient l'art de la conversation avec grande habileté. Tout en faisant continuellement preuve d'une grande politesse, ils ne donnaient jamais vraiment de réponses aux questions de Maître Alios ou de Loruel. Voyant que les conversations n'aboutissaient à rien, Eldguin entraîna les deux Magistiens sur le terrain des devinettes, accaparant ainsi rapidement toute leur attention.

– Qui peut boire en même temps sous terre et dans les airs, se nourrir simultanément dans les ténèbres et en pleine lumière ? commença la jeune femme.

– La réponse est simple, fit Dranke. Il s'agit de l'arbre dont les racines fouillent le sol et les branches s'élancent dans le ciel. Peux-tu me dire qui passe toute son existence dans son lit, le déplaçant parfois sans en sortir ?

– Voilà une réponse fort évidente puisque tu parles d'une rivière. Mais dis-moi, qui sont les cinq frères vivant continuellement ensemble sans se parler, fraternellement unis et qui toujours s'opposent au même ?

– Celle-ci date de fort loin, répondit Toame, et tous les gens reconnaissent facilement les doigts de la main. En voici une plus ardue. Jumelle née adulte, silencieuse et ignorante, vieillissant sans changer de traits, usée par le temps, mais toujours aussi jeune.

– La difficulté n'est guère plus grande, assura Eldguin, puisque tu décris une statue faite à l'image d'une personne...

De plus en plus absorbés par le jeu des devinettes, les Magistiens ne prêtaient plus attention à Alios qui s'éloigna discrètement en faisant signe à Loruel de l'accompagner.

– Pour maîtriser un Magistien, il faut lui saisir les poignets, lui écarter les bras et les attacher ouverts. En aucun moment les mains ne doivent pouvoir se rapprocher. Lowen et toi, vous vous occuperez de Toame. Meilsand et Noakel se chargeront de Dranke. Vous agirez à mon signal.

Alios continua à s'affairer au ramassage du bois pour raviver le feu. Il paraissait s'intéresser aux énigmes de plus en plus difficiles que les joueurs se lançaient dans une joute captivante. Laissant tout le temps à Loruel d'informer les autres sans éveiller les soupçons, le membre de la Race Ancestrale prépara deux bâtons solides et une série de lanières de cuir.

– Il fait éclore et fait faner ; il va son chemin régulièrement, vite pour les uns, lent pour les autres, il affronte chacun, abat les plus puissants, et pourtant jamais n'est menacé.

La réponse à cette devinette d'Eldguin était bien évidente ; ses compagnons avaient immédiatement reconnu le temps qui passe. Toutefois, en jouteuse rusée, la jeune femme plaçait une énigme fort simple alors que tous attendaient une question des plus ardues.

Les deux Magistiens se grattaient la tête en n'osant risquer une réponse facile. Ils étaient totalement absorbés dans leurs réflexions lorsque Maître Alios donna le signal. En un clin d'œil, Dranke et Toame se retrouvèrent rivés au sol, les bras écartés et fermement retenus. Aussitôt, Alios prit les bâtons et les lanières pour immobiliser définitivement les prisonniers. Il fit des nœuds solides depuis les épaules jusqu'aux poignets, ainsi qu'au bout des doigts. Se voyant réduits à l'impuissance, les deux Magistiens acceptèrent leur défaite et cessèrent rapidement toute résistance.

Le membre de la Race Ancestrale se pencha sur Toame en lui mettant un flacon sous le nez. C'était la Fiole Franche qu'Ardahel lui avait confiée avant de rejoindre Eldwen.

– Pourquoi tant de précipitation de la part de Veisa pour se rendre en Magistan avec nos deux amis ?

– Pour ne pas vous laisser le temps de réfléchir et de vous organiser, répondit docilement le Magistien.

– Veisa voulait donc nous tromper. Quelle est son intention ?

– SpédomSildon a promis une forte récompense à qui lui livrerait Eldwen et Ardahel de Santerre. La situation est très tendue en ce moment entre nous et les Magomiens. Veisa désire utiliser cette prise à notre avantage. Dranke et moi devions vous faire patienter le plus longtemps possible, puis vous fausser compagnie.

Les compagnons se regardèrent en silence, désemparés.

– Il faut partir à leur recherche, s'écria Noakel dont la voix exprimait son inquiétude.

– Je ne crois pas Ardahel et Eldwen en danger pour le moment, affirma Alios. Prenons d'abord contact avec les Grands Magistiens et ensuite j'irai en Magolande.

– Tu sembles prêt à abandonner mon frère bien vite, s'exclama Noakel en colère.

Alios se détourna, visiblement tourmenté, tandis que Loruel calmait son compagnon.

– Ne parle pas ainsi. Il existe des liens secrets entre Maître Alios et la Magomienne. Je ne les connais pas, mais je sais qu'Alios voulait éviter de les raviver. En l'absence d'Eldwen, faisons confiance à Alios face aux Magistiens et aux Magomiens.

Loruel avait parlé à voix basse afin que les Magistiens ne l'entendent pas. Noakel s'apaisa, puis il se dirigea vers sa monture pour la préparer au départ.

– Soit, suivons Maître Alios, déclara-t-il, mais quelle que soit la direction à prendre, partons vite.

Ces paroles semblèrent tirer le membre de la Race Ancestrale de son abattement. Il regarda ses compagnons, constatant alors que tous approuvaient Noakel. Alors, il s'empressa à son tour de plier bagages. Bientôt, ils furent prêts à partir, les deux Magistiens toujours entravés et installés sur Noiras et CrinBlanc.

Guidés par Dranke et Toame qui ne pouvaient les tromper grâce au pouvoir de la Fiole Franche, les cavaliers atteignirent rapidement Magaluir, la Cité merveilleuse des Magistiens.

Témoin splendide de l'antique gloire des Magistiens et de leur ancien amour des œuvres d'art spectaculaires, Magaluir étalait ses blanches constructions dans une vallée aux pentes douces. Toutes les rues convergeaient vers un point central d'où jaillissait une tour éclatante en marbre blanc continuellement drapée de reflets chatoyants. Des maisons somptueuses aux façades encombrées de statues magnifiques côtoyaient des petits temples triangulaires dont la pointe principale était orientée vers la tour centrale. De loin, la cité paraissait un pur chef-d'œuvre dans ses moindres détails. Toutefois, en y pénétrant, Alios et ses compagnons virent que la plupart des maisons étaient inhabitées et que la splendeur des lieux souffrait d'un grave laisser-aller général. Seule la tour principale profitait d'un entretien méticuleux. Un silence pesant régnait en maître, à peine troublé par les déplacements de quelques vieillards ayant beaucoup trop vécu en Monde d'Ici. Ceux que le groupe croisait n'accordaient que peu d'attention à Dranke ou à Toame.

Les cavaliers s'arrêtèrent au pied de la tour, devant un porche monumental où se tenait un Magistien fatigué. Vêtu d'une longue robe bleue, le visage usé par le temps, sa longue chevelure blanche lui descendant à la taille et sa barbe presque à la ceinture, il s'appuyait sur deux cannes de bois noueux.

Il accueillit les nouveaux venus d'une voix triste, pitoyable comme cette ville surannée.

– N'usez point de violence ou de magie en cette tour, dernier refuge de l'ancienne gloire des Magistiens. Personne ne vous mettra en péril ici, étrangers.

– Nous désirons rencontrer les Grands Magistiens, déclara Alios d'une voix ferme. Cela rapidement, car la situation est urgente pour nous.

– Alors venez. Mais libérez tout d'abord vos prisonniers.

Alios fit un signe affirmatif et Loruel se chargea de trancher les liens de Dranke et ceux de Toame. Une fois libérés, les deux Magistiens s'éloignèrent lentement, d'un pas honteux. Alors, le vieux Magistien, gardien de la tour, invita le petit groupe à le suivre. Ils pénétrèrent dans une salle immense aux colonnes élégantes de simplicité, dont certaines s'ornaient du portrait sculpté d'un membre important de la Race des

Magistiens. L'endroit resplendissait de blancheur, sauf le sol où se dessinaient des motifs dorés qui convergeaient vers le centre de la pièce. Une grande plaque d'or circulaire reposait sur une tribune ronde, haute de trois marches. Le Magistien monta lentement sur la plaque et fit signe aux visiteurs de le rejoindre. Au-dessus d'eux, un puits de lumière s'élançait jusqu'au sommet de la tour.

– Ainsi que vous le désirez, vous allez rencontrer les Grands Magistiens, déclara solennellement le vieillard.

La plaque d'or se détacha de sa base pour s'élever dans les airs, emportant ses passagers au faîte de la tour. Ils aboutirent dans une grande salle circulaire, surmontée d'un dôme transparent qui laissait entrer la lumière à profusion. Il n'y avait nul ornement ni meuble dans cette pièce nue, hormis vingt sièges disposés sur le pourtour, à égale distance l'un de l'autre.

Dix-neuf Magistiens étaient déjà rassemblés et, aussi incroyable que cela pût sembler aux nouveaux venus, ils paraissaient tous encore plus âgés que leur guide. Celui-ci alla prendre place sur le siège vacant et l'assemblée des Grands Magistiens fut prête à écouter leurs visiteurs. Du groupe, seul Alios ne paraissait pas intimidé. Il était sur le point de parler lorsqu'une Magistienne lui coupa la parole, une vieillarde voûtée au visage osseux, portant la robe bleue et la longue chevelure blanche des Grands Magistiens.

– Il vous a été dit de n'employer nulle magie en cet endroit. Étranger, tu parleras lorsque tu nous montreras ta véritable apparence.

Alios eut un sourire obéissant, puis un éclat lumineux l'enveloppa, forçant ses compagnons à baisser le regard. Relevant les yeux, Noakel, Eldguin et Meilsand découvrirent avec étonnement Alios sous sa véritable apparence de membre de la Race Ancestrale. Loruel et Lowen l'avaient vu ainsi en Nalahir, mais ils étaient impressionnés eux aussi par ce grand personnage jeune d'allure, mais au regard empreint de sagesse et d'expérience, au visage autant féminin que masculin encadré par une longue chevelure blonde.

– Je suis Hunil Ahos Nuhel de la Race Ancestrale, déclara-t-il à l'endroit des Grands Magistiens, et je viens vous interroger sur vos contacts avec mon frœur Orvak Shen Komi.

Loin de là, en Pays de Santerre, le Prince Jeifil entra dans une petite auberge très fréquentée du Temple du Roi et des Sages. Il y en avait quatre, chacune située près d'un pont reliant l'île aux rives de la Rivière Alahid. Les visiteurs du Temple s'y donnaient rendez-vous, non seulement pour se restaurer, mais aussi pour échanger les plus récentes nouvelles. On y rencontrait régulièrement les Princes, les Prétendants, plusieurs Sages, les Chefs de guerre, les différents responsables administratifs du Pays, tout comme les suites des ambassadeurs et les commerçants des pays étrangers.

Haut lieu de discussion et d'information, endroit privilégié pour prendre le pouls du Pays de Santerre, l'Auberge du Mi-Jour était particulièrement achalandée et bruyante. Le Prince Jeifil se dirigea vers une table en retrait où prenaient déjà place d'autres Princes du Conseil. De taille moyenne, bien pris sans être massif, les cheveux bruns courts, Jeifil ne portait aucune barbe. Il avait le visage allongé, le nez fort, le front large et les yeux vifs. Il dégageait énormément d'assurance, parlant avec des propos tranchants, jouant de l'humour pour mieux piquer ses adversaires, sachant imposer son point de vue en évitant les répliques ou en les retournant à son avantage. Comptant parmi les plus récents Princes à accéder au Conseil, il avait pris une place de plus en plus grande dans les discussions depuis les cinq dernières années. Il attirait autour de lui ceux dont les opinions étaient moins marquées, se faisant tranquillement le chef de file d'une faction du Conseil qui souhaitait plus de fermeté dans l'administration du pays.

Il savait diriger les conversations jusqu'au moment propice pour imposer son point de vue. Ce jour-là, les gens commentaient les récents exploits du Roi Tocsand durant la joute.

– Notre Roi a enfin démontré sa valeur, affirma un Prétendant assis à la table.

– Son épouse MeilThimas nous a bien surpris, continua un autre. Personne n'aurait cru qu'une si petite femme pourrait imposer sa loi à Bilgor. C'est incroyable !

– Il y a quelque chose de pas naturel là-dedans, fit un Prince. Depuis vingt ans qu'elle compose des chants et voilà qu'elle s'affirme comme l'une des plus redoutables guerrières qu'on ait vues en Santerre.

– D'où peut-elle bien venir ? demanda Jeifil à l'aîné du groupe.

C'était Ardur, un Culter massif aux petits yeux perçants, arborant une épaisse moustache blanche sous son long nez d'aigle. Il était surtout un Prétendant plus vieux que Tocsand lui-même et qui n'avait jamais accédé au titre de Prince. Il en était demeuré frustré, ce qui l'incitait souvent à parler plus ou moins directement contre le Roi.

– Personne ne le sait. Le Roi Tocsand a toujours été très secret. On constate aujourd'hui qu'il n'était pas si inactif qu'on le croyait. Mais que faisait-il ? Avec qui ? Avec d'autres de la même race que MeilThimas, on peut le croire !

– Veux-tu insinuer que Tocsand aurait pu trahir le Pays ? s'indigna Jeifil.

– Je n'ai rien dit de tel. Cependant, il faut toujours demeurer vigilant.

– En effet, approuva Jeifil. Il serait bon d'ouvrir l'œil. Prenez tous le maximum d'information à ce sujet et tenez-moi au courant. Notre rôle est de servir le Pays de Santerre en tout premier lieu. Si Tocsand et son épouse sont droits, nous l'affirmerons partout. Par contre, s'ils manœuvrent de manière à causer préjudice aux Gens de Santerre, nous devons les démasquer. Pour ma part, je suis disposé à prendre le risque d'affronter le Roi au nom du Pays de Santerre !

Chapitre quatrième
Vieil amour, vieille haine

Le voyage parut interminable à Ardahel et à Eldwen. Incapables du moindre mouvement, ne distinguant rien de la route empruntée par les Magistiens, seuls quelques sons étouffés leur parvenant, les deux prisonniers se sentaient entraînés de plus en plus loin vers une destination inconnue. Après de longues heures angoissantes, ils sentirent la chaleur du soleil diminuer, leur indiquant ainsi que la journée achevait. En plus de l'engourdissement, de la faim et de la soif, le froid commença à les éprouver.

Finalement, ils entendirent des bruits plus nombreux indiquant la présence d'un grand nombre de gens. Tirés sans ménagement de la plateforme, Ardahel et Eldwen se sentirent saisis par plusieurs mains, puis transportés dans des escaliers qui s'enfonçaient assurément sous terre. Ardahel avait senti l'ascension et la descente durant la journée, assurément parce qu'ils avaient traversé les Remparts Vivants. Il se disait donc qu'ils devaient être du côté du Magolande plutôt que du Magistan. Il y eut des grincements de portes, les rumeurs de nombreuses conversations tandis qu'ils traversaient diverses salles, puis ils furent jetés sur le sol dans un endroit silencieux.

Une nouvelle attente débuta, le temps que Veisa marchande sa prise avec la Grande Magomienne. Enfin, une porte claqua et SpédomSildon s'approcha de ses prisonniers. À l'aide d'un couteau à fine lame, elle les débarrassa des liens qui couvraient leurs visages, leur permettant enfin de respirer à leur aise. Ardahel examina rapidement les alentours. Ils se trouvaient dans une pièce relativement petite, une cellule humide creusée dans la terre. Il y avait un seul mur de pierre, celui de l'épaisse porte de bois située au sommet d'un long escalier. Quelques torches près de la porte jetaient un éclairage dansant dans ce trou qui servait de prison. Quelques ossements sur le sol indiquaient que les personnes détenues en cet endroit n'en ressortaient pas toujours.

SpédomSildon examinait ses proies en silence, un sourire satisfait planant sur son visage. La ressemblance entre Eldwen et la Magomienne était encore plus évidente maintenant que les deux femmes se trouvaient en présence l'une de l'autre. SpédomSildon parut ne pas en faire de cas, s'adressant uniquement à Ardahel.

– Te voilà de nouveau devant moi, Prince de Santerre. Or, aujourd'hui, cela me réjouit. Tu sais, les Gardols que tu as abattus ont souillé l'eau du lac, amenant la maladie parmi nous. Nous avons dû abandonner notre domaine et aménager de nouveaux Maisarbres, tout reprendre à partir du début en un nouvel endroit du Magolande. Cela coûte cher. Très cher ! J'ai bien l'intention d'obtenir un dédommagement. Alors, laisse-moi te dire combien ta dette est lourde. Très lourde.

SpédomSildon n'attendit pas une réponse qui ne viendrait probablement pas. Elle retourna vers l'escalier. Une fois rendue près de la porte, avant de quitter les prisonniers, elle se retourna une dernière fois.

– Maintenant que j'ai la confirmation qu'il s'agit bien de toi, mon très cher Ardahel, je vais conclure mon paiement avec ces idiots de Magistiens. Vous n'aurez plus beaucoup à attendre. Profitez bien de vos derniers instants ensemble pendant que vous êtes encore capables de vous reconnaître !

La Magomienne quitta l'endroit en fermant lentement la porte derrière elle. Toujours entravé du cou aux pieds, Ardahel se tortilla pour s'approcher le plus possible d'Eldwen. Leurs visages exprimaient une profonde angoisse.

– Comment te sens-tu, mon amour ? s'inquiéta le Prince.

Eldwen fut longue à répondre, comme si elle émergeait difficilement d'un mauvais rêve.

– J'ai peur pour toi. SpédomSildon est calme et déterminée. Ni colère ni folie ne faussent son jugement. Elle sera impitoyable...

Du mieux qu'elle le pouvait, l'aveugle se tourna vers son compagnon pour poser sa tête contre la sienne, pour sentir un contact avec Ardahel. Brusquement, la porte s'ouvrit à nouveau et cinq Magomiens descendirent l'escalier. L'un d'eux tendit le bras vers Ardahel, faisant jaillir de sa main une énergie qui frappa durement le Prince. À demi inconscient, Ardahel sentit qu'on lui enlevait ses liens, puis son arme et tous ses effets. Même son linge lui fut retiré. Ensuite, Eldwen subit le même sort. Les Magomiens firent un paquet des effets des prisonniers, puis ils quittèrent la cellule en laissant Eldwen et Ardahel nus, presque inconscients.

La déclaration d'Alios, se dévoilant sous sa véritable identité de Hunil Ahos Nuhel, avait saisi les Grands Magistiens. Depuis les Âges Anciens, ils n'avaient pas eu de contacts avec un membre de la Race Ancestrale. Puis voilà que les deux plus puissants en Monde d'Ici venaient tour à tour les rencontrer. SiMa, la doyenne du groupe, celle qui avait intimé à Alios l'ordre de se révéler, se leva péniblement pour s'adresser à son visiteur.

– Ton frœur Orvak Shen Komi est venu nous voir, effectivement. Il désire notre aide et nous avons longuement réfléchi.

– Quelle fut votre réponse ? demanda calmement Alios.

– Pourquoi devrions-nous t'en faire part ? Assistes-tu ton frœur ou désires-tu lui nuire ?

Maître Alios ne donna pas de réponse. Si les Grands Magistiens connaissaient sa position, exposeraient-ils la vérité ou useraient-ils de mensonges ?

– Ce qui est entre membres de la Race Ancestrale ne regarde qu'eux, assura-t-il. Dans un sens ou l'autre, je connaîtrai votre position.

Élevant les bras, Alios se concentra. Il était prêt à utiliser tous ses pouvoirs pour forcer les esprits des Grands Magistiens. SiMa leva la main en signe d'apaisement, puis elle s'assit.

– Tu n'as nul besoin de nous imposer ta puissance, Hunil Ahos Nuhel. Ce que tu as vu ici devrait te répondre aussi clairement qu'à ton frœur Orvak Shen Komi. La puissance des Magistiens n'est plus qu'un souvenir lointain que nous entretenons aux frontières de notre domaine pour éviter l'assaut final des Magomiens. Nous ne sommes plus que des vieillards tristes et las de la vie elle-même. Seule la volonté de soustraire le Magistan à l'emprise des Magomiens nous pousse à ruser et à faire semblant d'être encore un Peuple fier et plein de ressources. Mais notre arrogance devant les Gens du Magolande n'est qu'une façade trompeuse, un bluff monumental comme aucun peuple n'en a jamais entretenu durant de si longs siècles. Ton frœur l'a deviné. Il a voulu nous convaincre de prendre son parti, de raviver notre pouvoir grâce au sien, mais nous n'avons aucune confiance en ses promesses de nouvelle puissance, de domination et de gloire.

Un triste silence succéda aux paroles de la Magistienne. Maître Alios se tourna vers ses compagnons, lisant dans leurs yeux la pitié pour cette Race Ancienne qui n'avait plus sa place en Monde d'Ici et qui le savait. Les six compagnons se tenaient toujours au centre de la pièce, Loruel et Lowen juste derrière Alios, Meilsand et les jumeaux formant le troisième rang d'une sorte de triangle pointé vers SiMa qui présidait le cercle des Grands Magistiens. Flanquée de Meilsand et de son frère, Eldguin se trouvait au centre de son groupe. La jeune femme s'avança soudain pour passer entre Loruel et Lowen. Elle écarta Alios pour se placer face à SiMa.

Les deux femmes ne pouvaient offrir plus saisissant contraste. SiMa, vieillarde voûtée, fatiguée de la vie, à la beauté évanouie, à la longue chevelure blanche et terne encadrant un visage osseux, aux somptueux habits bleus qui n'étaient plus que des témoins illusoires d'une grandeur passée. Eldguin, jeune et solide, d'une beauté admirable venant de l'intérieur, aux grands yeux verts éclatant d'enthousiasme, aux longs cheveux châtains soulignant son visage franc, avide de vivre pleinement. Durant un moment, leurs regards se croisèrent pour pénétrer le plus profondément possible dans leur âme, dans leur cœur. Chacune put y lire la sincérité. Eldguin prit alors la parole, doucement, avec une passion retenue mais évidente.

– Je suis Eldguin, fille de Noak et Irguin, première de la Nouvelle Lignée annoncée par les Paroles Oubliées de l'Histoire du Pays de Santerre. Je comprends vos sentiments. Le Monde d'Ici semble échapper aux races qui en ont fait la grandeur ancienne. Ce sont les Basses Races, dont je fais partie, qui doivent désormais en forger la destinée. Est-ce mieux ou pire ainsi ? Notre avenir le dira ! La seule certitude est qu'un temps est terminé, qu'un autre lui succède. Nous aurons à vivre avec votre héritage et celui-ci doit être le plus glorieux qui soit. Il ne doit pas porter la souillure de Vorgrar. Voilà pourquoi, avant de se retirer définitivement, les Races Anciennes doivent écarter l'Esprit Mauvais.

Laissant parler tout autant son cœur que sa raison, Eldguin fit le tour de la salle en s'arrêtant devant chaque membre de l'assemblée des Grands Magistiens. Elle les regardait dans les yeux, les laissant sonder son âme. Ses paroles emplissaient la pièce en un discours que chaque Magistien recevait personnellement.

La jeune femme affirma combien elle tenait pour crucial que les Races Anciennes ne se laissent pas expulser du Monde d'Ici comme des êtres devenus inutiles. Au contraire, ils devaient quitter ce monde avec sérénité en s'assurant que leur départ laisse le Monde d'Ici dans les conditions les plus favorables pour ceux qui continueraient à y vivre. Le discours passionné d'Eldguin dura longtemps, car elle s'attacha à les convaincre tous, jusqu'au moment où elle lut dans les yeux de chacun leur assentiment.

– Puisque Vorgrar est venu jauger les forces du Magistan et qu'il connaît celles du Magolande, ajouta Eldguin, les Magistiens doivent s'attendre à ce que les Magomiens écoutent l'Esprit Mauvais. Ils vont s'allier à lui, car ils doivent maintenant connaître l'état réel de votre Peuple. Si les Magistiens demeurent sans réaction, ils seront broyés puis rejetés du Monde d'Ici du revers de la main.

N'ayant plus rien à ajouter, Eldguin s'arrêta face à SiMa pour attendre la réponse des Magistiens. Spontanément, Noakel et Meilsand vinrent la rejoindre, se tenant de chaque côté de la jeune femme. Loruel et Lowen s'avancèrent à leur tour pour se placer juste derrière les trois jeunes gens. Sans avoir bougé, Maître Alios se retrouva donc à l'arrière du groupe, le triangle qu'ils formaient à l'origine s'étant inversé.

Un silence solennel régnait dans la salle. Durant le temps que s'était déroulée la rencontre, le jour s'était couché. Il n'entrait plus de lumière par le dôme transparent qui servait de plafond ; la salle circulaire était maintenant éclairée par une série de globes translucides situés en haut des murs, près de la jonction avec le dôme. De ces globes irradiait une lumière dorée, dansante, qui réchauffait l'atmosphère des lieux. Dans cette ambiance chaleureuse, les Magistiens paraissaient moins distants, moins fragiles, moins vulnérables.

Cependant, Maître Alios paraissait détaché de la situation, l'esprit absent à ce qui se déroulait autour de lui. Soudain, il eut un frisson et son souffle sembla manquer. Ses compagnons se tournèrent vers lui pour constater une immense inquiétude sur son visage, presque de la panique.

Les paroles de Maître Alios n'étaient qu'un murmure apeuré.

– Eldwen m'appelle à son secours. Elle et Ardahel sont entre les mains des Magomiens ! Leur situation doit être grave pour que ma fille tente si désespérément de me joindre. Je pars immédiatement pour le Magolande...

Les gestes d'Alios trahissaient son anxiété. Ses compagnons tentèrent de le retenir, mais en vain. Une dernière fois, il s'adressa aux Magistiens.

– Je dois partir immédiatement, car mon enfant crie à mon secours. Je vous demande d'accepter que je me retire sans y voir quoi que ce soit d'autre. Quant à la suite, ces jeunes gens ont toute ma confiance. C'est d'ailleurs à eux qu'il revient de tisser la trame de l'avenir et non plus aux vieilles Races comme la mienne.

Alios se tourna vers Eldguin, le regard à la fois admiratif et angoissé.

– Je sais que vous prendrez les bonnes décisions. Quoi qu'il advienne, retrouvons-nous au Col d'Otrek aux derniers jours de la présente lune s'il est impossible de se retrouver avant... Que chacun fasse selon sa conscience si nous ne nous retrouvons jamais !

SpédomSildon revint visiter ses prisonniers. Blottis l'un contre l'autre pour tenter de se réchauffer, ils frissonnaient dans l'air frais et humide de leur cellule, réjouissant la Grande Magomienne par leur allure pitoyable.

– Voilà bien le Prince de Santerre dans une posture à sa mesure, railla SpédomSildon.

Silencieux, Ardahel se redressa un peu, comme pour s'interposer entre la Magomienne et sa compagne, offrant ainsi un rempart bien illusoire. SpédomSildon demeurait dans le haut de l'escalier, à bonne distance d'Ardahel. Elle le regarda longuement, puis elle tendit le bras. Un éclair jaune jaillit de sa main pour frapper le Prince.

– Tu vas ramper devant moi et implorer ma clémence, Prince de Santerre. Toi, Eldwen, je vais te ménager jusqu'à ce que Hunil Ahos Nuhel vienne à ton secours. Car tu es sa fille, n'est-ce pas ? J'en ai la conviction maintenant. Je doutais lors de notre première rencontre, mais plus maintenant.

Pour Eldwen, la Magomienne n'était qu'une voix hors de sa portée. Toutefois, elle avait eu conscience de l'énergie qu'elle avait utilisée, se faisant une image très précise de l'éclair jaune surgissant de son corps pour frapper Ardahel. L'aveugle s'était précipitée vers son compagnon pour le prendre dans ses bras. Des larmes de désespoir emplirent ses yeux. Dans son obscurité, se sachant nue devant son adversaire, la jeune femme se sentait si démunie. Elle réussit tout de même à répliquer, presque frondeuse.

– Pourquoi aurais-je un père venant à mon secours cette fois-ci, alors qu'il n'a rien fait lorsque j'étais en ton pouvoir autrefois ?

– À l'époque, j'ignorais si Hunil Ahos Nuhel se trouvait encore en Monde d'Ici. Je sais qu'il t'accompagne aujourd'hui. Il porte le nom de Maître Alios, n'est-ce pas ?

Eldwen tenta de nier, mais SpédomSildon haussa les épaules.

– Quel autre membre de la Race Ancestrale voyagerait avec toi et tes compagnons ? Les Magistiens savent reconnaître cette Race malgré leurs déguisements et Veisa m'a confié bien des renseignements sur votre groupe avant de s'en retourner... dans le Repos Éternel !

– Ainsi, leur perte a été le seul salaire des Magistiens pour nous avoir livrés à toi ? se révolta Eldwen.

– Les Magistiens ne sont plus en mesure d'exiger quoi que ce soit des Magomiens. Leurs jours sont comptés. Pour ceux-là, un peu plus tôt, ou un peu plus tard !

SpédomSildon fit mine de réfléchir un instant, puis elle eut un sourire satisfait.

– Vous portiez sur vous des objets très intéressants. Fioles autegentiennes, baume larousquais, magies volupiennes... Cela me donne de très bonnes idées en attendant de les monnayer avec Vorgrar. Avec un peu d'imagination, le châtiment d'Ardahel devrait se révéler fort original. Tout comme celui de Hunil Ahos Nuhel lorsqu'il se présentera !

SpédomSildon se délecta encore un instant du spectacle de ses proies humiliées devant elle. Enfin, elle se retira après avoir éteint les torches, laissant Eldwen et Ardahel dans l'obscurité. Ils se blottirent l'un contre l'autre pour se réconforter, mais ils ne trouvaient aucun mot pour vaincre leur découragement.

– Les ossements, fit soudain Ardahel. Nous pourrions nous en faire des armes !

Eldwen tâta fébrilement le sol autour d'elle. Bientôt, elle dut déchanter.

– L'humidité les a rendus trop friables. Ils sont pourris.

– Il faut trouver un moyen d'agir, soupira le Prince. Ne peux-tu utiliser les forces confiées par Almé ? SpédomSildon veut nous écraser. Elle le peut et elle le fera sans aucune pitié...

Eldwen se sentait tellement découragée. Elle se lova contre le Prince en sanglotant.

– Je ne sais pas. Je me sens impuissante devant SpédomSildon... Incapable de l'affronter.

Grâce à la rapidité de LongCrin, sa monture du Nalahir, Alios se présenta rapidement à l'entrée du domaine de la Grande Magomienne. Un Maisarbre de bonne taille avait été aménagé pour recevoir la Porte Jaune distinctive de SpédomSildon. Toutefois, les autres Maisarbres aux alentours étaient relativement petits, révélant que le site avait été aménagé avant d'être véritablement prêt. Le travail avait été fait en toute hâte et, dans l'esprit des Magomiens, cela ne correspondait pas au rang de SpédomSildon.

Alios nota cela avec un sourire désabusé, puis il gravit les marches menant à la Porte Jaune. Il avait conservé son apparence de membre de la Race Ancestrale.

– SpédomSildon, dit-il d'une voix puissante. Hunil Ahos Nuhel se tient à l'entrée de ton domaine. Je veux te rencontrer. Viens ici, à l'extérieur. Viens, je t'attends.

Alios redescendit les marches et s'éloigna quelque peu du Maisarbre. Il attendit debout, dans la froide nuit d'automne en Magolande, droit et fier, les bras croisés. Son visage ne laissait paraître aucun sentiment, mais ses poings crispés trahissaient son angoisse. Les nuages s'effilochèrent, laissant surgir une lune crue, à la lumière bleue qui se reflétait sur la fine couche de neige qui couvrait le sol.

Une heure passa, puis la Porte Jaune bascula vers l'intérieur du Maisarbre, laissant libre passage pour SpédomSildon. Elle portait un long manteau d'ours blanc dont la tête servait de capuchon. Un léger maquillage soulignait la beauté du regard de la Magomienne. Majestueuse dans la lumière de la lune, elle descendit lentement l'escalier pour s'approcher d'Alios.

Tout en s'avançant, la Magomienne gardait ses yeux rivés à ceux du membre de la Race Ancestrale. Elle ne s'arrêta que lorsque leurs vêtements se frôlèrent.

– Te revoilà enfin, Hunil Ahos Nuhel. Tu n'as pas changé. Presque pas. Ni le son de ta voix, ni la beauté de ton visage. Tu es comme avant, comme autrefois. Souris-moi, fais encore briller le feu de ton regard.

Alios soutenait le regard de la Magomienne, mais en même temps, des images d'autrefois tourbillonnaient dans son souvenir. Il s'efforça de répondre, la voix rauque d'émotion.

– Tu ne parais pas avoir changé, mais tu n'es plus la même, SpédomSildon. Ton visage est aussi envoûtant qu'autrefois. Malheureusement, ton cœur est devenu repoussant.

– Tu avais pourtant ce cœur entre tes mains et tu l'embellissais. Tu l'as abandonné et sans toi, il s'est obscurci.

Tout en parlant, SpédomSildon passa doucement les bras autour d'Alios. Lorsqu'elle posa sa tête sur son épaule, Alios se raidit de tout son corps. Fermement, mais sans brusquerie, il repoussa la Grande Magomienne.

– Ton cœur a changé avant que je ne te quitte.

Alios savait qu'il devait éviter ce sujet. Chaque mot qui le reliait au passé venait fouiller son âme et faire ressurgir des sentiments confus, contradictoires, aux accents malheureux mais si prenants.

– Ne parlons plus de cela. Nous ne pouvons remonter le cours du temps. Je viens ici car tu retiens ma fille Eldwen prisonnière. Je veux que tu la remettes en liberté, elle et le Prince Ardahel. Fixe ton prix.

Le membre de la Race Ancestrale espérait que SpédomSildon tente de profiter de cette offre, même s'il devait être lui-même le prix exigé. Mais la Grande Magomienne se fit encore plus ensorcelante dans ses gestes et dans sa voix.

– Quelle preuve sublime de ton amour, murmura SpédomSildon. J'ai été remuée au plus profond de mon cœur de voir Eldwen si pareille à moi. Mon seul regret est que nous ne l'ayons pas élevée ensemble. Tu sais, j'aurais pu lui donner un frère semblable à toi. Nous aurions eu tant de bonheur à les voir devenir adultes sous notre protection. Oh, Hunil Ahos Nuhel, de combien d'intenses moments nous as-tu privés ?

– Où se trouve Eldwen ? coupa Alios.

SpédomSildon fit mine de ne pas entendre la question. Sa voix s'était faite implorante, chargée d'une douleur ancienne qu'elle reprochait à Alios.

– Tu aimes ta fille. Plus que tu ne m'as aimée ? Peut-être Eldwen m'a-t-elle remplacée en ton cœur ? A-t-elle su te donner des moments de joie ?

Un voile de tristesse couvrit le regard du membre de la Race Ancestrale, incapable d'échapper aux sentiments déchirants que provoquait l'attitude de sa fille.

– Ne pense pas ainsi, répondit Alios. Depuis sa naissance, j'ai peu vu Eldwen et un large fossé nous sépare...

– Pourquoi faut-il toujours que tu élèves un mur entre toi et ceux qui font vibrer ton cœur ?

SpédomSildon serra à nouveau Alios, se faisant tour à tour consolatrice et envoûtante. Des sentiments et des gestes si longtemps refoulés revenaient en Hunil Ahos Nuhel. Des élans presque oubliés reprenaient vie. Presque malgré lui, Alios ouvrit ses bras. Son visage chercha celui de la Magomienne. Leurs lèvres se frôlèrent délicatement pour ensuite se trouver et se rejoindre en un long baiser.

Retrouvant les gestes d'une autre époque, SpédomSildon ravivait la passion du membre de la Race Ancestrale. Mais si Hunil Ahos Nuhel goûtait cet instant d'abandon les yeux fermés, la Magomienne gardait les yeux bien ouverts, un sourire indéfinissable sur son visage.

Fortement impressionnés par le discours d'Eldguin aux Grands Magistiens, ses compagnons la regardaient avec respect. Loruel et Lowen se réjouissaient de constater que la nouvelle génération affirmait désormais sa présence dans le combat contre Vorgrar. Le Roi de Gueld n'était-il pas lui-même aussi jeune lorsqu'il avait quitté son exil en Pays de Santerre pour affronter les Sorvaks ? Meilsand avait le regard plus admiratif que jamais et Noakel se sentait particulièrement interpellé. En effet, il avait le sentiment que sa sœur venait de toucher le sens véritable des Paroles Oubliées qui les désignaient comme les premiers de la Nouvelle Lignée. Ces mots énigmatiques qu'ils connaissaient depuis leur enfance se chargeaient lentement de sens.

Les cinq compagnons attendaient dans la salle à la base de la tour. Après le départ de Maître Alios, SiMa s'était levée pour marcher dans la salle, s'arrêtant devant chaque grand Magistien pour sonder son regard. Enfin, elle était revenue devant Eldguin pour plonger ses yeux dans les siens. Son interrogatoire silencieux terminé, elle avait indiqué à la jeune femme et à ses compagnons de reprendre place sur la plaque d'or au centre du plancher. Ils étaient alors redescendus à la base de la tour, assurés que les Grands Magistiens viendraient bientôt les rejoindre pour les informer de leur décision quant à la suite des événements.

L'attente fut effectivement courte. La plaque d'or redescendit une nouvelle fois du faîte de la tour. Les vingt Grands Magistiens affichaient une allure déterminée ; leur décision avait manifestement balayé l'accablement qui régnait en leurs cœurs et qui alourdissait leurs gestes. Sans adresser un mot aux étrangers, ils sortirent à l'extérieur afin de prendre place à intervalle régulier autour du bâtiment. Chaque Grand Magistien faisait face à l'une des rues principales de Magaluir, la cité magistienne.

Ils parlèrent tous ensemble, leurs voix n'en faisant qu'une seule qui se répandit par toute la cité. À l'appel des Grands Magistiens, tous les habitants de Magaluir se pressèrent au pied de la tour. Ils devaient être environ six cents, la plupart d'apparence semblable à celle de Manke, certains plus grands et de noble allure, mais tous vieillards usés par le temps.

La voix des Grands Magistiens s'éleva de nouveau, une voix unique sortie simultanément de vingt bouches différentes.

– Peuple du Magistan, voici le temps de retrouver une dernière fois notre ardeur. Depuis longtemps nous attendions le moment de nous réunir pour mettre le feu au Magistan. Nous avions décidé de brûler avec notre cité aimée de Magaluir et de retourner, cendres paisibles, à cette terre qui nous a nourris si longtemps. Cependant, nous ne ferons pas de notre départ un sacrifice passif et inutile pour le Monde d'Ici. Notre feu surgira de notre domaine et nous irons le porter par-delà les Remparts Vivants afin que le Magolande lui aussi soit balayé par les flammes du Destin.

La voix des Grands Magistiens continua de retentir en Magaluir, porteuse de leur ultime détermination.

– Lorsque le soleil se lèvera sur l'horizon, ses rayons se mêleront aux flammes de Magaluir. Nous quitterons à jamais notre cité bien-aimée. Ces étrangers sont de ceux qui doivent rester vivants après nous. Celle-ci est Eldguin dont les ordres sont égaux aux nôtres et qui mérite notre protection. Allez maintenant ! Ouvrez les portes de vos demeures pour que le feu pénètre facilement.

Les paroles des Grands Magistiens firent se redresser chacun des vieillards. Leur démarche, de pesante et lasse qu'elle était, redevint assurée lorsqu'ils se dispersèrent. Déroutée, Eldguin regarda ses compagnons. Elle haussa les épaules en signe d'impuissance, puis elle se dirigea vers SiMa.

– Nous n'avons pas demandé le sacrifice de ton peuple, SiMa. Je n'ai pas voulu...

– Tu ne changeras rien à notre décision, coupa la Magistienne. Notre destin nous revient. Quant à toi, je t'offre de te faire obéir, non pas pour changer notre décision, mais pour que tu profites de la situation à l'avantage des Basses Races. Tu assisteras au dénouement de notre histoire et si tu te montres intelligente, tu le tourneras à votre avantage. Mais vous pouvez aussi fuir ces lieux afin de laisser les vieilles Races régler leurs comptes sans vous. Choisis !

SiMa tourna le dos à Eldguin pour aller rejoindre les siens qui s'affairaient déjà au départ. La jeune femme regarda à nouveau ses compagnons, réalisant soudain le poids que la Magistienne venait de mettre sur ses épaules, cherchant dans le regard de ses amis les conseils qui allégeraient sa conscience. Elle vit de la confiance dans leurs yeux.

– Il faudra surtout se préoccuper de retrouver Ardahel et Eldwen, déclara finalement Eldguin. Laissons les Magistiens et les Magomiens s'affronter ainsi qu'ils l'entendent, sans poser de gestes pour secourir l'un ou l'autre. Dès que nous serons de nouveau au complet, nous quitterons les Forêts Oubliées.

Chapitre cinquième

Neiges rouges, neiges noires

Les reflets du soleil levant se dispersèrent rapidement, puis une lueur embrasa le ciel encore pâle du matin. Au cœur de la cité de Magaluir, la haute tour des Grands Magistiens se transforma en une gigantesque torche. Le feu sembla un instant monter encore plus haut, puis s'effondrer sur le sol comme une masse liquide versée depuis le ciel. Le brasier se répandit alors dans la cité comme un flot incandescent qui dévalait les rues en longs doigts rouges et bleus. Les blanches constructions se drapèrent de rouge, puis de noir, pour ensuite s'effriter tandis que l'incendie saisissait de sa violence la forêt du Magistan. Telles des torches innombrables, les arbres portaient l'embrasement vers les Remparts Vivants.

Eldguin et ses compagnons s'étaient éloignés à cheval, entraînant avec eux les montures d'Ardahel et d'Eldwen. Postés sur une hauteur, ils observaient les Magistiens organiser leur attaque, spectacle ahurissant de ces centaines de vieillards quittant la forêt, suivis du souffle pesant des flammes. Les Magistiens montaient des bêtes étranges, des animaux inconnus hors des Forêts Oubliées, de ceux qu'on croit appartenir aux vieilles légendes auxquelles personne n'accorde plus crédit depuis fort longtemps. Il s'agissait de Chornes, montures ressemblant à de lourds chevaux aux corps couverts d'écailles. Leur queue, non pas de crin, ressemblait à celle des lézards. La tête rappelait celle d'un bélier avec ses fortes cornes en spirale auxquelles s'ajoutait une troisième sur le front qui pointait vers l'avant, dard redoutable aussi long qu'un bras. Les Chornes lançaient de sourds grondements venant du fond de leurs gorges, et de leurs naseaux surgissait un souffle brûlant. Très rapides, ils savaient toutefois se déplacer en silence, rendant ainsi leur approche encore plus saisissante.

Les Magistiens sortirent de la forêt pour se regrouper dans le corridor herbeux au pied des Remparts Vivants. SiMa forma quatre groupes de cinquante cavaliers qui reçurent comme instruction de se rendre à toute vitesse mettre le feu aux quatre coins du Magolande. Pendant que les autres finissaient de se rassembler, Eldguin se rendit près de SiMa afin de s'informer de ses intentions.

La Magistienne devina les craintes de la jeune femme.

– Ne crains pas pour les domaines voisins. Notre magie contiendra l'incendie dans les limites que nous avons fixées. C'est uniquement le Magolande que nous visons. Lorsqu'il sera encerclé par les flammes, nous convergerons tous vers le centre, vers le domaine de SpédomSildon.

– Nous devons aller au secours de nos camarades. Comment pourrons-nous les retrouver et ensuite quitter le Magolande ? s'inquiéta Eldguin.

– Je veillerai de mon mieux à ce que vous soyez capables d'échapper au brasier. Demeurez près de moi, afin que je sache où vous êtes et que je vous aide. Toutefois, je ne peux rien vous garantir. Nous allons détruire le Magolande... sans espérer en ressortir nous-mêmes. Jeune fille, tu es l'étincelle qui a allumé cette fureur. Elle couvait depuis fort longtemps, prête à éclater. Maintenant, elle est irréversible.

La Magistienne se détourna, préoccupée uniquement par l'avance des siens. Ils étaient encore environ quatre cents qui attendaient son signal pour gravir les pentes des Remparts Vivants. Étrangement, les montagnes paraissaient être à peine un obstacle à leur avance. Loruel, qui était déjà passé en ces lieux, s'étonnait de voir à quel point le chemin était facile pour les envahisseurs. Le peuple du Magistan avait-il le pouvoir d'aplanir le terrain et de réduire les distances ? Toutefois, le Roi de Gueld n'avait pas le temps de partager ses impressions bizarres avec ses amis. Devant eux, tous les Magistiens s'enfonçaient déjà au cœur des montagnes tandis que derrière, les flammes dévoraient la lisière de la forêt.

Eldguin, Noakel, Meilsand, Loruel et Lowen se retrouvaient désormais entre deux lignes mouvantes qui les forçaient à se joindre à l'assaut.

Le soleil culminait dans un ciel complètement dégagé lorsque les Magistiens parvinrent de l'autre côté des montagnes. Ils amorcèrent alors la descente des dernières pentes en rangs compacts, les Chornes avançant avec assurance malgré la neige qui rendait le sol glissant. Devant eux, le Magolande paraissait si paisible en cette froide journée qui figeait la forêt. À l'horizon, une fumée grise commençait à monter, témoin des incendies allumés par les quatre premiers groupes de Magistiens.

À cet endroit, la forêt du Magolande était assez clairsemée, ce qui rendait la progression facile. Les envahisseurs débouchèrent bientôt sur l'une des routes principales du Magolande, un large chemin bien dégagé qui les mena à un vaste carrefour. Des guerriers arrivaient, des mercenaires et des esclaves de différentes races qui accompagnaient deux Magomiens alertés par la fumée venant des Remparts Vivants. Venus voir ce qui se passait, ils tombèrent face à face avec la ligne menaçante des Chornes montés par les Magistiens.

Immédiatement, le premier Magomien leva le bras pour faire jaillir une énergie de sa main et la diriger vers l'ennemi qui lui faisait face. Aussi rapidement, le Magistien visé avait levé le bras. Il sembla capter le trait lumineux aussi facilement que l'on attrape une balle lancée par un enfant. Presque en même temps, le Chorne baissa la tête et, d'un bond d'une rapidité inouïe, il se jeta sur le Magomien. Sa longue corne frontale l'éventra tandis que de sa queue, l'animal renversait les autres guerriers. Dans un silence effrayant, une dizaine d'autres Chornes s'étaient lancés à l'attaque, ne laissant aucune chance à leurs adversaires. Le deuxième Magomien présent sur les lieux s'était enfui avant la charge des Magistiens. Ceux-ci ne prirent même pas la peine de le poursuivre, le laissant aller répandre la nouvelle de leur attaque. Le groupe s'était reformé et il poursuivait irrémédiablement son avance vers le cœur du domaine de SpédomSildon.

Une bourrasque venue des montagnes apporta avec elle des cendres noires qui recouvrirent la neige rougie de sang après le passage des Magistiens.

Les nouveaux appartements de SpédomSildon ne pouvaient prétendre à la magnificence de ceux qu'elle occupait autrefois. Toutefois, les lieux possédaient cette ambiance magique et chaleureuse que la Magomienne appréciait. Elle occupait un ensemble de pièces aux plafonds masqués par un savant assemblage de poutres finement travaillées. Les murs étaient tendus de luxueuses tapisseries confectionnées dans un style figuratif, habile mais pompeux, illustrant les hauts faits de l'histoire du Magolande. L'ameublement était d'une richesse éblouissante, chaque chaise, table ou commode étant sculptée dans un bois très dur avec une abondance de détails et d'incrustations métalliques.

Le lit de SpédomSildon était tout simplement grandiose avec son grand coffrage entouré de colonnades qui s'élançaient en vrille vers le plafond jusqu'à se rejoindre en un grand cercle qui montait encore pour se transformer en un puits de lumière protégé par un verre translucide. De là, dans la profondeur du domaine souterrain des Magomiens, provenait en abondance la lumière du jour qui tombait sur l'épais matelas recouvert de fourrures soyeuses.

C'est à cet endroit que SpédomSildon avait entraîné Hunil Ahos Nuhel pour marchander la liberté de sa fille. La Magomienne jouait de sa position de force pour diriger la conversation à son goût, laissant un peu de place à l'espoir de tirer Eldwen de son cachot, puis détournant son propos vers le passé. Tour à tour charmeuse, nostalgique ou repentante de ses erreurs, elle plongeait dans les tendres souvenirs d'une époque où le membre de la Race Ancestrale avait connu avec elle des moments passionnés d'une rare intensité.

Malgré toutes les mises en garde que lui hurlait sa raison, Alios sentait monter en lui le désir de prendre encore une fois SpédomSildon dans ses bras. De gestes en paroles, de douceurs en promesses, la Magomienne l'entraîna à s'étendre contre elle. Elle lui parlait doucement à l'oreille, son souffle lui chauffant doucement le cou.

– Tu te souviens de notre première rencontre ? Tu te rappelles les paroles et les promesses échangées sous le Grand Maisarbre à l'entrée du domaine de ma famille ?

– Nous parlions de nobles projets en cette époque, se remémora Alios.

Avec une joie qu'elle masquait à peine, SpédomSildon constatait à quel point Alios revenait en son pouvoir. La Magomienne sentait sa maîtrise encore fragile, mais qui s'affermissait sans cesse.

– J'ai d'excellents contacts avec ton frœur Orvak Shen Komi. Nous pourrions les utiliser ensemble pour le renverser. À nous deux, nous pourrions le vaincre et imposer la Pensée qui te tient tellement à cœur. Le Monde d'Ici sera à notre mesure ! Nous pourrons nous y retrouver, enfin libres de vivre pleinement comme nous le faisions autrefois.

S'unir à son combat comme à ses moments heureux. SpédomSildon faisait miroiter des perspectives qui troublaient Hunil Ahos Nuhel. Le membre de la Race Ancestrale ne put empêcher sa main de chercher celle de la Magomienne ; il ne put retenir ses doigts de se mêler aux siens, de redécouvrir la douceur de sa peau, la finesse de son bras, la chaleur de son cou, le soyeux de sa chevelure. Alios ne demandait plus qu'à goûter à nouveau la saveur de ses lèvres.

Dans la douce clarté qui tombait du puits de lumière au-dessus de leurs têtes, Alios ouvrait les yeux et il revoyait celle qui l'avait tant troublé durant toute son existence, tant par sa présence que par son absence. C'est alors que le charme fut brutalement rompu par l'arrivée en trombe d'un Magomien affolé.

– Seigneur SpédomSildon ! Vite, il faut que tu viennes !

La Magomienne se redressa d'un bond, furieuse d'être ainsi interrompue. Elle allait châtier l'impudent, mais celui-ci poursuivit sans attendre son discours angoissé.

– Notre domaine est envahi par les Magistiens. Ils arrivent sur leurs Chornes, armés pour la guerre, suivis par un mur de feu qui se répand dans le Magolande.

Un instant incrédule, SpédomSildon réalisa la gravité de la situation. Ce qu'elle redoutait depuis longtemps se produisait au moment même où elle croyait se donner les moyens de l'éviter. En effet, la Magomienne se doutait que les Magistiens tenteraient un jour une manœuvre désespérée. Vorgrar lui avait confié l'état lamentable de ses frères ennemis. Avec l'aide d'Alios, un membre de la Race Ancestrale, c'est elle qui aurait attaqué la première !

Maudissant la situation, SpédomSildon ramassa ses armes et les insignes proclamant son titre. Avant de quitter la pièce, elle adressa un regard suppliant à Alios.

– Je donne mes ordres et je reviens immédiatement auprès de toi. Attends-moi, Hunil Ahos Nuhel, mon amour ! Jure-moi de m'attendre ici, mon amour... de toujours.

– Va, murmura Alios sans indiquer clairement ses intentions.

SpédomSildon hésita, puis elle quitta la pièce à la hâte. Demeuré seul, hagard, le membre de la Race Ancestrale ne bougeait pas. Il lui fallut un grand effort pour se ressaisir et quitter le lit de la Magomienne. Son regard traîna autour de lui, remarquant à peine les choses dont SpédomSildon s'entourait. Un objet attira soudain son attention. C'était une petite fleur de sable sculptée, une œuvre délicate dont seule la nature connaissait le secret. La nature ou un membre de la Race Ancestrale du nom de Hunil Ahos Nuhel. Avec un choc au cœur, Alios reconnut son travail, un présent qu'il avait confectionné pour la Magomienne au temps des Âges Anciens.

Alios prit la fleur dans ses mains pour la contempler. Longuement, avec précaution, il la fit tourner entre ses doigts. Finalement, il mit la fleur dans le creux de sa main qu'il referma en la serrant de toutes ses forces. Lorsqu'il relâcha sa pression, un mince filet de sable coula entre ses doigts. Hunil Ahos Nuhel prit une grande respiration, les yeux fermés, puis il poussa un long soupir chargé d'une douleur infinie. Ensuite, devenant fébrile, il se mit à explorer les appartements de SpédomSildon. Il reconnut les effets d'Eldwen et d'Ardahel posés sur une table. La Magomienne devait être occupée à les examiner lorsqu'il s'était présenté à l'entrée du Maisarbre. Alios les enroula dans un grand morceau de tissu et il quitta les appartements.

Une grande agitation régnait dans le domaine souterrain de SpédomSildon. Des Magomiens d'autres domaines affluaient, venant se ranger sous les ordres et sous la protection de la puissante Seigneur Magomienne. Celle-ci organisait la défense du Magolande en affichant un calme et une détermination qui rassuraient les siens.

Profitant de la confusion dans le domaine souterrain, Alios se mit à la recherche des prisonniers. Comme il se dirigeait dans le sens opposé des Magomiens, de leurs mercenaires et de leurs esclaves, un garde le remarqua ; il l'interpella, désirant savoir ce qu'il faisait. Maître Alios se rendit vers lui, un membre du peuple de Borians sans doute, robuste mais d'un esprit facile à subjuguer. Il plongea son regard dans celui du garde, lui imposant facilement sa volonté.

– Conduis-moi à l'endroit où sont retenus les deux prisonniers.

Obéissant, le Borian s'enfonça dans une série de couloirs qui menaient aux prisons de SpédomSildon. Le sol allait en s'abaissant, l'air se faisait plus frais et humide. Ils débouchèrent finalement dans une galerie déserte, à peine éclairée par quelques torches qui brûlaient mal en dégageant une odeur désagréable. Il y avait une trentaine de lourdes portes barrées par des travers en métal. Rapidement, Alios jeta un coup d'œil par le judas de quelques-unes, découvrant des salles plus ou moins grandes où s'entassaient des dizaines de prisonniers. Les réserves d'années de vie des Magomiens.

Le garde désigna l'une des portes au fond du couloir.

– Voilà, c'est ici. Mais nous avons ordre de ne pas ouvrir cette cellule sans la présence de SpédomSildon elle-même.

En guise de réponse, Maître Alios eut un geste d'une rapidité et d'une force qui prit le garde totalement au dépourvu. Du tranchant des deux mains, le membre de la Race Ancestrale frappa de chaque côté du cou, juste à la base du crâne. Le garde s'écroula, foudroyé. Sans attendre, Alios fit jouer les verrous, retira le travers de métal et tira la porte vers lui. Aussitôt, il se sentit renversé, se faisant brutalement clouer au sol par Ardahel.

– C'est moi, Alios !

Le cri du membre de la Race Ancestrale arrêta juste à temps le geste d'Ardahel qui tentait le tout pour le tout afin de s'évader. Alios se dégagea promptement, puis il aida le Prince à se relever. En même temps, il constata avec amertume la nudité de sa fille, en bas des marches, au fond du cachot. Son regard fermé, n'exprimant aucun sentiment sinon la détermination, il tendit à Ardahel le ballot contenant leurs effets.

– Couvrez-vous vite. Il faut fuir cet endroit. Les Magistiens attaquent le Magolande.

– Comment es-tu parvenu... ? commença Ardahel.

– Nous parlerons plus tard, coupa Alios. Il faut faire vite !

En s'habillant, Ardahel et Eldwen faisaient un inventaire rapide de leurs effets. Tout semblait s'y trouver. L'aveugle sentit le bandeau volupien entre ses doigts. Elle l'attacha autour de sa tête et, immédiatement, elle eut encore cette vision à la fois précise et étrange de ce qui l'entourait. Cela lui permettait de se déplacer sans hésiter et de localiser les gens autour d'elle. Alors que l'image d'Ardahel demeurait une sorte d'impression floue, celle d'Alios s'avérait d'une précision surprenante pour Eldwen. C'était presque comme voir de ses yeux le membre de la Race Ancestrale. Voir son père pour la première fois.

L'aveugle surmonta son trouble. Il fallait fuir au plus vite. Dès qu'ils furent prêts, Alios fit signe de le suivre. Pourtant, il hésita un instant. Il pensait à tous les prisonniers enfermés derrière les lourdes portes des cachots Magomiens.

– Il faudrait les libérer, eux aussi !

Ardahel comprit immédiatement ce qu'Alios voulait dire. Le Prince estima que la confusion qu'engendrerait la libération de tous ces prisonniers ne pouvait que les servir. Il se précipita vers le cachot le plus proche.

– Ouvrons vite toutes les portes, mais ne perdons pas de temps à tenter de les organiser !

Ardahel se mit à frapper les portes de son glaive et à chacun de ses coups, une serrure volait en éclats. En quelques instants, toutes les cellules étaient ouvertes et déjà quelques prisonniers s'enhardissaient à les quitter. Ils apparurent tous si pitoyables, si marqués par les privations et leur volonté de lutter complètement brisée. Le Prince regarda Eldwen et Alios, désespérément à la recherche de ce qu'il convenait de faire. Tous trois ne pouvaient que constater leur impuissance. Alors, le Prince retourna vers les prisonniers.

– Les Magomiens sont attaqués par leurs ennemis. Tentez de mettre cela à profit pour vous enfuir !

Cela dit, Ardahel tourna les talons et les trois fuyards quittèrent rapidement les lieux. Sous la conduite de Maître Alios, ils se mirent à la recherche d'une sortie leur permettant de s'échapper du domaine souterrain de SpédomSildon. Des Magomiens allaient en tous sens, entraînant des gardes avec eux. Les fuyards se dissimulèrent de leur mieux, le temps d'évaluer le meilleur chemin à prendre.

– Ils doivent se rendre vers les sorties, supposa Ardahel. J'imagine qu'ils préfèrent combattre à l'extérieur plutôt que dans leur domaine.

– Attendons que les Magomiens soient sortis avant de tenter de quitter les lieux, proposa Eldwen. Il n'y a guère autre chose à faire.

– Les appartements de SpédomSildon sont tout près, fit Alios. Peut-être y trouverons-nous une sortie discrète !

– D'accord, nous te suivons.

Les trois fuyards adoptèrent une attitude arrogante pour éviter les questions des gardes qu'ils croisaient. Ils se dirigèrent rapidement, mais calmement, vers le centre du domaine souterrain en donnant l'impression d'obéir à des ordres précis ne pouvant souffrir aucun retard. Le stratagème rappela à Ardahel sa fuite en Aklarama en compagnie de Pétrud. Le souvenir de la fin malheureuse de l'aventure pour le Sorvak ajouta à l'angoisse que ressentait le Prince en suivant Alios.

Les lieux devenaient de plus en plus déserts et les fuyards arrivèrent sans encombre aux appartements de SpédomSildon. Ils se hâtèrent d'entrer ; Ardahel et Alios se mirent immédiatement à fouiller les différentes pièces à la recherche d'une sortie dérobée. Eldwen aussi explorait les lieux. Comme le bandeau volupien lui permettait plus de comprendre les lieux que de les voir, elle trouva finalement ce qu'ils cherchaient dans une salle de rangement située un peu à l'écart.

– Là ! Venez examiner cette grande armoire, s'écria l'aveugle. Il y a un vide derrière, j'en suis convaincue.

Ardahel se précipita. Dans cette pièce, le meuble monumental semblait installé contre un mur où il constituait la pièce maîtresse de l'aménagement. Le Prince ouvrit les portes centrales, chacune plus haute et plus large qu'une personne de taille normale. Il écarta les vêtements qui s'y trouvaient, ne voyant derrière eux qu'un panneau de bois bien ordinaire. Il frappa dessus avec le poing, obtenant le son d'une surface pleine.

– Tu es certaine ? demanda-t-il. Je ne vois rien de particulier...

– Cherche bien. Il y a un passage derrière.

Ardahel tira son épée du fourreau et il frappa de toutes ses forces dans le fond du meuble. Effectivement, la lame traversa le panneau de bois, révélant le vide qu'il dissimulait. Le Prince eut un cri de joie et il s'apprêtait à frapper de nouveau pour ouvrir un passage lorsque Alios lui ordonna d'arrêter.

– Attention, quelqu'un entre dans les appartements...

Des bruits de portes ouvertes et des mouvements se firent entendre. Soudain, SpédomSildon entra dans la pièce où se trouvaient Alios, Ardahel et Eldwen. La Magomienne eut un court instant de surprise ; immédiatement, elle leva le bras pour attaquer en lançant un trait d'énergie vers Ardahel. Instinctivement, le Prince s'était jeté sur le sol pour rouler derrière un meuble en entraînant Eldwen avec lui. Alios, pour sa part, était demeuré immobile, faisant face à la Magomienne.

SpédomSildon eut un mauvais sourire.

– Tu as fait ton choix, mon amour... Tu préfères prendre le parti de ta fille plutôt que le mien. Alors, je t'unirai à elle dans la destruction.

– Si tu veux nous enlever la vie, frappe-moi le premier, répondit Alios.

Tout en parlant, Alios s'approcha sans la moindre hésitation de la Magomienne. Il ouvrit largement les bras, se rendant vulnérable, mais aussi accueillant. SpédomSildon leva de nouveau le bras, prête à foudroyer le membre de la Race Ancestrale. Pourtant, l'éclair d'énergie ne jaillit pas de sa main. Elle garda le bras levé tandis que Hunil Ahos Nuhel continuait d'avancer.

La main de la Magomienne était crispée en position d'attaque, à la hauteur du visage qui s'approchait d'elle. Bientôt, les doigts touchèrent la joue tendue vers eux, d'abord un frôlement incertain, puis un contact sans équivoque. La main se détendit, juste un peu. Hunil Ahos Nuhel plongea ses yeux dans ceux de SpédomSildon. Des larmes brouillèrent les regards ; elles coulèrent ensuite silencieusement. Douloureusement.

Toujours grâce au bandeau volupien, Eldwen percevait la scène. Elle discernait la présence floue de SpédomSildon, bien droite, le bras tendu vers Alios, sa main lui caressant le visage. Elle avait une image précise du membre de la Race Ancestrale, noble et beau, les bras ouverts, la tête un peu penchée vers la main de l'amoureuse ennemie. Elle *voyait* leur souffrance, leur déchirement. Soudain, elle sentit un mouvement près d'elle. Dans une détente aussi brusque que puissante, Ardahel projeta le Glaive Nouveau de toutes ses forces en direction de SpédomSildon. L'aveugle comprit la trajectoire de l'arme, sa lame transperçant les chairs de la Magomienne, son impact mortel. Elle assista impuissante, comme au ralenti, au geste de SpédomSildon qui s'agrippait à Hunil Ahos Nuhel en dégageant toute l'énergie qui restait en elle. Les deux corps parurent un instant s'attirer l'un vers l'autre pour ensuite se dédoubler. Eldwen les savait en même temps s'éloigner ensemble et s'écrouler au sol. L'image qu'elle avait d'Alios se fit alors tout aussi floue que les autres.

Après avoir lancé son arme contre SpédomSildon, Ardahel s'était jeté sur le côté pour rouler sur le sol, puis se relever un peu plus loin, prêt à bondir à l'attaque. Il avait vu le Glaive Nouveau atteindre sa cible et le dernier geste de la Magomienne qui entraînait Alios avec elle. Le Prince avait aussi vu que le membre de la Race Ancestrale n'avait rien tenté pour échapper à cette fin. Il demeura immobile, sur le qui-vive, jusqu'à ce qu'il soit certain qu'il n'y avait plus rien à craindre de la Magomienne. Il se tourna enfin vers Eldwen, immobile et silencieuse. Sa compagne lui parut tellement triste, si accablée, qu'il n'osa rien dire. Sans un mot, Ardahel s'approcha pour récupérer son arme. Pour une seconde fois, il avait réussi à vaincre un Magomien. Or, contrairement à AuruSildon, le corps de SpédomSildon ne se transforma pas en un squelette poussiéreux.

La voix triste d'Eldwen tira Ardahel de ses pensées.

– Allons dans la chambre de SpédomSildon pour les étendre sur son lit.

Le Prince s'affaira rapidement à transporter les corps inertes, traversant à la hâte les appartements jusqu'à la chambre principale. Malgré son désir de fuir les lieux au plus vite, il prit le temps d'allonger l'un contre l'autre la Magomienne et le membre de la Race Ancestrale. L'aveugle finit de les installer en leur joignant les mains. Elle passa ses doigts dans les cheveux d'Hunil Ahos Nuhel, son parent, pour les placer. Ensuite, elle explora son visage du bout des doigts, tendrement, comme le font les aveugles pour bien connaître les traits des gens. Elle fit de même avec SpédomSildon.

Durant ce temps, Ardahel s'impatientait même s'il n'osait pas encore obliger Eldwen à abandonner ceux qui étaient en quelque sorte le père et la mère qu'elle n'avait jamais connus. De plus en plus nerveux, il examinait les lieux. Son regard se porta vers le haut du puits de lumière. Il vit alors le dôme translucide se recouvrir de flammes et commencer à se fendiller. Cette fois, Ardahel sut qu'il n'y avait plus de temps à perdre. Il arracha l'aveugle à ses prières muettes pour l'entraîner vers la sortie secrète qu'ils avaient découverte.

En repassant d'une pièce à l'autre pour retourner dans celle où s'ouvrait le passage secret, Ardahel eut le réflexe de refermer les portes derrière lui. Lorsqu'ils furent rendus devant l'armoire, Ardahel prit son arme et frappa dans le panneau de bois afin de le faire voler en éclats. Tandis qu'il dégageait l'ouverture, ils entendirent un fracas épouvantable venant des autres pièces. Très haut au-dessus du lit de SpédomSildon, le dôme venait de céder. Le feu des Magistiens s'engouffra dans le puits de lumière pour tomber dans la pièce, brûlant tout sur son passage et s'élançant dans toutes les directions pour ravager le domaine souterrain. Les portes fermées n'étaient que des obstacles futiles qui ralentirent néanmoins la progression des flammes assez longtemps pour permettre à Ardahel et Eldwen de pénétrer dans un étroit corridor creusé dans la terre. Courant à en perdre haleine, ils s'enfoncèrent droit devant eux dans le souterrain.

Chapitre sixième

Feu et flamme

Comme le peuplement du Monde d'Ici avait débuté par le Lentremers, ce continent était toujours représenté au centre des cartes. Du côté de la Mi-Nuit du Lentremers, c'était le froid désert des Terres de Glace. À la Mi-Jour se trouvaient les riches Terres Vertes et plusieurs régions bien peuplées, puis les Terres Blanches ainsi nommées parce qu'elles étaient éternellement couvertes de neige. En direction du Couchant, il y avait les Terres Libres, très peu occupées, ainsi que la Riche Terre pleine de promesses encore inexploitées. Les lieux connus se terminaient à la Terre Abal couverte de forêts giboyeuses et habitées par quelques peuples de chasseurs nomades. Plus loin, il n'y avait que de vastes étendues d'eau parsemées d'îles inhabitées où personne ne s'aventurait. Vers le Levant, passé la pointe des Terres Brûlées, le monde connu s'arrêtait à la Terre Cahan. Au-delà, on ne connaissait qu'un océan aux quelques îles sauvages semblable à celui situé plus loin que la Terre Abal.

La Terre Cahan était vaste comme un continent, mais habitée par un seul peuple auquel appartenait Belgaice. Hormis quelques villes importantes, dont le centre de la royauté à Nahac, les Cahans n'avaient pas de lieux fixes de résidence. Une bonne partie de la population vivait sur des bateaux qui s'amarraient en groupes compacts dans les baies abritées, formant ainsi des villages sans cesse en mouvement. Les groupes se déplaçaient, diminuaient, augmentaient ou se fractionnaient selon l'abondance de la pêche. Sur la terre ferme, il y avait des chasseurs eux aussi en perpétuel déplacement. Ils longeaient les côtes, pénétraient dans les terres pour capturer le gibier, puis ils revenaient conclure des échanges avec les pêcheurs.

Avec près de vingt mille habitants, la ville de Nahac s'imposait comme le centre névralgique administratif, religieux, commerçant, culturel et militaire de la Terre Cahan. C'est là que demeuraient le Roi et les grandes familles cahannes. Belgaice était originaire de cette ville, membre de l'une des grandes familles enrichies par le commerce et forte de son influence déterminante auprès du Roi. Ses parents avaient péri quelques années auparavant dans le naufrage du navire qui les ramenait des Terres Brûlées. Les enfants, trois hommes et deux femmes, avaient surmonté leur chagrin et poursuivi les activités familiales, sauf Belgaice. Plus marquée par le drame, elle avait décidé de voyager pour découvrir le Monde d'Ici. En fait, elle fuyait les lieux de son enfance.

La Cahanne faisait partie de ces innombrables disciples que Vorgrar savait enrôler près de lui. Chargée de surveiller Kurak, elle en était tombée follement amoureuse. Elle lui vantait sans cesse son pays où elle désirait maintenant retourner. L'Akares avait fini par considérer que cela servait sa stratégie. En allant rapidement soumettre la Terre Cahan, il affirmait sa suprématie à cette extrémité du Monde d'Ici. Pendant ce temps, ses deux autres armées dominaient de plus en plus totalement les terres à la Mi-Jour du Lentremers.

Dès que la flotte aux pavillons bleu et or de l'armée des Squales de Kurak arriva en vue de Nahac avec ses quarante mille guerriers, il s'avéra évident que la cité royale ne pouvait que se soumettre. Belgaice agit comme intermédiaire, expliquant aux siens la puissance de l'envahisseur. Les guerriers de Kurak étaient non seulement deux fois plus nombreux que tous les habitants de la cité, femmes, enfants et vieillards compris, ils possédaient des armes capables de leur donner la victoire à un seul contre trente adversaires. Soucieux d'éviter un affrontement perdu d'avance, le Roi négocia son abdication avec Kurak. Habilement, l'Akares préserva les institutions cahannes et confia un rôle majeur à l'ancien monarque. Il présenta son emprise comme le début d'une nouvelle ère de prospérité pour la Terre Cahan, utilisant au maximum les talents de persuasion de Belgaice auprès des grandes familles pour faire accepter sa victoire comme une étape positive dans l'épanouissement des Cahans. Après seulement quelques jours, Kurak considéra qu'il contrôlait assez la situation pour quitter son navire et se rendre au palais royal rencontrer les représentants du pays. Habitué aux coulisses du pouvoir, il démasquait immédiatement ceux qui tentaient de cacher leur haine à son endroit et ceux qui s'efforçaient de s'approprier rapidement les meilleures positions auprès du nouveau pouvoir.

Parmi les premières grandes familles venues le rencontrer, il y avait évidemment celle de Belgaice. Kurak fit ainsi connaissance avec Beldouse, sa sœur cadette. Elle aussi était grande de taille, le corps ferme, la peau légèrement hâlée, le visage ovale aux traits harmonieux encadré de longs cheveux blonds teintés de roux. Comme sa sœur, elle avait les yeux verts, mais ils étaient si grands et si pleins d'émerveillement. Plus timide, elle possédait un charme naturel, d'une fraîcheur presque naïve, qui troubla Kurak dès le premier regard qu'il posa sur elle.

La rencontre eut lieu dans la salle du Trône Cahan. Kurak avait pris place dans l'imposant fauteuil royal, une œuvre spectaculaire de deux tails de hauteur et de cinq jambés de large où s'entremêlaient les sculptures figuratives d'animaux et de poissons assurant la subsistance du Peuple Cahan. Les trois marches donnant accès au siège lui-même permettaient à celui qui y était assis de dominer les interlocuteurs debout devant lui. Des espaces étaient aménagés de part et d'autre du trône à l'intention de conseillers que le Roi désirait avoir près de lui. C'est là, du côté cœur, que se trouvait Belgaice.

Ses trois frères et sa sœur s'étaient présentés avec une attitude difficile à déchiffrer pour Kurak. Ils semblaient disposés à collaborer avec l'Akares, conscients du précieux avantage que représentaient leurs liens avec Belgaice. Toutefois, ils demeuraient distants envers leur sœur, à la fois heureux de la revoir, mais méfiants envers elle qui se tenait désormais auprès du puissant conquérant dont, de toute évidence, ils n'appréciaient guère la présence. Tandis que les trois frères discutaient avec Kurak, Beldouse se tenait en retrait, attentive mais réservée. Immanquablement, le regard de l'Akares retournait vers la jeune femme au point que Belgaice en prit ombrage.

La Cahanne interrompit la discussion pour s'adresser à Kurak sans que les autres entendent.

– Je crois que tu devrais continuer plus tard avec mes frères. J'aimerais avoir le temps de les rencontrer en privé pour mieux sonder leurs intentions.

– D'accord. Va les reconduire et dis-leur de revenir à la fin de la journée... tous les quatre.

Adoptant l'attitude la plus souriante possible, Belgaice quitta la salle du Trône en compagnie de sa famille. Lorsqu'ils se retrouvèrent enfin seuls dans une autre pièce, ils échangèrent des accolades apparemment chaleureuses. Puis, ils parlèrent des récents événements, les trois frères n'exprimant leurs opinions qu'avec beaucoup de prudence. Lorsqu'ils se quittèrent, ils se donnèrent encore une fois l'accolade.

Au moment de serrer sa sœur contre elle, Belgaice en profita pour lui parler à l'oreille.

– Ne réapparais plus jamais devant Kurak, pas une seule fois, pour quelque raison que ce soit. Tu serais alors en grand danger, ma belle petite sœur. En très grand danger.

En Magolande où se déroulaient de féroces combats entre les habitants des Forêts Oubliées, Loruel, Lowen, Eldguin, Noakel et Meilsand avaient dû faire face à un dilemme épineux. Le Roi de Gueld se rappelait qu'Ardahel lui avait raconté comment les chevaux devenaient fous en foulant cette terre. Lors de leur première rencontre avec le Prince et Tocsand, Nuk le Saymail et ses frères avaient été obligés de forcer leurs montures à les suivre. Puis, ils leur avaient tordu le cou pour finalement manger les bêtes devenues complètement hors de contrôle. Les chevaux du Nalahir réagissaient peut-être différemment, mais ce n'était pas le moment de prendre un tel risque.

Loruel était particulièrement tourmenté. Il aurait tout donné pour se rendre au secours d'Ardahel ; cependant, Lowen lui rappela que leur rôle était de retourner en Pays de Gueld pour organiser la résistance contre les armées de Kurak.

– Vous devez éviter les risques inutiles, renchérit Meilsand. Votre destin est lié à celui des Pays du Levant, et non à celui des Forêts Oubliées. Nous allons accompagner les Magistiens afin de secourir Ardahel et Eldwen. Cela est suffisant.

– Je sais que vous êtes des frères l'un pour l'autre, poursuivit Noakel. Mais Ardahel est aussi le nôtre. Aujourd'hui, c'est à nous de l'aider.

Noakel mit ses mains sur les épaules du Roi de Gueld en lui adressant à la fois un regard déterminé et un sourire amical.

– Sois raisonnable... mon frère Loruel !

Eldguin s'approcha pour confirmer qu'elle partageait cette reconnaissance de liens fraternels entre eux.

– Accepte que je t'appelle aussi « mon frère », fit la jeune femme. Accepte aussi que nous préférions te savoir en sécurité pour retourner avec Lowen auprès de tes enfants.

Vaincu, Loruel acquiesça d'un geste de la tête.

– Que proposez-vous ? demanda-t-il d'un ton résigné.

Encore une fois, Eldguin prit l'initiative. La jeune femme expliqua son idée avant que les Magistiens ne pénètrent dans le Magolande.

– Loruel et Lowen, allez vous mettre en sûreté avec toutes nos montures vers le Col d'Otrek. Attendez la fin des combats et des incendies, puis revenez ici. Noakel, Meilsand et moi, nous suivrons les Magistiens jusqu'à ce que nous ayons retrouvé Ardahel et Eldwen. Alors, nous reviendrons ici. Si jamais cela tarde trop, poursuivez votre route vers le Pays de Gueld. Il est crucial que vous alliez prendre la direction des combats en Pays du Levant.

Loruel dut convenir que c'était ce qu'il y avait de mieux à faire. À contrecœur, il quitta les lieux avec Lowen et les chevaux du Nalahir, jetant un dernier coup d'œil inquiet aux jumeaux et au fils de Tocsand qui marchaient derrière la ligne des Magistiens, toute retraite étant bientôt interdite par le mur de feu qui arrivait des Remparts Vivants.

Au Temple du Roi et des Sages, le Prince Jeifil multipliait les rencontres à l'Auberge du Mi-Jour avec les Prétendants, les Chefs de guerre ainsi que toutes les personnes d'influence qui se questionnaient à l'endroit du Roi Tocsand et de son épouse. Il se tenait le plus souvent avec Rahilas, une Baïhar, et Gravelas, un Artan, qui comptaient avec Jeifil, un Culter, parmi les derniers Prétendants à accéder au titre de Prince du Pays de Santerre. Les trois Princes s'affichaient de plus en plus ouvertement comme les critiques des décisions du Roi.

Devenu une personne recherchée et écoutée, Jeifil se grisait de cette reconnaissance beaucoup plus grande que celle qu'il obtenait au Conseil des Princes. Au lieu de devoir attendre son tour pour parler dans le cadre rigoureux des réunions avec le Roi, il pouvait diriger les discussions tout à son aise. Ceux qui lui donnaient raison formaient un groupe de plus en plus nombreux à l'appuyer bruyamment et à répéter ses paroles.

Ce jour-là, Jeifil accaparait l'attention de toutes les personnes dans l'auberge. Il commentait avec humour un récent édit royal sur les armements à préparer. L'audience riait en entendant les reparties du Prince, certains sans leur accorder vraiment d'importance, d'autres en se convainquant ainsi d'un mauvais usage du temps et des énergies.

– Il faut que chacun fasse état des armes en sa possession, expliqua Jeifil. Les piles de listes des armes disponibles vont évidemment être d'un grand secours si nous sommes attaqués un jour. Peut-être pourra-t-on en faire une muraille autour des bâtiments du Temple !

Parmi les répliques, la voix du Roi Tocsand sonna soudain. Il était entré discrètement dans l'auberge pour écouter ce qui s'y disait.

– Prince Jeifil, tu sembles oublier que ton devoir est de travailler avec ton Roi, et non contre lui !

Le silence se fit. Alors que Tocsand contenait mal sa colère, Jeifil se trouvait sur son terrain, sûr de l'appui de ses amis.

Il se fit frondeur.

– Honneur à toi, Roi Tocsand. Permets-moi de te rassurer : je n'oublie rien de mon devoir qui est de servir le Pays de Santerre, et non un individu en particulier, soit-il le Roi.

Le visage de Tocsand devint blanc de rage contenue. Ce Prince insolent oserait-il le défier en public ?

– Crois-tu servir ton pays en critiquant les mesures qui sont prises pour le protéger ?

Un coup d'œil rapide dans l'assistance renforça Jeifil dans son arrogance.

– Je crois qu'il est normal pour toutes les Gens du Pays de s'interroger sur les actions qui les concernent. Notre devise royale n'est-elle pas *Plus grand que le Roi est le plus petit de ses sujets* ?

Cette fois, les murmures approbateurs indiquèrent que l'assistance se rangeait du côté de Jeifil. Tocsand réalisa le danger, tant d'un affrontement direct que d'une retraite précipitée. Il risquait de perdre la face devant le Prince.

– Tu as bien raison, Prince Jeifil. Toutefois, le plus petit des sujets du pays sait prendre le temps de comprendre et de mettre en perspective les demandes de son Roi. C'est alors qu'il est le plus grand, et non lorsqu'il s'abaisse à critiquer sans raison valable ou sans connaissance des enjeux véritables.

De nouveau, les réactions de la foule furent éloquentes. La réplique de Tocsand avait porté. Jeifil constata qu'il risquait de perdre l'avantage de la discussion et il préféra trouver rapidement une porte de sortie élégante.

– Tu parles juste, ô mon Roi. Je dois mieux m'informer sur les détails de ton édit. Tu sais à quel point je suis préoccupé par l'avenir du Pays de Santerre. Il ne faudrait pas que ma passion m'emporte au point de ne pas considérer avec justesse tous les aspects de la situation.

Le ton soumis de Jeifil ne dupait personne. Il demeurait sur ses positions, laissant planer le doute sur la valeur des décisions de son Roi sans toutefois poursuivre ses critiques.

La lueur des flammes chassait l'obscurité opaque du couloir qui permettait à Eldwen et à Ardahel de fuir les appartements de SpédomSildon. Après avoir tout dévoré sur son passage, le feu des Magistiens s'engouffrait dans la moindre ouverture pour achever son œuvre de destruction. Les deux fuyards couraient aussi vite qu'ils le pouvaient dans le grossier tunnel creusé dans le sol du Magolande. Ils sentaient derrière eux la chaleur qui s'approchait, à peine ralentie par les tournants et les montées du chemin souterrain.

Le bandeau volupien permettait à l'aveugle de progresser à la même vitesse qu'Ardahel et même de le guider lorsqu'ils prenaient un peu de distance sur le feu, se retrouvant alors dans le noir total. Toutefois, ils ne pouvaient que ralentir dans l'obscurité, perdant alors rapidement leur précieuse avance. De plus, dans leur course désespérée, Ardahel et Eldwen trébuchaient souvent sur des racines ou des roches qui rendaient le sol inégal.

Dans un tournant, Ardahel se frappa violemment l'épaule contre une racine. Le tunnel contournait un jeune Maisarbre et son tracé devait éviter l'énorme système racinaire s'enfonçant dans le sol. Déséquilibré, le Prince chuta lourdement en se frappant la tête. Étourdi, il sentit les mains d'Eldwen l'agripper et tenter de le relever. Le corridor souterrain s'illumina soudain du feu qui arrivait à toute vitesse, précédé d'un souffle brûlant. Un cri de panique traversa l'esprit encore embrouillé du Prince.

– Vite ! Le feu arrive !

Comme au ralenti, Ardahel aperçut une boule de feu qui approchait. Dans les lueurs rouges des flammes, il vit Eldwen, le visage maculé de sang, de terre et de suie, si désespérée, les traits tendus, qui lui hurlait de se relever. Il nota que son bandeau volupien était tout de travers, risquant de tomber à tout instant. Les flammes s'approchaient encore, leur lumière permettant de détailler l'aspect du tunnel, les parois de terre sombre, les petites racines qui pendaient habillées de fils d'araignée, les pierres mal déblayées sur le sol. La lumière se faisait plus vive et la chaleur plus intense, donnant le goût de s'abandonner, d'en finir avec cette lutte dérisoire, de retrouver la lumière accueillante du Royaume d'Elhuï. Le brasier emplissait maintenant presque tout l'espace derrière eux, dominant tout ce que les sens pouvaient percevoir. À la vision infernale du brasier s'ajoutaient maintenant un bruit sourd, une odeur macabre, un goût de roussi qui emplissait la bouche et même la pression brûlante sur la peau de l'air poussé par l'avance du feu. À contre-jour des flammes toutes proches, Eldwen hurlait encore plus fort pour tirer Ardahel de sa torpeur.

Soudain, le Prince se dit qu'il refusait de voir périr sa compagne. Il y avait une anfractuosité dans le couloir, plutôt une cavité qui semblait assez profonde. Rassemblant toutes ses forces, Ardahel finit par se remettre debout, puis il se précipita sur Eldwen pour la pousser avec lui dans l'ouverture. Au même instant, le brasier emplit le tunnel à l'endroit où le couple se tenait. Son souffle principal passa en trombe, ne laissant que le sol et les parois calcinés. Le petit conduit où Ardahel et Eldwen venaient de s'engouffrer ne leur offrait qu'un instant de répit, le feu des Magistiens commençant déjà à y pénétrer à son tour. Le Prince avait retrouvé tous ses sens et il fonçait devant lui en tenant la jeune femme par la main. Encore une fois, les flammes les talonnaient en éclairant les lieux. Au bout d'une quinzaine de jambés, les fuyards constatèrent qu'ils se trouvaient dans un cul-de-sac.

Eldwen fut la première à s'arrêter contre la paroi. Les deux bras écartés, l'aveugle passait frénétiquement les mains sur la surface compacte devant elle à la recherche d'une issue. La lumière des flammes permit à Ardahel de constater qu'il n'y avait aucune issue et que le feu arrivait sur eux. Il ne leur restait que quelques instants avant d'être à leur tour brûlés vifs. Le Prince tira alors le Glaive Nouveau de son fourreau et il se mit à frapper le tunnel au-dessus de sa tête. La lame se fraya un chemin dans la terre et les racines, provoquant un éboulis. De larges morceaux de la voûte tombèrent, étouffant d'abord les flammes au ras du sol, puis se transformant en un mur protecteur.

Des roches et de la terre tombèrent en faisant une poussière qui emplit tout le minuscule espace dans lequel les deux fuyards se trouvaient. Ils durent s'enfouir la tête à l'intérieur de leurs vêtements afin de reprendre leur souffle sans s'étouffer. Un moment passa où seul le bruit de leurs respirations saccadées et rauques se fit entendre. Puis la poussière se déposa, les cœurs cessèrent de battre la chamade, les respirations se firent moins oppressées. Ardahel et Eldwen se serrèrent l'un contre l'autre, encore incapables de parler. Puis l'aveugle éclata en sanglots nerveux qui se transformèrent en hurlements désespérés. Les larmes aux yeux, le désespoir sur les lèvres lui aussi, son compagnon ne pouvait qu'entourer l'aveugle de ses bras, lui faire sentir sa présence jusqu'à ce que le trop-plein d'émotion s'évacue.

Eldwen s'apaisa, ou plutôt sa peine devint silencieuse, tandis qu'elle s'accrochait à Ardahel, ses poings serrant son vêtement de toutes ses forces.

– Eldwen, mon amour, nous sommes vivants !

– Ô Ardahel ! Le sommes-nous ?

– Je pense que oui... Mon corps me fait assez mal pour y croire !

– Moi aussi, moi aussi...

Malgré la précarité de leur situation, ou peut-être justement à cause de cela, ils éclatèrent tous les deux d'un rire nerveux. Enfin calmés, dans l'obscurité totale, ils se mirent à examiner leur nouvelle prison en tâtant les parois autour d'eux.

– J'ai perdu le bandeau volupien, fit soudain Eldwen. Je ne le trouve plus.

– Cherchons bien. Il est peut-être seulement à tes pieds.

Ils se mirent à explorer systématiquement de leurs mains tout l'espace autour d'eux. Cela leur permit de prendre la mesure exacte des lieux, une sorte de poche souterraine tout juste de leur hauteur, large de moins de deux jambés et profonde d'au plus trois jambés. Trois fois, ils refirent leur recherche aveugle en s'écorchant les doigts sur les roches. Ils durent finalement se résoudre à abandonner.

– Il est perdu, se lamenta Eldwen. J'avais un moyen de presque voir, de connaître ce qui m'entoure. Maintenant, je suis redevenue aussi aveugle qu'autrefois... Et nous sommes dans le noir, tu n'y vois rien, toi non plus !

Ardahel sentait la panique s'installer, autant en lui qu'en Eldwen. Ils se trouvaient enterrés dans une sorte de grotte exiguë, ignorant à quelle profondeur et dans l'obscurité totale.

– Faisons l'inventaire de ce que nous avons, suggéra Eldwen en dominant sa panique.

– Tu as raison, nous devons trouver une solution et elle est peut-être sur nous.

L'un des premiers objets auxquels pensa Ardahel fut la Fiole d'Abondance. Au moins, ils pourraient se rassasier. Ils ne risquaient pas de périr de la faim et de la soif dans leur trou. Cette pensée le rassura d'abord, puis se transforma en hantise. Combien de jours, de mois ou même de plus de temps encore risquaient-ils de demeurer prisonniers de cet espace maudit ?

✧ ✧ ✧

À la surface du sol, le Magolande était livré à une fureur destructrice comme le Monde d'Ici n'en avait plus connue depuis l'anéantissement des Alisans. Les cavaliers Magistiens avaient répandu leur feu tout autour de la région habitée par les Magomiens, créant un immense cercle de flammes. Les pouvoirs des Magistiens leur permettaient de contenir le brasier de manière à ce qu'il progresse vers son centre. Partout où il y avait des Maisarbres aménagés, le brasier pénétrait la moindre ouverture pour tout ravager, ne laissant aucune retraite possible, ne ménageant aucune cachette permettant de lui échapper.

Pris au piège, les Magomiens, leurs serviteurs et leurs esclaves n'avaient d'autre choix que de faire face aux Magistiens qui les pourchassaient sur leurs Chornes. Le cercle de feu était si gigantesque qu'il restait encore d'immenses sections de la Forêt dans lesquelles les chasseurs poursuivaient leur gibier. Parfois, des Magomiens occupaient des emplacements avantageux et ils parvenaient à vaincre quelques-uns de leurs attaquants. Des Chornes s'écrasaient lourdement sur le sol, le corps percé de pieux, et les Magomiens massacraient avec une fureur démente les vieillards tombés de leur monture. Puis le mur de feu arrivait, délogeant les survivants de leur position, consumant les cadavres demeurés sur place.

Eldguin, Noakel et Meilsand demeuraient avec le groupe de Magistiens dirigé par SiMa. Ils étaient finalement montés sur des Chornes en s'accrochant derrière leur maître. Eldguin partageait la monture de SiMa, ce qui lui permettait d'entendre tous les détails que les messagers rapportaient à la Magistienne sur l'état exact des combats. L'attaque du domaine de SpédomSildon avait été particulièrement furieuse. La Magomienne avait organisé une résistance efficace. Elle allait et venait, surgissant à divers endroits pour donner ses ordres et repartir aussitôt. La Seigneur Magomienne donnait l'impression d'être partout à la fois. Puis, soudain, bien étrangement, plus personne ne revit SpédomSildon. Les Magistiens profitèrent de l'indécision dans les rangs ennemis pour lancer une attaque en force. L'emplacement du puits de lumière fut conquis, le dôme fracassé et SiMa y concentra le feu Magistien afin de détruire la plus importante retraite des Magomiens.

Dès lors, les combats se transformèrent uniquement en un carnage dément d'attaquants et de fuyards certains de périr d'une manière ou d'une autre, sous les armes des adversaires ou dans l'impitoyable cercle de feu qui se refermait inexorablement.

Eldguin profita d'une accalmie pour supplier SiMa.

– Grande Magistienne, il faut que tu nous donnes le moyen d'échapper à ce brasier. Meilsand, mon frère et moi ne faisons pas partie de votre combat. Nous devons secourir celle qui a pour mission d'affronter Vorgrar. SiMa, votre sacrifice ne doit pas détruire les espoirs du Monde d'Ici.

– Je t'avais prévenue de ce qui allait arriver, jeune fille. Je t'ai dit aussi que je veillerais sur vous. Alors, obéissez exactement à mes instructions.

SiMa s'écarta des combats en entraînant avec elle les Magistiens dont les Chornes portaient Noakel et Meilsand. Les trois bêtes grimpèrent au sommet d'une petite colline encore épargnée par le feu. Rendue là, la vieillarde donna ses instructions.

– Couchez-vous à plat ventre sur le sol. Je vais étendre un voile Magistien sur vous et le replier. Assurez-vous de bien le tenir afin qu'il ne soit pas emporté par le souffle du feu. Demeurez ainsi sans bouger, sans tenter de voir quoi que ce soit. Lorsque le brasier sera passé et que vous n'entendrez plus rien, vous pourrez vous relever, mais pas avant. Adieu.

Les trois compagnons s'installèrent ainsi qu'il leur était indiqué. L'attente débuta, meublée du son des combats, des hurlements lointains des vainqueurs comme des vaincus, du bruit du vent et du feu qui se rapprochait. Eldguin était au centre, son frère d'un côté, Meilsand de l'autre. Le voile laissait filtrer un peu de lumière, juste assez pour qu'Eldguin puisse distinguer les visages de ses amis. Elle adressa un pâle sourire à son frère, puis elle tourna la tête vers Meilsand. Son visage prenait des teintes rougeâtres alors que les lueurs du brasier dominaient.

Le crépitement de l'incendie se fit de plus en plus fort. Avec leurs pieds, les trois compagnons pesaient de toutes leurs forces pour retenir le voile Magistien replié sous eux. À la hauteur de leur tête, ils serraient désespérément le voile dans leurs poings. Le bruit devint vacarme. Eldguin tourna la tête une autre fois vers son frère. Il lui adressa un dernier regard, puis il ferma les yeux, crispé dans l'attente angoissante. Elle se tourna de nouveau vers Meilsand. Ses yeux devaient contenir autant de peur que les siens. Il y avait aussi autre chose, un regard encore plus ardent que le feu Magistien. Les deux jeunes gens se regardèrent intensément et, spontanément, leurs visages s'approchèrent encore. Leurs lèvres se touchèrent et s'ouvrirent. Pendant que les flammes les recouvraient, Eldguin et Meilsand laissèrent éclater le feu de leur passion.

Après avoir bu longuement à la Fiole d'Abondance, Ardahel et Eldwen s'accordèrent un peu de repos. Ils s'efforcèrent de reprendre leur calme, blottis l'un contre l'autre dans l'obscurité silencieuse. Ardahel passa ses mains dans les cheveux de l'aveugle, puis il caressa son visage, découvrant du bout des doigts les larmes qui coulaient encore.

– Tu as bien le droit d'être triste, mon amour. J'aimerais tellement te dire d'espérer...

– Je repensais à Alios et à SpédomSildon... Pouvais-tu imaginer...

Ardahel devina la question que sa compagne n'osait formuler.

– En frappant SpédomSildon, je pensais qu'Alios serait sain et sauf... Je crois... En fait, je ne pensais pas à autre chose qu'à nous sauver. Tout s'est déroulé si vite !

– Je n'ai plus de famille. Ceux qui comptent pour moi s'éloignent sans cesse. Je ne peux m'attacher à personne, cela me fait tellement peur. Il n'y a que toi, Ardahel. Tu es tout ce que j'ai, tu es toujours là... Ne me quitte jamais, je t'en supplie !

– Jamais, mon amour. Jamais je ne me détournerai de toi. Tu dois toujours le savoir.

Ils se serrèrent encore plus fort dans leurs bras et ils s'embrassèrent avec passion, comme pour conjurer le mauvais sort.

Finalement, Ardahel décida qu'il était temps d'agir pour sortir de ce trou.

– Selon moi, nous sommes près d'un Maisarbre. C'est ce qui explique les racines autour de nous et les détours du tunnel. D'ailleurs, c'est bien logique qu'un tel passage aboutisse dans un Maisarbre. En courant, j'ai senti que le sol était souvent en pente qui montait. Nous ne sommes probablement plus très loin sous la surface du sol.

– Ainsi, poursuivit Eldwen, il s'agit de creuser au-dessus de nos têtes et nous devrions aboutir à l'air libre.

– Je l'espère.

Le Prince prit son épée pour frapper la paroi de terre au-dessus de lui. Il faisait tomber des morceaux d'un côté, puis il se déplaçait pour s'attaquer à l'autre côté. Bientôt, l'air fut plein de poussière de terre en suspension. Eldwen déchira du tissu de son vêtement pour en faire des masques qu'ils se mirent devant le nez et la bouche. Le travail reprit, lent et pénible dans le noir, mais prometteur.

Soudain, la lame frappa une grosse racine très dure. Ardahel s'efforça de la contourner en creusant la paroi de terre sur le côté. L'espace dans lequel il travaillait devint rapidement plus large, par contre moins haut. Il fallait repousser continuellement la terre, non plus seulement sous eux, mais aussi sur le côté. De nouveau, la lame de l'épée frappa une surface dure. À genoux dans l'obscurité, Ardahel s'acharna à déblayer ce qu'il pouvait pour finalement se rendre compte qu'ils se trouvaient au milieu d'un amas de racines, certainement celles d'un Maisarbre, presque aussi dures que la pierre.

– Voilà pourquoi ce tunnel s'est terminé en cul-de-sac. Ceux qui creusaient se sont rendu compte qu'ils arrivaient à un endroit où c'est impossible de poursuivre.

– Cela veut aussi dire que nous sommes proches du cœur d'un Maisarbre. D'après ce que tu m'as raconté, c'est un espace libre.

– Nous allons le savoir !

Ardahel se concentra intensément, faisant de nouveau appel à toute la puissance du Glaive Nouveau. Puis il frappa devant lui sur les racines. La lame de l'épée se fraya un chemin devant elle, traversant le mur de racines. Le Prince recommença jusqu'à découper devant lui un espace un peu plus large que ses épaules. Un bloc de racine donna l'impression de se détacher et Ardahel poussa dessus de toutes ses forces. Soudain, il céda pour basculer dans le vide. Une bouffée d'air entra dans le réduit, chargée d'odeurs de brûlé, notamment de la chair calcinée.

Chapitre septième
Froid et chaud d'automne

Lorsque le silence se fit enfin, ni Eldguin, ni Meilsand, ni Noakel n'osèrent bouger. À la lumière des flammes avaient succédé des ténèbres épaisses. Les trois jeunes gens sentaient sur eux, ou plus précisément sur le voile magistien, le poids de débris transportés par l'incendie. Combien de temps avait-il fait rage, ils ne pouvaient le préciser. Ils avaient attendu, terrorisés, ne risquant aucun mouvement, conscients de l'extrême chaleur du brasier dont ils étaient protégés. Au plus fort de la destruction, ils avaient entendu des hurlements de gens, des cris de bêtes, des troncs qui éclatent ou se tordent dans les flammes, des pierres qui fendent et d'autres sons étranges d'une fureur à laquelle nul ne peut survivre pour la raconter.

Ensuite, le vacarme s'était transformé en un grésillement de plus en plus faible. Le vent s'était levé, projetant des tisons dans toutes les directions, ponctuant son murmure de crépitements secs. Il y avait eu de moins en moins de bruit pour faire sursauter les jeunes gens. Finalement, le silence était devenu complet. Un silence sans vie.

– Je crois qu'on peut se relever, murmura Eldguin encore craintive.

– Je le pense aussi, répondit Noakel à peine plus rassuré. Nous sommes sains et saufs.

– Qu'Elhuï soit remercié, compléta Meilsand en respectant la tradition.

Avant de se lever, le fils de Tocsand laissa glisser sa main vers Eldguin pour lui caresser la joue. Il avança les lèvres pour donner un rapide baiser à la jeune femme qui chercha à le prolonger. Réalisant ce qui se passait, son frère éclata d'un rire mi-nerveux, mi-amusé.

– Eh bien, vous deux, vous savez choisir votre moment ! s'esclaffa Noakel. Allez, debout !

Avec précaution, ils retroussèrent les coins du voile, constatant de ce fait qu'il s'effilochait de partout. Une épaisse couche de cendres les recouvrait qui s'infiltrait maintenant entre les fibres carbonisées du tissu. Les trois jeunes gens surgirent enfin de leur abri, se retrouvant debout, pleins de poussière, au milieu d'un décor hallucinant éclairé par une pleine lune brillant de tout son éclat dans un ciel noir comme la suie.

Partout où portaient leurs regards, le Magolande avait été rasé par le feu. Quelques rares troncs noircis surgissaient sur le terrain mis à nu. On aurait dit un désert comme ceux des Terres Brûlées, mais au sable doré remplacé par une couche de cendres grises. À la vue de ce spectacle, les trois compagnons se sentirent accablés, incapables de déterminer quelle direction prendre pour se mettre à la recherche d'Ardahel et d'Eldwen.

Noakel secoua enfin la torpeur qui les avait saisis.

– Le domaine de SpédomSildon était dans cette direction. Derrière cette colline, je crois. Commençons par nous y rendre. Nous débuterons nos recherches à cet endroit.

– C'est le mieux à faire, approuva Meilsand.

– D'après la position de la lune, la nuit va bientôt se terminer, constata Eldguin. Nous y serons au lever du soleil.

Ils se mirent à marcher vers leur objectif, soulevant à chaque pas une fine poussière qui flottait un instant autour d'eux. Ils commentaient à peine ce qu'ils voyaient, encore stupéfiés par l'ampleur de la destruction que les Magistiens avaient provoquée. Eldguin tenait la main de Meilsand, la serrant plus fort lorsqu'ils passaient à proximité d'une forme qui laissait supposer les restes d'un guerrier sous la couche de cendres.

✧ ✧ ✧

Une fois l'ouverture créée à travers les racines du Maisarbre, Ardahel s'était retenu de crier sa joie. S'avançant avec prudence, il examina les lieux de son mieux. Quelques objets de bois, des panneaux muraux et des sections de racine finissaient de se consumer après le passage du feu Magistien. Cela permettait au Prince de voir qu'ils se trouvaient effectivement dans le cœur d'un Maisarbre qui avait été sommairement aménagé par les Magomiens. Le trou qu'il venait de faire débouchait presque au ras du sol d'une salle d'environ dix jambés sur quinze et de trois tails de hauteur. Plusieurs personnes s'y étaient réfugiées dans l'espoir d'échapper à l'attaque des Magistiens et il ne restait plus d'eux que des formes carbonisées dans des positions grotesques.

Toujours sur ses gardes, Ardahel se glissa par l'ouverture, puis il guida Eldwen pour qu'elle vienne le rejoindre. L'aveugle eut une nausée en respirant l'air de la salle.

– Ne me raconte surtout pas ce que tu vois. L'odeur me suffit.

– Ne restons pas ici, répondit Ardahel. Il n'y a aucune vie. Je vais faire une torche avec le bois que je peux récupérer et nous allons fuir cet endroit au plus vite.

En quelques instants, Ardahel était prêt à s'aventurer hors de la salle, l'arme à la main. Il constata qu'il n'y avait pas d'autres pièces importantes, seulement quelques réduits pour conserver des provisions ou des objets de première nécessité. Un escalier montait dans le cœur du Maisarbre, menant à une porte défoncée par où le feu des Magistiens s'était engouffré. En grimpant les marches, le Prince remarqua l'absence de lumière. Il faisait nuit sur le Magolande.

Le même spectacle de destruction éclairé par la lune attendait Ardahel et Eldwen à la sortie du Maisarbre.

– C'est incroyable ! commenta Ardahel. Imagine les étendues dévastées du Plateau des Alisans lorsque nous l'avons traversé. Le Magolande ressemble maintenant à cela.

– Les Races Anciennes et les Races Premières disparaissent dans la fureur. Pourquoi ne pourraient-elles pas rencontrer sereinement leur Destin ?

Incapable de répondre, peu disposé à chercher une réponse, Ardahel se contenta de hausser les épaules. Il prit Eldwen par la main pour quitter les lieux.

– Retournons au domaine de SpédomSildon. De là, nous trouverons bien une route nous permettant de sortir du Magolande. Je crois qu'il faut suivre cette direction.

Soulevant la cendre du sol, ils se dirigèrent vers leur but, Ardahel guidant l'aveugle sans rien dire, accablé par la désolation extrême qui les entourait.

Lorsque les frères de Belgaice étaient revenus pour rencontrer Kurak ainsi qu'il l'avait demandé, leur sœur cadette Beldouse était absente. L'Akares avait immédiatement compris la manœuvre de sa maîtresse qui désirait éviter qu'il soit encore en présence de sa sœur. Cela l'amusa et le contraria à la fois.

« Ainsi, ma chère compagne se sent menacée et elle veut maîtriser la situation ! pensa-t-il. On ne décide rien à la place de Kurak l'Akares ! Je prends ce que je veux selon mon bon vouloir. »

Prétextant des rencontres imprévues et importantes, Kurak fit reporter au lendemain matin le rendez-vous avec les frères de Belgaice. Dès l'aube, il ordonna à sa maîtresse de retourner sur son navire de commandement, lui confiant des tâches qui l'occuperaient toute la journée. Ensuite, il fit prévenir Beldouse qu'elle devait accompagner ses frères. Kurak reçut ses invités dans une pièce plus intime que la grande salle du Trône Cahan, en haut de la tour principale du Palais royal. L'atmosphère fut plus cordiale que la veille, l'Akares s'intéressant sérieusement aux activités de la famille de Belgaice qui pouvaient prendre de l'ampleur grâce à son soutien.

Les entretiens terminés, Kurak laissa partir ses visiteurs, mais au dernier instant, il retint Beldouse avec un prétexte qui rassura ses frères quant à ses intentions.

– J'aimerais que tu restes pour me parler de ta sœur. Je désire tout savoir d'elle !

– Vous nous faites un grand honneur, répondit la jeune fille. Votre intérêt pour notre famille sera certainement profitable à chacun de nous.

– Mais bien sûr, fit Kurak en guidant Beldouse dans une pièce voisine tandis que ses frères se retiraient en souriant.

L'Akares et la Cahanne offraient un contraste saisissant. Lui, de grandeur moyenne, mais d'une puissance évidente, le torse épais, les membres musclés, les longs cheveux blonds attachés avec un assemblage complexe de bandes de cuir décorées de griffes d'ours, le visage carré aux traits massifs où les yeux gris dévoilaient toute son assurance et sa fermeté. Elle, plus grande, élancée et délicate, les longs cheveux blonds aux teintes de roux tombant librement dans son dos, les yeux verts pleins d'émerveillement et de candeur.

Kurak se dirigea vers une grande fenêtre d'où il pouvait voir la cité de Nahac et le port où étaient ancrés quelques bateaux de sa flotte, les autres mouillant plus loin au large.

– Vois ta cité désormais à mes pieds. Elle est belle, n'est-ce pas ?

Intimidée de se retrouver seule avec le nouveau maître de son pays, Beldouse baissait la tête. Elle s'approcha de la fenêtre, découvrant sa ville d'une manière dont elle ne l'avait jamais vue auparavant.

– Oui, elle est splendide. Il serait dommage que des combats viennent la troubler.

Kurak s'approcha, obligeant la Cahanne à se tenir près du rebord, face à lui. Il posa sa main sur le cadre de la fenêtre, empêchant la jeune fille de s'éloigner de ce côté.

Son autre main était levée, comme prête à saisir sa proie. Beldouse se sentait de plus en plus mal à l'aise, mais en même temps fascinée par l'Akares qui lui parlait si doucement.

– La beauté de cette ville n'est rien lorsqu'on te voit, Beldouse. Pour moi, tu es cette ville, et mieux encore. Comme tu seras avec moi, comme je serai pour ta cité.

– Ma sœur Belgaice..., bredouilla la jeune fille. N'est-elle pas déjà toute la Terre Cahan pour vous, puissant Seigneur ?

Kurak eut un sourire malicieux. Il parla plus bas, dans un murmure qui obligea Beldouse à s'approcher encore plus.

– Ta sœur se tient à mes côtés parce qu'elle m'est grandement utile. Il reste une place de choix pour une personne qui m'est agréable.

Cette déclaration à peine voilée effraya la jeune fille. Coincée entre la fenêtre et l'Akares, elle tenta de se dérober en se déplaçant sur le côté. La main libre de Kurak se posa alors sur sa hanche, l'immobilisant immédiatement et la faisant frissonner.

– Tu veux fuir ! Aurais-tu peur de moi ?

– Seigneur, je ne voudrais pas causer de tort ni à ma sœur, ni à ma ville. Je ne suis d'aucune importance pour vous.

De nouveau, Kurak sourit à l'attitude si naturelle, si humble de la jeune fille qui baissait la tête devant lui. Sa main remonta jusqu'à prendre doucement le menton de Beldouse. Il la força à le regarder dans les yeux.

– Comment dois-je faire pour te gagner sans te forcer, sublime jeune fille ? Qu'aimerais-tu de moi ? Quels sont tes souhaits ? Le plus puissant Seigneur du Monde d'Ici est à tes ordres.

Le cœur de Beldouse battait à tout rompre. Son visage était rouge de confusion ; elle sentait ses jambes molles et sa tête qui tournait. Sans qu'elle y puisse rien, sa respiration se fit saccadée et elle sentit qu'elle perdait l'équilibre. Pour éviter de tomber, elle tendit les mains, s'agrippant à Kurak qui l'entoura de ses bras solides, rassurants.

Son trouble ne dura guère. La Cahanne se redressa, découvrant le visage surpris de Kurak qui ne s'attendait pas à mettre la jeune fille dans cet état. Son expression était si cocasse que cela la fit rire, entraînant bientôt l'Akares dans ses éclats.

– Je vous ai fait peur, s'esclaffa la jeune fille. Excusez-moi, je ne voulais pas...

– Tu vois ton pouvoir sur moi, maintenant. Qu'en feras-tu ?

– Rien pour vous déplaire, ni pour faire de tort aux autres. Accordez-moi seulement votre attention dans le plus grand secret...

Kurak regarda avec encore plus d'intensité la Cahanne. Il ressentait pour elle un désir différent de tout ce qu'il avait connu jusqu'ici. Il y avait chez Beldouse quelque chose de si précieux qu'il désirait plus que tout le posséder, mais en même temps de si fragile qu'il voulait prendre toutes les précautions afin de ne pas l'abîmer en se l'appropriant.

Un soleil jaune se leva sur le Magolande, teintant de doré la cendre qui couvrait le sol, découpant de vifs contrastes les rares objets calcinés qui pointaient encore à quelque hauteur. Puis il monta vers son zénith, sa lumière se faisant de plus en plus crue en cette froide journée sans nuages. Depuis longtemps, les marcheurs avaient caché leur visage avec une pièce de tissu qui empêchait la poussière de s'infiltrer dans leur nez et dans leur gorge. Ils étaient maintenant trois formes grises qui parcouraient un paysage d'où toute autre vie avait été chassée. En contournant une hauteur, ils débouchèrent à l'entrée du domaine de SpédomSildon. Ou du moins, ce qui en restait comme témoignage dérisoire.

Une partie du tronc des plus importants Maisarbres avait résisté au feu des Magistiens, parsemant le paysage de petites tours noires éventrées. L'entrée principale du domaine était encore reconnaissable à ses marches qui montaient à la porte jaune distinctive de la Seigneur Magomienne. À demi-arrachée, elle tenait encore en place, de travers, dans un équilibre précaire, sa couleur autrefois flamboyante toute noircie par les flammes.

Soudain, Noakel s'immobilisa, obligeant ses compagnons à faire de même. Déjà, il tirait son arme du fourreau en désignant un endroit derrière les restes du Maisarbre à la porte jaune.

– Regardez là-bas, il y a deux formes qui bougent.

Depuis un bon moment, Ardahel et Eldwen erraient dans le domaine de SpédomSildon. Ils avaient découvert l'entrée du puits de lumière des appartements de la Magomienne. Il n'y avait plus rien d'autre à voir qu'un trou sombre par lequel le Prince distinguait des formes ravagées par le feu. Ils s'étaient attardés pour faire une longue prière à Elhuï, suppliant le Dieu Unique d'accorder son repos à Hunil Ahos Nuhel ainsi qu'à tous ceux qui avaient péri dans la fureur de l'attaque suicidaire des Magistiens.

Ardahel avait finalement arraché Eldwen à sa méditation muette. Ils se dirigeaient vers les restes du Maisarbre à la porte jaune lorsque le Prince aperçut les trois formes qui marchaient dans sa direction. Tout en allant à leur rencontre, il tira son arme du fourreau et laissa tomber le tissu qui protégeait son visage de la poussière.

Immédiatement, les trois formes grises s'animèrent, laissant échapper de grands cris de joie en se précipitant vers le couple.

– Ardahel ! Ardahel ! C'est nous !

Un bref instant, le Prince demeura abasourdi, hésitant à croire à cette heureuse apparition. Les cinq compagnons manifestèrent leur joie par de longues accolades, des rires mêlés de pleurs et tellement de questions qu'ils décidèrent de faire un point rapide de la situation pour remettre à plus tard les récits complets de leurs récentes aventures.

– Quittons ces lieux le plus vite possible, proposa Eldguin. Loruel et Lowen vont certainement parcourir dès aujourd'hui la bande de terrain sécuritaire entre le Magolande et les Remparts Vivants. Nous aurons alors des montures pour poursuivre notre chemin.

– Pour aller où ? laissa tomber Eldwen en soupirant.

– N'importe où loin d'ici, répondit gravement Ardahel.

Malgré tout, les cinq compagnons reprirent leur marche avec le cœur plus léger. Guidés par la position du soleil dans ce paysage dénué d'obstacles, ils progressaient sans hésitation. L'épais liquide réconfortant de la Fiole d'Abondance fut le bienvenu pour chacun, surtout pour les jumeaux et Meilsand qui n'avaient rien mangé ni bu depuis plus d'une journée. Enfin rassasiés, heureux d'avoir retrouvé Ardahel et Eldwen, ils avaient même le cœur à fredonner des chansons pour passer le temps.

Le petit groupe de marcheurs vit le soleil disparaître derrière l'horizon en même temps que la silhouette des Remparts Vivants surgissait au loin. Ils choisirent de ne pas s'arrêter. Surmontant leur fatigue, ils persévérèrent jusqu'à ce qu'ils puissent faire halte hors du Magolande.

Le corridor herbeux entre la lisière de la forêt et le pied des Remparts Vivants avait aussi été rasé par le feu. Toutefois, il était libre de l'épaisse couche de cendres qui recouvrait le Magolande. Quant aux contreforts des montagnes, paysage composé surtout de roches nues, le passage des flammes n'y paraissait pas tellement. Ainsi, malgré son dénuement, le décor s'avérait un peu plus hospitalier.

Noakel et Meilsand se mirent à la recherche d'un endroit pour passer la nuit le plus confortablement possible. Ils forcèrent Ardahel à les accompagner.

– Viens avec nous, mon frère, fit Noakel à voix basse. Je crois plus sage de laisser Eldguin et Eldwen seules ensemble pour l'instant.

Ardahel regarda les deux femmes qui s'étaient éloignées pour s'asseoir à même le sol, blotties l'une contre l'autre. Sans entendre ce qui se disait, il vit que l'aveugle parlait à sa belle-sœur. C'était la première fois qu'elle se confiait autant depuis bien longtemps et le Prince ne voulut surtout pas les interrompre.

Eldwen parlait d'une voix lasse, tant de fatigue physique que morale.

– Je ne sais plus où j'en suis. J'ai attendu vingt ans que quelque chose se produise. Puis les événements se sont bousculés. J'ai parcouru un chemin incroyable où j'ai fait des apprentissages qui m'ont conduite jusque devant Almé lui-même. On m'a dit que j'étais Eldwen la Désignée. Depuis, il n'y a autour de moi que destruction. Je ne fais rien de valable. Rien qui justifie tout ce que j'ai vécu. J'ai le sentiment que mon rôle m'échappe, que je suis inutile. Aveugle, abandonnée et inutile.

Eldwen n'avait plus de larmes à verser. Derrière ses yeux éteints, il n'y avait qu'une angoisse douloureuse qui lui serrait le cœur. Eldguin lui prit doucement les mains.

– Tu as le droit de t'interroger. Je ressens la même chose. Noakel et moi sommes nés avec le titre mystérieux de « Premiers de la Nouvelle Lignée » ! Si tu savais combien de fois je me suis demandé quel était mon rôle, combien de fois je me suis sentie inutile... J'ai eu la réponse après avoir parlé aux Magistiens.

– Explique-moi, que je comprenne le mien, mon rôle, supplia Eldwen.

– J'ai été mise au cœur d'événements extraordinaires, moi, une personne bien ordinaire. Alors, j'ai agi comme je croyais qu'il était bien de le faire. Dès lors, des événements et des gens extraordinaires ont été influencés par une pensée ordinaire. Nous ne sommes pas des êtres supérieurs, car il ne faut pas que la route du Monde d'Ici soit tracée par des êtres fabuleux. Au contraire. Et ce n'est qu'après avoir accompli notre mission que nous le savons, que nous la comprenons et que nous pouvons mesurer son importance.

Eldguin fit une pause. Elle était tout de même intimidée par la forte personnalité de sa belle-sœur et l'image de femme exceptionnelle qu'elle s'en était toujours faite.

– Je ne crois pas que tu doives être dans l'attente d'un geste prodigieux que seule la grande Eldwen la Désignée puisse accomplir. Tu dois seulement être disponible pour bien agir, au bon moment.

L'aveugle laissa échapper un soupir saccadé, un mélange de sanglot et de rire, comme si elle hésitait entre pleurer sur elle-même ou rire de soulagement. Puis elle se détendit ; elle se blottit contre la sœur d'Ardahel. Juste avant d'être gagnée par le sommeil, elle eut un mot pour Eldguin.

– Merci.

✧ ✧ ✧

Loruel et Lowen avaient assisté de loin à l'attaque impitoyable des Magistiens sur le Magolande. Ils s'étaient tenus à l'écart le plus longtemps possible, mais l'inquiétude dévorait le Roi de Gueld. Dès l'aube, le lendemain de l'attaque, ils étaient retournés aux environs de l'endroit où ils avaient quitté leurs compagnons. Par la suite, ils avaient passé la journée à longer le pied des Remparts Vivants auxquels Loruel préférait donner le nom qu'il leur connaissait autrefois, les Monts Perfides.

Suivis par les montures de leurs compagnons, ils revenaient sur leurs pas lorsque Lowen fut la première à distinguer des formes mobiles devant eux. La prudence céda rapidement la place à l'allégresse. Les compagnons se retrouvaient enfin, tous sains et saufs. Lorsque les effusions de joie cessèrent, il fut question de se préparer pour la nuit. Eldwen songea alors à la cassette volupienne. Il fut facile de localiser une anfractuosité qui pouvait faire office de petite grotte. L'aveugle frotta la cassette et la posa sur le sol comme la Volupienne le lui avait expliqué. Il s'en dégagea immédiatement une chaleur réconfortante.

Bientôt, ils s'endormirent tous, profitant d'un sommeil réparateur dont ils avaient grandement besoin.

✧ ✧ ✧

Un moment de répit

Après le grand feu qui avait fait disparaître les Magomiens et les Magistiens du Monde d'Ici, le continent du Lentremers connut une accalmie. L'automne se fit de plus en plus mordant, les vents froids descendant des Terres de Glace. Puis la neige recouvrit le sol à la Mi-Nuit du continent, l'hiver imposant son rythme lent aussi bien au Couchant qu'au Levant. Il en était ainsi en Terres Mortes où même les Sormens et les Scasudens ne faisaient qu'attendre que passent les rigueurs de l'hiver pour s'allier aux forces de Kurak.

De retour en Pays de Gueld, Loruel et Lowen s'affairaient à raviver l'Alliance des Pays du Levant et à les préparer à une guerre imminente. Ardahel et Eldwen les avaient accompagnés, car la menace se précisait en provenance de la Terre Cahan. Meilsand, Eldguin et Noakel s'en étaient retournés en Pays de Santerre auprès de Tocsand et de MeilThimas. Ils participaient aux efforts du Roi afin de conclure des alliances solides avec les autres pays du Couchant. Les jumeaux gardaient aussi l'œil ouvert sur les agissements de Jeifil et de ses amis qui se plaisaient à critiquer le Roi dès qu'ils en avaient l'opportunité. Toutefois, les affaires du pays allaient au ralenti et les occasions se faisaient rares d'entreprendre des débats passionnés. Malgré l'antipathie qui grandissait entre le Roi et le clan de Jeifil, rien ne justifiait des actions particulières de Tocsand à son endroit.

Meilsand rageait en entendant les critiques contre son père.

– C'est bien parce que vous me retenez que je ne défie pas ce Jeifil en combat. J'aimerais tellement lui faire ravaler ses paroles à la pointe de mon épée...

– Ton père et toi auriez tout à y perdre, assura Eldguin. Vainqueur, il vous ridiculiserait. Vaincu, il se poserait en victime innocente.

Les trois jeunes amis revenaient du Pays des Chasseurs où ils avaient été conclure des ententes au nom du Roi Tocsand. De fortes chutes de neige et des grands vents les forçaient à prolonger leur halte dans une petite auberge à la frontière du Pays de Santerre. Ils en profitaient pour échafauder des plans afin d'aider Tocsand de leur mieux. Chaque fois, les agissements du Prince Jeifil revenaient au cœur de leurs échanges.

L'aubergiste mit fin à leurs discussions.

– La mauvaise température achève, déclara-t-il avec entrain. Croyez-en mon expérience, le temps sera clément demain matin. Je vous prédis un ciel bleu et plus un souffle de vent !

– Dans ce cas, allons nous coucher, décréta Noakel. Nous reprendrons la route aux premières lueurs de l'aube.

Ils avaient chacun leur chambre qu'ils gagnèrent sans tarder. Pourtant, lorsque le calme de la nuit eut gagné l'auberge, la porte de Meilsand s'ouvrit doucement. Il se rendit à la chambre d'Eldguin où il entra sans frapper. La jeune femme l'attendait avec impatience, lui tendant les bras dès qu'il s'approcha.

– Tu as été long, reprocha Eldguin à la blague.

– Je voulais être certain que ton frère dorme.

– Il connaît bien nos sentiments et il s'en réjouit.

– Pourtant, je préfère ne rien laisser paraître encore. Tant que nous serons en guerre, je ne veux pas...

Meilsand le lui avait déjà dit, mais il voulait lui répéter encore.

– Tu sais que je désire plus que tout au monde proclamer à tous et partout combien je t'aime. Cependant, je ne veux rien créer en ces temps troublés. Je ne veux pas que notre histoire porte les traces de la guerre. Je veux qu'elle soit pure, lumineuse, heureuse. Belle comme tu l'es, dans ton corps, dans ton cœur, dans ton esprit !

– Tu es superstitieux, se moqua Eldguin. Voilà ce que j'en dis ! Quels que soient les événements autour de nous, tu demeures le même pour moi. Mon ami qui cultive une si belle curiosité, si facile à s'émerveiller, au cœur si généreux, au talent si émouvant pour chanter les beautés du monde...

Eldguin attira le jeune homme contre elle dans son lit. Elle caressa le nez et la bouche finement dessinés dans le visage ovale, bien dégagé par une courte chevelure noire. La jeune femme plongea avec délice son regard dans les grands yeux bruns en amande qui brillaient de désir pour elle.

– Crois-tu que je serai capable d'attendre la fin de tous ces événements ? Et si leur conclusion n'était pas celle que nous espérons, mesures-tu tout ce que nous aurions alors perdu ?

Meilsand embrassa Eldguin avec passion, puis il chercha son oreille pour lui murmurer sa réponse.

– C'est le pire risque que j'aurai pris de toute ma vie. Je t'aime, Eldguin. Et cela est éternel.

La jeune femme se retint de répondre. Elle ne voulait plus parler. Du moins de tout cela. Elle désirait se blottir contre son amoureux, sentir leurs corps l'un contre l'autre, partager leur chaleur. Que représentait l'avenir du Pays de Santerre ou du Monde d'Ici comparé à l'instant présent ?

✧ ✧ ✧

Un moment de gloire

Toutefois, autour du Lentremers, les événements se précipitaient. La stratégie de Kurak était couronnée de succès. Presque chaque semaine, les rumeurs se répandaient qu'une nouvelle terre ou qu'un nouveau royaume était tombé sous la domination des armées de l'Akares. Il s'agissait souvent de petits pays et de peuples peu nombreux, mais les nouvelles des victoires de ses troupes se multipliaient. Ensuite, c'était au tour d'un royaume d'importance de se faire attaquer et de se soumettre. À la fin de l'hiver, la nouvelle se répandit que les armées invincibles de l'Akares contrôlaient pratiquement tous les lieux d'importance hors du Lentremers, depuis la Terre Cahan jusqu'à la Terre Abal. Cela signifiait qu'un habitant sur deux du Monde d'Ici était soumis à la domination de Kurak et, de ce fait, à la Pensée de Vorgrar.

Habile stratège et fin observateur des jeux de pouvoir, Kurak savait à quel moment la force des armes ou celle de la diplomatie lui était la plus profitable. Surtout, il faisait respecter avec fermeté la liberté de commerce de tous les peuples. Si les dirigeants politiques des différents pays conquis avaient perdu leurs pouvoirs politiques, rares étaient les riches familles dépossédées de leurs biens. Au contraire, plusieurs découvraient rapidement de plus nombreuses possibilités de marchander à la grandeur de l'empire que Kurak œuvrait à édifier. Il pouvait ainsi laisser un minimum d'Akares dans les villes importantes pour maintenir son pouvoir. Par la même occasion, il recrutait sans peine de nouveaux soldats prêts à conquérir avec lui, et pour lui, le continent du Lentremers.

Le jour de l'équinoxe du printemps, Kurak se fit proclamer Empereur lors d'une cérémonie grandiose dans la cité de Nahac. Sa maîtresse se tenait à ses côtés. Bien qu'il n'y ait pas eu d'Union Sacrée entre eux, la Cahanne était désormais considérée comme la Reine du nouvel empire. Profitant de l'occasion, l'Akares décida de proclamer officiellement que Belgaice porterait désormais le titre royal pour la Terre Cahan.

Portant lui-même les attributs d'Empereur, Kurak posa sur la tête de Belgaice une couronne somptueuse faite de fils d'or tressés de manière à représenter toutes les formes de vie en Terre Cahan.

– Souviens-toi que je t'avais dit que le plus beau pays aurait la plus belle souveraine ! murmura Kurak.

– Et qu'elle te ferait les plus belles offrandes en ce monde, répondit Belgaice au comble du bonheur.

La Cahanne se leva sous les acclamations de la foule de courtisans et d'invités à la cérémonie. Au premier rang se tenaient ses trois frères et sa sœur Beldouse. Celle-ci applaudissait poliment. Tout en souriant à sa sœur aînée, elle se retenait de tourner son regard vers Kurak. D'aucune manière elle n'aurait voulu qu'on se doute que c'est dans ses bras que l'Empereur du Monde d'Ici célébrerait avec le plus de félicité ce moment exceptionnel.

Lorsque tous les invités auraient bien fêté, lorsque Belgaice dormirait profondément, Kurak monterait dans la tour principale du Palais royal par un escalier secret menant à une chambre où personne n'avait accès. Beldouse y serait déjà, venue elle aussi par le même chemin. L'Akares laisserait à la porte tout ce qui pouvait rappeler la guerre. Il marcherait sans arme, sans insignes royaux, vers la jeune fille étendue sur le lit. Comme à chacune de leurs rencontres, il découvrirait en lui une tendresse qu'il ignorait autrefois et qu'il réservait uniquement à Beldouse.

Durant une heure, peut-être un peu plus, Kurak ne serait plus sur ses gardes. Il n'élaborerait aucune stratégie, il ne mesurerait aucune de ses paroles, il ne manipulerait personne. Pendant un instant précieux qu'il attendait chaque fois avec plus d'impatience, le puissant seigneur s'abandonnerait sans rien calculer, sans rien craindre, en faisant une totale confiance à la personne devant lui.

Après son départ, comme à chacune de ces occasions, Beldouse demeurerait longtemps couchée, heureuse de se sentir si importante dans les bras du grand seigneur. Elle savourerait le sentiment de savoir que la moindre de ses demandes serait exaucée même si elle n'exprimait jamais ses désirs. La certitude de son ascendant sur Kurak lui suffisait ;

elle ne ressentait nul besoin de le mettre à l'épreuve. Le bonheur de combler l'Akares compensait largement de le faire sans que personne le sache.

Enfin, elle s'en retournerait chez elle en enfouissant son secret au plus profond de son cœur, tandis que sa sœur Belgaice servirait le même maître avec une dévotion tout aussi amoureuse que jalouse.

Chapitre huitième
De toutes parts

Les premiers rayons du soleil frappèrent le sommet du Grand Cap. D'ordinaire, en ce milieu de printemps, ils auraient uniquement fait surgir de la nuit des rochers encore couverts de neige et de glace. Toutefois, ce matin-là, des formes noires grouillaient sur les hauteurs. Elles avançaient par milliers, silhouettes terribles de guerriers aux armes et aux cuirasses sombres. Les formes se coulèrent dans une faille qui permettait de descendre la falaise haute seulement d'une centaine de tails à cet endroit. Les Sormens quittaient leur contrée des Terres Mortes pour entrer en Pays de Santerre à la Mi-Nuit de la Région des Métiers, entre l'extrémité du Glacier des Eaux et la lisière de la grande forêt du Pays des Chasseurs.

Les six mille guerriers Sormens étaient placés sous les ordres du général Sordac, fier combattant et meneur d'hommes hors pair. Géant parmi les siens, au torse épais et aux membres massifs, il surpassait les plus grands de sa race d'au moins une tête. Son visage aux traits grossiers, au nez fort et aux sourcils broussailleux disparaissait en bonne partie sous une forte barbe noire et une longue chevelure où quelques mèches blanches confirmaient sa maturité. Comme tous les guerriers Sormens, il portait une protection légère, une sorte de cuirasse noire en cuir épais, renforcée d'anneaux de métal, qui couvrait le torse, les bras et qui tombait sur le haut de la cuisse tandis que des jambières protégeaient les jambes. Un casque de cuir recouvert de plaques de métal protégeait la tête avec une pointe au-dessus du nez. Une longue épée se maniant à deux mains était suspendue dans le dos ; d'autres armes plus courtes étaient accrochées à la ceinture.

Les Sormens n'avaient pas de chevaux. Ils progressaient à pied, en rangs serrés, avec lenteur et assurance. Conformément à l'entente prise durant l'hiver entre Kurak et le roi de ce peuple, leur objectif était simple et précis. Sordac devait marcher directement vers le Temple du Roi et des Sages pour occuper le centre névralgique du Pays de Santerre.

✧ ✧ ✧

À la Mi-Nuit du Kalar Dhun, un semblable spectacle s'offrait aux regards. Une puissante armée de huit mille Scasudens descendait le Grand Cap. Les envoyés de Kurak avaient aussi ravivé les liens tissés par Vorgrar avec cet autre peuple des Terres Mortes à l'époque où il demeurait en Aklarama. Leur grande armée était sous les ordres de Sudan, un Chef de guerre redoutable. Bien pris, mais sans lourdeur, l'allure noble, les gestes gracieux même au combat avec sa longue épée, le Scasuden avait les traits fins, le visage glabre à l'exception d'une mince ligne de barbe rousse qui descendait sous la lèvre, au milieu du menton. Sa chevelure de feu était nouée par des bandelettes de cuir en une longue queue derrière la tête.

Les Scasudens avaient quitté leur contrée pour passer par celle des Sorvaks, aujourd'hui déserte. Sudan se conformait aux instructions de Kurak et il menait ses troupes en Kalar Dhun avec comme objectif de contourner les Montagnes de la Croisée, puis de remonter le long du fleuve Mauld jusqu'à Guelargas, cité royale du Pays de Gueld. En même temps, il devait empêcher les combattants des Pays du Levant de se réfugier dans la place forte du Gueldroc où ils avaient déjà résisté victorieusement aux Sorvaks.

Fort de ses victoires depuis l'automne précédent, grisé par le titre d'Empereur qu'il s'était octroyé, Kurak voyait s'installer les beaux jours avec plaisir. Le milieu du printemps était maintenant arrivé ; il était temps de passer à l'action. Des rôles précis avaient été donnés à ses trois grandes flottes de guerre maintenant renforcées par des guerriers en provenance de tous les peuples soumis.

L'armée des Aigles avait pour mission de maintenir l'emprise de Kurak sur l'ensemble de ses conquêtes. L'armée des Lions devait attaquer le Lentremers par la Mer du Couchant en commençant par le Pays de Santerre, en même temps que les Sormens se dirigeraient vers le Temple du Roi et des Sages. Pour sa part, l'armée des Squales, commandée par Kurak lui-même, débarquerait en Pays de Gueld pour prendre le contrôle des terres baignées par la Mer du Levant, aidée en cela par l'action des Scasudens.

Face au vent, à la proue de son navire de commandement, Kurak tenait Belgaice par la taille. Il lui désigna un point à l'horizon.

– Vois-tu là-bas ? On distingue les premiers rivages. C'est une île immense qui fait partie du Pays de Hippar. Nous allons la doubler et accoster en Pays de Mauser. C'est là que nous ferons nos premières attaques.

– Et pourquoi pas immédiatement en Pays de Gueld, le plus important ? demanda la Cahanne.

– Tout simplement pour que le Roi Loruel vienne au secours de son ami, le Roi Del Afrenaie, pendant que notre allié Sudan le Scasuden attaque le Kalar Dhun. Ainsi, le Roi de Gueld n'aura pas l'idée de masser ses troupes à l'abri du Gueldroc. J'apprends l'histoire des peuples que j'attaque pour connaître leurs forces. Je sais que le Gueldroc a sauvé les Gueldans de la défaite face aux Sorvaks ; je ne laisserai pas l'histoire se répéter. Par contre, au Levant du Lentremers, je peux frapper le Pays de Santerre en premier, car il ne s'y trouve aucun endroit comparable pour soutenir un siège.

L'Akares se confiait régulièrement à Belgaice qui savait apprécier les stratégies de son amant.

– Je vois, fit-elle avec admiration. Au Couchant, tu règles le problème du Pays de Santerre qui risquerait d'organiser la résistance autour de lui. Au Levant, tu feintes pour contourner le même obstacle qui risque de surgir en Pays de Gueld. D'un côté, tu vises la tête, de l'autre tu frappes le flanc. L'un après l'autre, les deux géants tomberont en laissant les autres désemparés.

Belgaice sourit à l'Akares et se colla encore plus contre lui. Kurak examina la mer autour de lui où des dizaines de navires fendaient les flots vers le même objectif. Son regard se porta vers un bateau en particulier. Il savait qu'à son bord, dans une cabine interdite à tout visiteur, une autre Cahanne contemplait le spectacle de sa flotte de guerre toutes voiles dehors. Dans le plus grand secret, Beldouse l'accompagnait. Comme il lui tardait d'aller la rejoindre et d'oublier quelques instants qu'il était le grand conquérant choisi par Vorgrar afin de régner sur le Monde d'Ici.

Après avoir traversé en hâte la Région des Métiers à la tête de deux mille cavaliers en armes, Tocsand avait ordonné une halte au sommet d'une colline d'où il pouvait observer les environs. Plus bas, dans la vallée, l'armée de Sordac progressait sous le couvert des arbres. Le Sormen suivait le tracé d'une rivière afin de s'approvisionner facilement en eau. Cependant, ses troupes demeuraient dans la forêt. Tocsand savait que l'ennemi était là, sans pourtant connaître son nombre exact ni son déploiement.

Le Roi de Santerre hésitait à lancer une première attaque. Il demanda l'avis de ceux qui l'entouraient, commençant par le Prince Tiras, un solide Frett qui faisait partie du cercle restreint de ceux et celles en qui le Roi avait une totale confiance.

– Prince Tiras, ton conseil !

– Il faut provoquer un premier choc afin de mesurer la valeur des adversaires. Tant qu'ils sont sous le couvert des arbres, nous ne pouvons penser à une bataille décisive, mais nous ne pouvons pas les laisser progresser à leur guise sous prétexte d'attendre un terrain favorable !

– Meilsand, ton conseil !

Malgré le sérieux de la situation, Tocsand était heureux de voir son fils à ses côtés. Pour le Roi, lui demander un avis revêtait une saveur particulière.

– J'approuve le Prince Tiras, répondit le jeune homme. Nous devons forcer l'ennemi à adopter notre rythme, plutôt que de prendre le sien. Toutefois, ne devrions-nous pas envoyer d'abord un émissaire pour savoir qui ils sont vraiment et qui les commande ?

– Telle est mon intention. Envoyons cinq personnes avec des drapeaux de parlementaires.

Un interprète connaissant les langues des Terres Mortes partit immédiatement en compagnie d'une escorte de quatre cavaliers sans armes, entrecroisant devant eux des drapeaux, l'un noir et l'autre blanc, ce qui indiquait le désir de parlementer. Le petit groupe descendit la route en lacets qui menait à la vallée. Bientôt, ils disparurent aux regards et il fallut attendre. Tocsand en profita pour faire déployer les cavaliers en position d'attaque. Malheureusement, l'épaisseur de la forêt ne l'avantageait pas ; il aurait préféré affronter l'ennemi à découvert.

La longue attente se termina enfin ; les chevaux revenaient à toute vitesse. Immédiatement, Tocsand pressentit le pire. En effet, ils constatèrent que les montures portaient des cadavres décapités et attachés sur leur selle, la tête fichée sur la pointe des drapeaux.

La rage au cœur, le Roi donna le signal d'avancer.

Les chevaux dévalèrent les pentes, mais ils furent rapidement obligés de ralentir l'allure. La forêt dense rendait la progression difficile pour les cavaliers. Tocsand réalisait qu'il ne pourrait jamais avoir l'avantage sur un tel terrain contre une armée se déplaçant à pied, mobile à l'extrême, capable de se protéger facilement de ses adversaires. Il allait donner le signal de retraiter lorsque des flèches jaillirent des fourrés avec un sifflement aigu. Devant le Roi, une quinzaine de cavaliers tombèrent de leur monture en criant de douleur. Des archers Sormens bien camouflés venaient de frapper ; leurs silhouettes disparurent en un clin d'œil.

Sans attendre le signal de leur Roi, un groupe de cavaliers réagirent en fonçant vers l'ennemi. Croyant que l'ordre de l'attaque avait été donné, d'autres détachements se lancèrent à l'assaut. Obligés de contourner les arbres, mal à l'aise dans leurs déplacements à cause des branches basses, ils se heurtèrent bientôt à la première ligne des Sormens. Ceux-ci, accroupis avec un genou au sol, formaient un rang compact en se protégeant derrière leurs boucliers. De longues lances pointaient, empêchant les adversaires d'approcher. Derrière cette ligne capable de ralentir tout assaut, des archers se tenaient debout et décochaient leurs traits avec une vitesse et une précision terriblement efficaces. Chaque flèche était entaillée de manière à produire un sifflement aigu qui s'interrompait brusquement lorsque la cible était atteinte.

La première vague d'attaque des cavaliers de Santerre se transforma en massacre. Des dizaines de guerriers s'écroulèrent sans même avoir pu porter un coup à l'envahisseur. Ceux qui tentèrent de forcer un passage virent leurs montures s'empaler sur les lourdes lances que les Sormens brandissaient devant eux, l'arrière solidement fiché dans le sol. Il leur suffisait de diriger la pointe vers l'assaillant qui venait littéralement s'y embrocher.

Constatant l'échec cuisant de l'affrontement, Tocsand rappela les siens.

– Repliez-vous ! Retour aux positions ! Repliez-vous !

– Mettons plus de pression, leur ligne va céder, s'opposa rageusement le Prince Tiras.

– Non, c'est inutile ! Le Roi l'ordonne, repliez-vous !

Les cavaliers du Pays de Santerre durent abandonner le terrain, dépités, humiliés par leur défaite, en colère contre l'ordre de se replier. De retour au sommet de la colline où ils se tenaient plus tôt, les chefs des détachements entourèrent le Roi pour attendre ses instructions.

La rage se lisait sur leurs visages et la grogne s'exprimait presque sans retenue.

– Nous avons été ridiculisés par les Sormens. Nous avons sacrifié des cavaliers parmi les plus valeureux de Santerre de façon tout à fait inutile ! fit un Chef de guerre particulièrement en colère.

– Je n'avais pas donné le signal de foncer, répliqua Tocsand sur le même ton. Et poursuivre l'attaque n'aurait qu'aggravé nos pertes.

– Nous ne pouvons laisser les envahisseurs occuper nos terres à leur guise !

– Certes, mais il faut combattre pour les vaincre, pas pour s'offrir en pâture !

Tocsand domina la rage qui montait en lui afin de donner ses instructions.

– Les Sormens semblent demeurer en groupe bien compact. Qu'on s'assure de bien évaluer leur nombre et leur progression. Envoyez des éclaireurs partout dans la forêt, mais en évitant les combats. En attendant, que tous les cavaliers se regroupent sur les hauteurs.

Les chefs de cavalerie retournèrent auprès de leurs troupes en maugréant. Profitant de ce que Tocsand se trouvait seul un instant, Meilsand vint le retrouver.

– Tu ne pouvais pas faire autrement, père. Les Sormens profitent en ce moment de l'avantage du terrain.

– Je sais, grinça le Roi. Un premier combat et une première défaite pour le Roi baladin ! J'entends déjà les railleries du Prince Jeifil lorsque la nouvelle parviendra au Temple du Roi et des Sages.

Tocsand se frotta le visage à deux mains, puis il regarda en direction de la forêt où les Sormens le défiaient. Même dans les moments les plus désespérés, autrefois durant les batailles en Pays du Levant, jamais il n'avait ressenti cette appréhension malsaine qui le faisait douter de la possibilité de vaincre l'ennemi.

Plus tard, lorsque les éclaireurs vinrent faire leurs rapports, ils relatèrent que les Sormens avaient pendu les cadavres des cavaliers de Santerre aux branches des arbres, transformant la forêt en un décor macabre et démoralisant comme ils n'en avaient jamais connu.

Sur un rivage de la Région de la Baie, des pêcheurs venaient d'amarrer leur barque en toute hâte. Ils avaient vu la flotte ennemie surgir à l'horizon, faisant voile rapidement vers le Pays de Santerre. L'un des pêcheurs courut immédiatement au village où il prit une monture pour se diriger sans attendre vers le Temple du Roi et des Sages. Durant tout le reste de la journée, toute la nuit et l'avant mi-jour suivant, il ne s'accorda aucun répit, changeant de cheval à chaque village pour le lancer au galop sur les routes de Santerre.

Au Temple du Roi et des Sages, la mauvaise nouvelle que le pêcheur apportait sema l'inquiétude chez tous les Princes et les Sages. Puis parvint l'annonce que le Roi Tocsand avait subi une première défaite. Les plus folles rumeurs commencèrent à circuler.

Entouré par un nombre croissant de gens qui l'écoutaient attentivement, le Prince Jeifil profitait de la chaleur du printemps pour quitter l'Auberge du Mi-Jour. Il se tenait désormais à l'extérieur, sur la grande place centrale du Temple, pour faire valoir son point de vue devant un nombre encore plus grand de gens.

– Amis, l'heure est grave ! La menace se précise contre le Pays de Santerre. Une flotte ennemie s'apprête à débarquer sur nos rives, tandis que les Sormens viennent de gagner une première bataille sur notre sol. Sommes-nous en sécurité sous les ordres de notre Roi baladin ?

Parmi les gens rassemblés sur la place, certains s'indignèrent de la conduite du Prince.

– Prince Jeifil, comment oses-tu semer le doute et la division alors que Santerre est en danger ? Ne devrais-tu pas soutenir ton Roi et combattre à ses côtés ?

Les cris se firent plus nombreux, certains approuvant celui qui venait de parler, d'autres le conspuant.

– Son rôle de Prince est de discerner le meilleur pour le Pays. Il a le droit de s'interroger. Nous avons tous le droit de nous interroger. C'est maintenant que les meilleures décisions doivent être prises !

Grisé par le soutien qu'il entendait, le Prince Jeifil reprit la parole.

– Mes amis ! Mes amis ! Nous désirons tous, sans exception, protéger le Pays de Santerre. Personne ne doute des bonnes intentions du Roi, des Sages et des Princes, y compris des miennes. La seule question est de s'assurer que ceux qui dirigent les actions en ont la capacité et qu'ils prennent les meilleures décisions. C'est la seule chose pour laquelle je souhaite une certitude.

Attirée par le bruyant rassemblement, la Sage Cordal l'Aînée se présenta sur la place en compagnie de gardes royaux. Elle réclama le silence.

– Prince Jeifil, au nom du Pays de Santerre, je t'ordonne de te taire et de te mettre au service de ton Roi avec loyauté.

Les tollés des partisans du Prince s'élevèrent alors.

– Qu'on laisse le Prince poser bien haut les questions que tous les gens de Santerre ont sur les lèvres.

– Oui ! Qu'il puisse parler !

Bientôt, les cris se firent plus hargneux. Une poignée des plus ardents disciples du Prince hurlèrent si fort et avec tant de violence dans leurs propos que la Sage Cordal préféra se retirer sans faire intervenir les gardes. Avec un sourire moqueur aux lèvres, Jeifil savoura son triomphe. Alors, une question monta de la foule.

– Maintenant, Prince Jeifil, que devons-nous faire ?

Il lui fallait répondre, et vite. La moindre hésitation de sa part risquerait d'affaiblir l'autorité qu'il venait d'acquérir. Par contre, il devait demeurer prudent dans ses propos pour se ménager une porte de sortie quoi qu'il advienne.

– Mes amis ! Mes amis ! Nos questions sont légitimes, mais il faut laisser à notre... Roi baladin... l'occasion d'y répondre ! Et surtout pas avec une chanson ou un poème !

Des rires fusèrent dans l'assistance, plusieurs gens rajoutant leurs propres blagues à l'endroit de Tocsand. Quant à ceux qui désapprouvaient la situation, ils gardèrent le silence, intimidés par l'attitude agressive de l'entourage de Jeifil.

Mise au courant des récents événements, MeilThimas avait d'abord rencontré le pêcheur pour obtenir un maximum de précisions. Ensuite, elle s'était assuré qu'il reçoive les soins et la reconnaissance qu'il méritait. Rapidement, elle avait convoqué une rencontre des Sages pour faire le point et offrir de se rendre auprès de Tocsand. Grâce à la rapidité de sa monture du Nalahir, elle était en mesure de le rejoindre sans délai pour l'informer de la situation.

Vêtue de son armure autegentienne, MeilThimas avait pris la route de la Région des Métiers. À son tour, il lui avait fallu voyager tout le reste de la journée et toute la nuit, exigeant le maximum d'efforts à FierPas tout en lui accordant les pauses nécessaires. Au lever du jour, elle rejoignit enfin son époux. Déjà réveillé et armé, il se tenait avec son fils sur le sommet de la colline d'où ils cherchaient à voir les mouvements des Sormens. Elle lui raconta ce qui se passait au large de la Région de la Baie ainsi que les événements sur la place centrale du Temple.

Cette fois, Tocsand laissa éclater sa colère contre Jeifil.

– Ce Prince ne mérite plus son titre. Je vais l'accuser de trahison envers Santerre.

– Tu ne peux pas, objecta MeilThimas. Ses propos peuvent être considérés comme légitimes. Il est habile, sachant se retenir avant de franchir un seuil inacceptable. Si tu l'attaques de front, tu vas créer encore plus de déchirements. Il faut le neutraliser autrement, car l'important est de faire face aux Sormens et à la flotte ennemie qui s'apprête à débarquer sur nos rives.

– Nous devons lutter contre deux adversaires en même temps, et en plus, je dois combattre des divisions au sein même du Pays ! Il faut une victoire rapide ici pour ensuite concentrer nos forces contre l'armée de Kurak. Le temps presse.

Tocsand soupira, puis il attira MeilThimas et Meilsand contre lui.

– Par bonheur, vous êtes à mes côtés.

Puis le Roi reporta son attention sur la forêt, essayant de trouver comment affronter l'ennemi toujours invisible qui avançait lentement, mais sûrement.

Tornas, le Roi du Kalar Dhun, avait été le premier souverain des Pays du Levant à se ranger derrière le Roi de Gueld. Il s'entendait à merveille avec lui, d'autant plus que Loruel était son beau-frère depuis son union avec sa sœur Lowen. Le Kalardhin avait écouté les conseils de son puissant voisin et il avait préparé les armées de son pays à faire face à une attaque. Toutefois, il appréhendait de devoir contenir des envahisseurs à la Mi-Jour du pays, remontant le fleuve Mauld entre les Pays de Gueld et de Mauser. Venant des Terres Mortes, l'invasion des Scasudens l'avait pris totalement au dépourvu.

Avec leurs petits chevaux nerveux et endurants, les Scasudens se déplaçaient rapidement. Leurs attaques étaient d'une efficacité redoutable et ils s'assurèrent en quelques jours des positions solides en Kalar Dhun. Leur progression reprit au moment même où les troupes de Kurak débarquaient sur les rives du Pays de Mauser.

En Pays de Gueld, le Roi Loruel se savait pris entre deux feux qui risquaient de le rejoindre bientôt. Après une rencontre très animée avec les Sages, les Nobles et les Chefs de guerre, il prit le repas du soir avec la Reine Lowen ainsi qu'avec Ardahel et Eldwen pour discuter de la situation. Durant l'hiver, ces derniers avaient traversé le Lentremers à deux reprises pour s'assurer de bien coordonner les actions des Rois de Gueld et de Santerre. Avec le retour des beaux jours, l'aveugle avait suggéré de s'attarder plus longtemps en Pays du Levant ; elle estimait que Kurak y surgirait avec son armée pour attaquer par la Mer du Levant. Il fallait se trouver le plus près possible de l'Empereur lorsqu'il se manifesterait. En effet, la lutte contre Vorgrar faisait partie de la guerre en Lentremers.

Loruel fit part de toute l'information dont il disposait, des messages reçus des pays voisins et des rapports de ses espions. Il attendait pour bientôt des nouvelles du Pays de Santerre grâce à la contribution des Oiseliens qu'Ardahel avait convaincus d'agir comme messagers entre les deux extrémités du continent. Conscients des bouleversements qu'ils subiraient si Kurak parvenait à dominer tout le Monde d'Ici, les Nobles du Peuple des Oiseleurs avaient écouté les demandes du Seigneur du Nalahir. Mi-oiseaux et mi-gens, ils pouvaient parcourir les plus grandes distances en peu de temps pour transmettre les messages qui leur étaient confiés. Toutefois, d'un naturel farouche et peu intéressés par le sort des Basses Races, l'implication des Oiseleurs était par contre toujours incertaine.

Après le repas du soir, les deux couples d'amis évaluaient ensemble la situation.

– Les combats sont bel et bien amorcés, fit Loruel avec une moue amère.

– Je redoute qu'il en soit ainsi dans les Pays du Couchant. Tocsand est probablement déjà au combat, poursuivit Ardahel.

– Kurak, celui qu'ils nomment l'Empereur, se trouve près d'ici, fit Eldwen. Nous avons bien fait de demeurer en Pays de Gueld. C'est lui la tête que nous devons frapper. C'est lui qui nous permettra de remonter jusqu'à Vorgrar.

– Mais comment s'en approcher ? demanda Lowen. Est-il possible d'envisager une attaque contre lui actuellement ?

– Une offensive directe est incertaine, jugea Ardahel. Cependant, nous pouvons ruser de la même manière que lorsque je me suis rendu en Aklarama. J'ai frappé le Maître Sorvak lui-même et il s'en est fallu de peu pour que j'affronte Vorgrar.

En entendant cette proposition, Loruel et Lowen demeurèrent figés de stupeur. Leurs regards allèrent du Santerrian à sa compagne pour constater sur le visage de leurs amis que leur décision était prise.

– C'est insensé, voyons ! En Aklarama, tu étais guidé par Pétrud qui connaissait bien les lieux. Tu ne sais rien de Kurak et tu n'as aucun allié près de lui.

– Voilà pourquoi nous devrons nous présenter à Kurak sans nous dissimuler, fit Eldwen.

Cette fois, le couple royal demeura silencieux. La détermination d'Ardahel et d'Eldwen était si évidente que Loruel se contenta de faire un signe de la main pour inviter ses amis à exposer leur plan. L'aveugle prit alors la parole.

– Nous allons faire savoir à Kurak que les détenteurs des Anciennes Puissances du Lentremers désirent le rencontrer. Nous allons lui expliquer que nous savons qu'il possède la cassette des Forces de l'Air, mais que nous pouvons lui opposer celles de l'Eau et du Feu. Nous sommes en mesure de détruire sa flotte et de le vaincre. Plutôt que de déclencher de tels massacres, nous souhaitons négocier une paix profitable pour tous. Pour cela, il faut être en présence de Vorgrar. Voilà qui nous mènera à lui.

– Pourquoi ne pas utiliser immédiatement les forces que tu contrôles ? fit Loruel en s'adressant à Ardahel. Mets l'ennemi à genoux. Tu imposeras ensuite ta volonté à Kurak !

Ce fut Eldwen qui répondit.

– Nous ne pouvons pas faire cela. Notre adversaire n'est pas Kurak, mais bien Vorgrar. Pour lui, le temps ne compte pas. Si l'Akares échoue, l'Esprit Mauvais attendra une autre occasion pour recommencer. Son œuvre se poursuivra. Gagner la guerre contre Kurak sans vaincre Vorgrar serait la répétition de notre victoire contre les Sorvaks. Il faudrait une fois de plus vivre dans l'attente d'un nouveau conflit probablement encore plus sanglant.

– De plus, renchérit Ardahel, il ne faut pas surestimer le pouvoir des cassettes en ma possession. Elles sont difficiles à contrôler, du moins pour des gens du Moyen Peuple comme nous, et leur action s'avère finalement limitée. Il demeure très hasardeux de s'y fier. J'envisage même de les détruire maintenant que le seul membre de la Race Ancestrale encore en Monde d'Ici est Vorgrar. S'il parvenait à réunir toutes les Cassettes et les Fioles anciennes, son pouvoir serait encore plus dévastateur.

La conversation se poursuivit toute la soirée et toute la nuit. Le Roi et la Reine de Gueld connaissaient les objets étonnants entre les mains de leurs amis ainsi que leurs pouvoirs presque surnaturels. Ils échafaudèrent des dizaines de scénarios, les uns faisant appel à leur seule habileté, les autres reposant sur les forces exceptionnelles entre leurs mains. Chaque fois, ils convenaient qu'un plan basé sur la magie des Races Anciennes n'avait en réalité que peu de chances de réussir. Pour avoir toutes les chances de vaincre, ils devaient combattre avec les moyens qui étaient les leurs et non avec ceux de races appelées à disparaître du Monde d'Ici. La sagesse des paroles de la jeune Eldguin avait profondément marqué Eldwen. En effet, ce combat n'était pas celui d'êtres supérieurs et fabuleux ; c'était celui de gens ordinaires disponibles pour poser les bons gestes au bon moment.

Loruel s'entêtait pourtant à chercher une solution extraordinaire.

– Rappelez-vous comment nous sommes venus à bout des Sorvaks. C'est l'intervention de l'Alisan Mitor Dahant qui nous a procuré la victoire. Sa puissance a fait s'écrouler les murailles qui nous empêchaient de terminer les batailles ! Pourquoi le Santerrian disposerait-il de toutes ces forces s'il ne peut pas les utiliser ?

– Tu cherches une solution magique, répliqua Ardahel. Tu crois qu'une intervention hors du commun peut régler les problèmes. C'est faux ! Mitor Dahant a fait tomber des pierres, mais c'est ton travail au jour le jour qui a créé la paix dans ton pays. Ce sont des actions venues de ton cœur qui ont permis aux Gueldans de vivre avec les Sorvaks en effaçant les horreurs de la guerre qu'ils s'étaient livrée.

À contrecœur, Loruel cessa d'imaginer des batailles où le Santerrian renverserait l'adversaire en faisant tomber sur eux une pluie de feu exterminatrice.

Chapitre neuvième

Des temps incertains

L'amiral Andrak méritait toute la confiance de l'Empereur Kurak pour mener l'attaque du Pays de Santerre. Guerrier à la fois respecté et craint, efficace et méthodique, il savait s'adapter rapidement aux circonstances pour en profiter au maximum. Sa grosse tête semblait posée directement sur des épaules tombantes et un torse rond, lui donnant une allure qui lui valait le surnom d'Ours féroce. Sous des cheveux noirs taillés ras, son front court tombait sur des sourcils épais. Des yeux gris apparemment dénués de sentiments brillaient dans un visage sans grâce. Son nez fort et pointu surmontait une épaisse moustache et un menton fuyant. Malgré son allure rébarbative, il était apprécié de ses troupes ; ses ordres étaient exécutés sur-le-champ, sans discussion.

Les navires de l'armée des Lions pénétrèrent très profondément dans la Baie Joyeuse. Les cinquante mille guerriers de l'amiral Andrak débarquèrent sur le sol du Pays de Santerre, non loin de l'embouchure de la Rivière Alahid. Les troupes postées à cet endroit opposèrent le plus de résistance possible, mais durent finalement retraiter. Grâce aux préparatifs de Tocsand durant l'hiver, le Pays de Santerre pouvait compter sur cent cinquante mille gens prêts à prendre les armes. Cependant, la plupart des guerriers attendaient les ordres dans leurs régions respectives. De plus, l'arrivée surprise de la flotte ennemie survenait alors que le Roi se trouvait loin à la Mi-Nuit pour affronter l'armée des Sormens.

Il fallait compter quelques jours pour que l'armée des Lions s'installe et qu'elle soit vraiment prête à se mettre en branle pour remonter le cours de la Rivière Alahid jusqu'au Temple du Roi et des Sages. Ce délai n'inquiétait nullement l'amiral Andrak, car il savait que la qualité de ses troupes lui permettait d'affronter des forces largement supérieures en nombre. De plus, lorsqu'elles seraient prêtes, les armes conçues dans la Forteresse Sombre de Vorgrar procureraient un précieux avantage à ses guerriers.

Pris entre deux feux, Tocsand décida de confier au Prince Tiras le commandement des troupes face aux Sormens. Le Roi revint à toute allure au Temple pour organiser la résistance du Pays de Santerre. Dès son arrivée, il convoqua de toute urgence dans la Salle Haute du Palais Royal les onze Sages, les douze Princes et les trois Prétendants présents dans la région à ce moment. En cet endroit privilégié et intime, il désirait crever sans plus tarder l'abcès des doutes insinués par le Prince Jeifil.

La rencontre débuta dans une atmosphère lourde, chargée des questions et des ressentiments suscités par les propos du Prince Jeifil. Au début, Tocsand choisit de l'ignorer pour discuter de la situation et des mesures à prendre. Dans l'ordre habituel, il invita chacun à prendre la parole.

– Maintenant à toi, Prince Jeifil, fit enfin Tocsand. Tu parles beaucoup sur la place publique, mais tu sembles fort silencieux ici.

Le Prince avait écouté tous les commentaires sans réagir, réservant sa position pour le moment où il serait obligé de parler. Il se leva, affichant son arrogance derrière des paroles mielleuses qui donnaient une impression de respect.

– Je crois, ô mon Roi, qu'il est judicieux pour tous les Princes de s'interroger sincèrement sur les gestes à poser. Nous devrons affronter des attaques et assurer la protection de tous les Gens du pays, les enfants, les plus faibles, les vieillards... Je suis prêt à verser mon sang et à donner ma vie pour le Pays de Santerre pour autant que ce sacrifice soit utile. Il faut donc que la confiance soit totale dans les ordres reçus.

– Douterais-tu des ordres que je vais donner ?

– Je demande uniquement d'avoir confiance. N'est-ce pas à toi de créer ce sentiment autour de toi ? Malheureusement, le déroulement du premier affrontement que tu as mené contre les Sormens et la solidité de la position qu'ils occupent actuellement n'ont rien pour nous rassurer.

Sous une apparence imperturbable, Tocsand rageait contre ce Prince habile à la critique, mais qui évitait soigneusement les propos risquant de le compromettre. Il avait l'art de semer le doute en affichant une sincérité qui donnait du poids à ses propos.

– Donne donc ton avis et ton conseil comme le font les autres Princes, lança Tocsand.

– Je ne suis qu'un humble et jeune Prince sans expérience de la guerre. Je ne prétendrais jamais en apprendre à ceux qui ont connu les champs de bataille. Je crois seulement qu'il faut être mené au combat avec un plan précis par un commandant qui inspire confiance en la victoire...

– Alors, s'emporta Tocsand, cesse de semer le doute autour de toi ! Ton comportement est indigne d'un Prince de Santerre en ces instants si critiques.

Le Prince Jeifil eut un bref sourire. Son vis-à-vis perdait son calme, ce qui le plaçait en position de faiblesse. Il s'empressa d'en profiter.

– Et toi, Roi Tocsand, en ces temps incertains, ne devrais-tu pas clarifier ce que nous ignorons sur ton épouse Meil-Thimas, une si frêle dame capable de renverser un Capitaine de la trempe de Bilgor durant une joute ? Beaucoup ici se demandent, à juste titre disons-le, à quelle race étrangère es-tu lié par ta compagne ?

– Comment oses-tu... ! s'écria Tocsand.

– Comment oses-tu poser une question légitime à ton Roi ? compléta Jeifil sur un ton narquois.

Cordal l'Aînée des Sages se leva pour calmer les esprits et surtout pour venir en aide à Tocsand qui tombait dans les pièges tendus par Jeifil.

– Roi Tocsand, Prince Jeifil... et vous tous Sages, Princes et Prétendants du Pays de Santerre. Nous jouons le jeu de nos ennemis et nous leur facilitons la victoire lorsque nous créons des déchirements entre nous. La valeur au combat et la justesse du jugement de notre Roi sont bien connues. Nous savons qu'il a dû ruser et cacher notre force réelle à nos ennemis. Le temps est venu de lever les armes. Nous devons être unis derrière Tocsand et l'appuyer tout autant dans nos gestes, que dans nos paroles et dans nos pensées. Que tous renouvellent dès l'instant leur serment envers le Pays de Santerre et son Roi. Ensuite, Tocsand donnera ses ordres et chacun devra obéir. C'est la seule manière de faire face à l'ennemi et de le vaincre.

Il était rare que Cordal intervienne de façon aussi autoritaire ; personne n'osa répliquer. Ils se levèrent tous, le bras gauche tendu bien haut, le regard tourné vers le Roi pour affirmer leur loyauté avec les paroles rituelles.

– Pour Santerre, pour chaque Frett, pour chaque Artan, pour chaque Culter, pour chaque Baïhar, toute notre âme, toute notre volonté, toutes nos forces s'unissent à celle de notre Roi, le premier serviteur du Pays.

Tocsand écouta le mélange des voix, les unes fermes et sincères, les autres trahissant le doute. L'unité du pays autour de lui n'avait rien d'acquis.

Le général Sordac constata que ses guerriers Sormens devraient bientôt quitter la protection de la forêt afin de poursuivre leur avance. À moins de faire un long détour par les collines avoisinantes, il fallait traverser une plaine devant eux. Les cavaliers de Santerre profiteraient assurément du fait que l'ennemi soit à découvert pour tenter une attaque.

Ses espions lui ayant confirmé que les cavaliers de Santerre étaient en réalité peu nombreux, Sordac décida de passer à l'action.

En rangs serrés, presque au pas de course, les Sormens sortirent de la forêt. En les voyant, le Prince Tiras ordonna aux cavaliers de se tenir prêts. Dès qu'il fut évident que tous les combattants ennemis se trouvaient dans la plaine, les guerriers de Santerre lancèrent leurs montures en une charge puissante. Aussitôt, les Sormens prirent leur position de défense, les hommes sur le pourtour se plaçant sur deux rangs compacts, un genou au sol, le bouclier devant eux, la lance pointée vers les assaillants avec l'arrière fiché solidement dans le sol. Derrière, les archers se tenaient prêts à lancer leurs traits. Enfin, au centre, les autres guerriers attendaient de prendre immédiatement la relève de ceux qui tomberaient ou de combattre avec leurs longues épées tout assaillant qui parviendrait jusqu'à eux.

Les cavaliers de Santerre foncèrent en une vague compacte. Parvenus à cent cinquante jambés des Sormens, ceux-ci décochèrent leurs flèches avec une précision mortelle. Des chevaux s'écroulèrent, entraînant les suivants dans leur chute. Malgré tout, l'attaque se poursuivait. Sous la pression de ceux qui se trouvaient derrière, les montures des premiers rangs continuaient à foncer, avec ou sans cavalier pour les diriger. Le choc fut d'une violence prodigieuse. Les lourdes lances des Sormens perçaient les poitrails des bêtes et transperçaient les cavaliers. Dans une clameur assourdissante de cris de douleur, de hennissements affolés, d'os brisés, d'armes entrechoquées, les combats s'engagèrent.

Les archers Sormens avaient laissé tomber leurs arcs pour brandir de longues épées qui les avantageaient contre les cavaliers. Les maniant à deux mains, ils restaient hors de portée de l'assaillant jusqu'au moment de le frapper du bas vers le haut. D'autres mettaient cette longue portée à profit pour frapper les pattes des chevaux. Tandis que sa monture s'écrasait au sol, un Sormen abattait son arme sur l'ennemi en déséquilibre.

Soudain, la première charge ayant ralenti, les Sormens ouvrirent leurs rangs, laissant les cavaliers ennemis pénétrer profondément dans l'espace qu'ils semblaient protéger l'instant auparavant. Croyant enfin détenir l'avantage, les guerriers de Santerre redoublèrent d'efforts pour avancer.

Ils se retrouvèrent rapidement entourés par les Sormens. Les archers reprirent leurs arcs et les flèches sifflèrent de partout, d'une précision implacable.

Au cœur de la mêlée, le Prince Tiras combattait avec l'énergie du désespoir, essayant de regrouper autour de lui un maximum de guerriers. Bientôt, il devint évident qu'ils avaient pénétré au centre d'une tenaille sans issue. Cavaliers et montures s'écrasaient lourdement sur l'herbe rougie de sang du champ d'horreur.

Le Roi Tocsand avait formellement interdit à son fils de se jeter dans la mêlée. Il lui avait fait valoir que la vitesse de GrandVent, sa monture du Nalahir, était précieuse pour qu'il vienne l'informer rapidement des événements.

La rage au cœur, Meilsand dut se contenter d'observer le funeste spectacle de la charge des cavaliers de Santerre, de l'étau impitoyable des Sormens se refermant sur la plupart d'entre eux, des guerriers tombant l'un après l'autre et des survivants qui s'enfuyaient finalement du champ de bataille.

Les Sormens célébrèrent bruyamment leur victoire.

De loin, Meilsand vit leur général debout sur un bouclier porté bien haut par ses guerriers. Il harangua ses troupes qui répondirent plusieurs fois à son discours par des acclamations joyeuses, une clameur qui retournait chaque fois le cœur du fils de Tocsand. Puis les Sormens reprirent leur formation de marche. Bientôt, en vainqueurs, ils quittèrent la plaine pour s'enfoncer de nouveau dans la grande forêt de la Région des Métiers du Pays de Santerre. Dans la plaine maintenant silencieuse gisaient les corps des guerriers tombés au combat, plus d'un millier des défenseurs du pays et seulement une poignée des envahisseurs.

Le fils du Roi chercha une image chaleureuse pour se réconforter. Aussitôt, le visage d'Eldguin lui apparut. Il s'efforça de la chasser de son esprit, refusant de mêler la vision de celle qu'il aimait au spectacle horrible de la guerre.

✧ ✧ ✧

Du côté de la Mer du Couchant, la flotte de guerre de Kurak mouillait à quelque distance des rives du Pays de Mauser. Devant cette présence inquiétante, le Roi Del Afrenaie avait fait converger ses troupes vers les rives où l'armée ennemie s'apprêtait visiblement à débarquer. Durant trois jours, à coup de marches forcées, tous les Mauserans en armes avaient afflué sur place, prêts à défendre chèrement leurs terres. Puis durant la nuit, un grand vent s'était levé, gonflant les voiles des navires ennemis qui s'étaient éloignés à toute vitesse.

L'armée des Squales s'était déplacée avec une rapidité surprenante, car le vent obéissait aux ordres de Kurak. Ses navires parcoururent une grande distance durant la nuit et le jour suivant, pour finalement jeter l'ancre dans l'embouchure du fleuve Caubal qui mène au cœur des Pays du Levant. Parvenues à cet endroit bien avant les troupes de Del Afrenaie, les troupes de l'Empereur avaient mis pied à terre sans rencontrer de résistance importante.

Durant toute la nuit, à la lueur des torches, les guerriers quittèrent les navires pour prendre position sur la terre ferme. Le paysage s'illumina bientôt de milliers de feux, d'abord mouvants, puis qui s'immobilisaient pour grossir sans cesse selon les lieux où s'établissaient les campements temporaires.

Kurak avait donné ses ordres et confié à Belgaice la coordination des opérations sur la rive. Ensuite, il avait quitté son navire de commandement pour se faire conduire sur un autre bateau maintenant presque désert. Il avait ordonné d'être laissé seul, puis il s'était dirigé vers une cabine interdite à tout visiteur. Rendu devant la porte, l'Akares avait sorti une clef de sa ceinture qui lui avait permis d'entrer dans une sorte d'antichambre. Après avoir verrouillé la porte derrière lui, il avait déposé ses armes sur un banc et enlevé tous ses vêtements de guerre. Enfin, il avait pris une autre clef pour pénétrer dans la cabine où Beldouse l'attendait.

La jeune Cahanne l'accueillit avec un plaisir évident.

– Mon maître, je n'osais espérer votre visite cette nuit !

– Ma belle, je n'ai rien d'autre à faire que regarder mes guerriers s'installer. Je ne pouvais plus attendre pour venir vers toi.

– Est-ce que tout se déroule à votre satisfaction ?

– Oui, mais ne parlons pas de cela. Raconte-moi ton attente, la mer que tu as regardée, la musique des vagues, la poésie du vent, les odeurs des embruns... J'espère que tu n'as pas souffert des mouvements du navire. Je pensais à toi lorsque j'ai fait se lever le vent qui nous a conduits ici. J'avais peur qu'il soit trop fort et qu'il t'incommode.

Avec une tendresse que seule Beldouse connaissait, Kurak s'étendit contre elle pour la caresser tout en l'écoutant. Durant plus d'une heure, doux et attentif, l'Empereur ne se préoccupa que du plaisir de la jeune femme, trouvant son bonheur à faire le sien.

Finalement, après d'intenses étreintes, Beldouse rappela Kurak à sa tâche.

– Vous êtes juste à moi depuis un bien long moment, murmura la Cahanne. Ne devriez-vous pas reprendre le commandement de votre armée ?

– Tu es cruelle de me le rappeler. J'ignore combien de temps je serai loin de toi. Ce pays devrait tomber bien rapidement, mais comment prévoir ? Je vais faire le plus vite possible ! M'aimes-tu comme je t'aime ? Sauras-tu m'attendre ?

– Je vous aime et je vous attendrai.

Kurak s'arracha finalement aux bras de son amante. Il dut se faire une telle violence pour ne pas retourner sous les draps si chauds de la présence de Beldouse que son visage se durcit comme la pierre. Il s'habilla, quitta la cabine en la refermant à clef, reprit ses armes et ses vêtements guerriers dans l'antichambre, puis il fit une pause avant de passer la seconde porte.

Une phrase s'échappa de ses lèvres, entre ses dents serrées.

– Maudit sois-tu Vorgrar de me priver de tant de moments auprès de Beldouse. Lorsque je serai le seul Maître du Monde d'Ici, tu n'y auras plus de place. Il n'y aura qu'une personne auprès de moi ; et ce sera elle ! C'est sa beauté qui est la seule vérité, pas la tienne !

Presque en même temps, des émissaires du Roi Tornas du Kalar Dhun et du Roi Del Afrenaie du Pays de Mauser se présentèrent dans la cité royale de Guelargas pour rencontrer le Roi Loruel de Gueld. Ils venaient l'appeler à l'aide. Ils avaient chevauché durant six journées éprouvantes, l'un depuis l'arrivée des Scasudens à la Mi-Nuit du pays, l'autre depuis l'embouchure du fleuve Caubal où l'armée des Squales de Kurak avait pris position.

Loruel les reçut en présence de l'Assemblée de Gueld ainsi que d'Ardahel et d'Eldwen.

– Nous estimons les Scasudens à huit mille guerriers placés sous la conduite du Chef de guerre Sudan, expliqua l'émissaire Kalardhin. Ils progressent rapidement dans le territoire entre les Montagnes Interdites et les Montagnes de la Croisée. Étrangement, ils n'occupent pas les lieux de leurs victoires. Ils continuent à avancer, parfois même en contournant les places fortes sans livrer de combat. Ils veulent de toute évidence se rendre rapidement à un endroit précis de notre pays.

– Chez nous, enchaîna l'émissaire Mauseran, l'armée de l'Empereur Kurak a pris le temps de s'installer solidement. Lorsque je suis parti, les Akares semblaient surtout s'affairer à débarquer des machines de guerre de leurs bateaux et à les assembler sur la terre ferme.

Les deux émissaires poursuivirent leurs descriptions des armées des envahisseurs en terminant chacun par une demande d'aide au Pays de Gueld de la part de leur Roi.

– L'armée des Gueldans est la plus puissante des Pays du Levant. Notre Roi Tornas demande son aide pour faire face à l'ennemi venu encore une fois des Terres Mortes.

– Notre pays ne peut se défendre seul contre l'armée débarquée sur nos rives. Ils sont environ cinquante mille, une force que nous ne pouvons combattre seuls. Notre Roi Del Afrenaie demande au Pays de Gueld de se souvenir de notre Alliance contre les Sorvaks.

Des murmures gênés s'élevèrent parmi l'Assemblée. Loruel tenait la main de la Reine Lowen ; il la serra plus fort avant de répondre.

– Notre pays est placé devant un dilemme affreux. Nos alliés nous réclament, nos amis sont en danger. Le Roi Tornas du Kalar Dhun est le frère de la Reine de Gueld ; je ne peux qu'entendre son appel. Le Roi Del Afrenaie a été l'un de nos plus précieux alliés et nous lui sommes tellement redevables que son appel a tout autant de poids...

Loruel fit une pause, le cœur déchiré par les propos qu'il allait tenir.

– Le Pays de Gueld ne peut rester sourd aux cris de détresse de ses frères. Toutefois, nos armées ne peuvent quitter notre territoire. Il est clair pour moi que Kurak désire justement nous affronter à l'endroit qui lui convient. Il cherche à éviter que nous puissions profiter de la solidité du Gueldroc pour lui résister et le combattre. Voilà pourquoi j'offre plutôt la protection de notre refuge des Montagnes de la Croisée à tous les Kalardhins, à tous les Mauserans ainsi qu'à tous les Coubalisins et autres Gens des Pays du Levant.

Les émissaires ravalèrent péniblement leur déception, tandis que des exclamations fusaient dans l'Assemblée.

– Nous devons aller combattre l'ennemi avant qu'il n'occupe nos terres, cria un Noble.

– Je refuse de retourner me terrer dans le Gueldroc, s'indigna un vieux Chef de guerre.

– Nos alliés ont besoin de nous. Il serait lâche de notre part de les laisser tomber !

Loruel leva les bras pour réclamer le silence.

– Il ne s'agit pas de lâcheté, ni de trahir nos amitiés. Il faut éviter de tomber dans le piège que l'ennemi nous tend. Si nos armées sortent du Pays, celui-ci sera sans défense. Si nos armées n'ont pas la possibilité de retraiter au Gueldroc, toute défaite sera irréversible.

Les arguments du Roi s'imposaient par leur logique, mais ils se heurtaient aux sentiments des membres de l'Assemblée. Les réactions trahissaient la très forte émotivité de la situation. Ardahel demanda finalement la permission de prendre la parole.

– La plupart d'entre vous connaissent les événements d'autrefois et la part que j'y ai prise aux côtés du Roi Loruel. Vous savez que de grandes forces nous accompagnaient et qu'elles ont largement contribué à notre victoire. De nouveau, je vous demande de faire confiance à Loruel, car nous opposerons à l'ennemi des actions qui ne peuvent être dévoilées maintenant, mais qui permettront à vos armées de remporter les victoires décisives.

La déclaration du Santerrian sembla rassurer l'Assemblée ; elle permit surtout à Loruel de clore la discussion en justifiant sa réponse négative aux demandes des émissaires.

Lorsqu'ils se retrouvèrent seuls, Loruel interrogea Ardahel.

– Aurais-tu changé d'idée sur l'utilisation des forces qui t'accompagnent ?

– Non, Eldwen et moi maintenons ce que nous t'avons dit. Par contre, nos actions contre Vorgrar vont aussi permettre de vaincre Kurak.

– J'aimerais en avoir la certitude ; je crains fort que l'issue des combats déjà enclenchés partout en Lentremers soit bien incertaine.

Ardahel mit le bras autour des épaules de son ami.

– Il ne faudra plus attendre beaucoup pour le savoir. Eldwen et moi prenons la route dès demain pour rencontrer Kurak.

Sur la grande place centrale du Temple du Roi et des Sages du Pays de Santerre, de petits attroupements se formaient autour des Princes ou des Prétendants qui avaient assisté à la rencontre avec le Roi Tocsand. Contrairement aux journées précédentes, personne n'osait parler à pleine voix pour se faire entendre. Les discussions se faisaient surtout à voix basse, les membres de chaque groupe redoutant que ceux d'un autre ne les prennent à parti parce qu'ils défendaient un point de vue différent.

Les avis du Prince Jeifil étaient particulièrement recherchés, car celui-ci semblait exposer au grand jour de l'information que le Roi aurait préféré garder secrète. Ses plus proches amis, les Princes Rahilas et Gravelas, tentaient bien de l'inciter à la retenue et à la prudence, mais Jeifil s'enflammait facilement dans ses propos. Inévitablement, le groupe qui l'entourait se fit de plus en plus nombreux et bruyant. Le Prince s'emportait, grisé par son habileté à jouer avec la foule, à la faire rire, à la faire réagir, à lui dicter son point de vue. C'est à ce moment que la rumeur de la défaite des cavaliers de Santerre sous les ordres du Prince Tornas parvint au Temple.

Emporté par ses propos, Jeifil franchit la ligne entre les insinuations et les accusations.

– Amis ! Amis ! Nos plus valeureux cavaliers viennent de tomber au combat contre les Sormens. Mais que fait notre Roi baladin ? Où était-il pendant que les Sormens massacraient les nôtres ? Il les a abandonnés ! Et nous, combien de défaites devons-nous encore redouter ?

Cette fois, des gardes royaux s'approchèrent. Ils étaient une dizaine à se frayer un chemin dans la foule vers le Prince Jeifil. Le commandant l'interpella.

– Prince Jeifil, tu dois immédiatement te taire et nous suivre.

– Comment ? s'insurgea le Prince. Notre beau parleur de Roi veut faire taire ceux qui critiquent ses erreurs !

Jeifil canalisait en sa faveur toute la frustration des gens. Ses plus ardents partisans se mirent à hurler, puis à menacer les gardes royaux.

– Qu'on le laisse parler ! Qu'on le laisse dire la vérité !

Les injures se multiplièrent contre les gardes lorsque ceux-ci arrivèrent à proximité du Prince pour se saisir de lui. La foule se fit plus menaçante tandis que Jeifil hurlait son indignation qu'on tente de faire taire un Prince du Pays de Santerre. Il alternait les cris outrés et le sourire ironique de celui qui s'affiche comme une victime impuissante face à d'injustes accusations. Une bousculade débuta ; un coup de poing atteignit un garde qui trébucha. Deux de ses camarades se portèrent à son secours en écartant rudement ceux qui se trouvaient à proximité. D'autres coups furent échangés et la situation dégénéra au point où les gardes royaux tirèrent les épées du fourreau.

L'affrontement attira tous ceux qui se trouvaient dans les environs. La foule grossit encore, les partisans du Roi Tocsand, ceux favorables aux propos de Jeifil et les simples curieux se rassemblant dans le plus grand désordre. D'autres gardes se joignirent à ceux déjà sur place, dont plusieurs à cheval. La situation devint plus confuse. Pour la première fois de son histoire, des combats éclatèrent entre des Gens du Pays de Santerre et les gardes royaux, cela en pleine place centrale du Temple du Roi et des Sages.

Apeuré par la dimension que la situation prenait, le Prince tenta de fuir les lieux. D'un coup brusque, il se dégagea de la poigne du garde qui le retenait pour se mettre à courir de toutes ses forces. Deux gardes à cheval entendirent l'appel de leurs camarades. Ils lancèrent leurs montures à travers la foule qui s'écarta devant eux. En peu de temps, ils avaient rejoint Jeifil, l'obligeant à s'arrêter en le menaçant de leurs armes.

Les gardes descendirent de cheval pour attacher les mains du Prince et lui enlever son épée. Ils le forcèrent à les suivre vers le Palais Royal. Des huées éclatèrent dans la foule, les unes adressées à Jeifil, les autres aux gardes.

À l'étage d'un bâtiment voisin, une personne était tapie dans la pénombre, observant la scène par l'interstice d'un volet entrouvert. Sa présence était si discrète que personne ne pouvait la remarquer, ni distinguer le sourire satisfait sur son visage.

Chapitre dixième

Face à face

Ardahel et Eldwen avaient quitté la cité royale de Guelargas en même temps que l'émissaire de Del Afrenaïe. Comme leurs montures du Nalahir étaient beaucoup plus rapides, il avait été convenu avec Loruel qu'ils tenteraient d'abord de prendre contact avec le Roi du Mauser pour lui transmettre l'offre du Roi de Gueld.

Loruel n'aimait pas du tout l'idée d'un affrontement entre Ardahel et Kurak. Il avait tenté de dissuader son ami jusqu'au dernier instant. Cependant, le Prince et l'aveugle persistaient à croire qu'ignorant toujours l'endroit où il se terrait, c'était le meilleur moyen de parvenir jusqu'à Vorgrar. Les deux cavaliers remontèrent donc le cours du fleuve Mauld jusqu'à la frontière du Kalar Dhun, puis ils pénétrèrent en Pays de Mauser. Les longues journées de voyage auraient pu s'avérer des plus agréables. Le printemps très avancé avait fait jaillir la vie en abondance. Les arbres s'étaient couverts d'un feuillage vert tendre ; plusieurs étaient déjà en fleurs, parsemant le paysage de ravissantes boules blanches ou roses. Au sol, une véritable explosion de couleurs vives transformait les prés en un décor féerique.

Ce matin-là, après avoir repris la route très tôt, Ardahel ne se lassait pas de décrire le paysage à sa compagne, chassant de cette manière la sourde angoisse qui l'avait tenaillée durant toute la nuit.

– Le Pays de Mauser est si beau, commenta Ardahel. Il me fait penser à Santerre, là où la Région des Récoltes devient celle des Neiges. Tout y est si paisible, si harmonieux.

– La terre sent bon et riche, répondit Eldwen en inspirant profondément.

Une ride soucieuse apparut sur son front.

– Le vent apporte une odeur bizarre. Est-ce qu'il y a de la fumée à l'horizon ? Ou quelque chose d'inhabituel ?

– Il y a une hauteur là-bas, devant nous. Allons-y rapidement, je pourrai observer les environs.

Les cavaliers demandèrent à leurs montures du Nalahir de donner leur pleine vitesse pour se rendre à l'endroit désigné par Ardahel. À nouveau, Ardahel apprécia la sensation étrange de voir le paysage se précipiter à leur rencontre alors que leurs montures semblaient s'immobiliser. En un instant, Eldwen et lui se trouvaient sur un sommet qui surplombait la vallée dans laquelle le fleuve Caubal prenait naissance. L'endroit était couvert d'épais fourrés, mais une petite éclaircie leur permettait de s'avancer sur le rebord d'une corniche d'où les regards portaient sur une grande distance. En temps normal, ils auraient pu admirer le soleil se lever sur un panorama paisible de douces collines descendant vers une plaine tapie de champs légèrement ondulés, traversée par de petites rivières aux eaux limpides qui se rejoignaient afin de former un seul puissant courant. Pour seule présence humaine, il y aurait eu un petit village tranquille et quelques fermes aux alentours.

Ce qu'Ardahel vit et décrivit à Eldwen était d'une tout autre nature. Des dizaines de milliers de guerriers occupaient la vallée, divisés en deux impressionnantes armées qui se faisaient face. En peu de temps, Ardahel comprit le scénario qui s'était mis en place.

– L'armée de Kurak a remonté le fleuve en se répartissant à peu près également de chaque côté. En première ligne, il y a des guerriers à pied, puis derrière on distingue des détachements de cavalerie. Il y a aussi des plateformes flottantes qu'ils tirent sur l'eau depuis les berges. Elles semblent transporter des machines de guerre que je ne peux pas identifier d'ici. En face d'eux, les troupes du Roi Del Afrenaie se déploient pour occuper le terrain le plus avantageusement possible. Ils sont moins nombreux, du tiers je dirais, mais ils possèdent beaucoup plus de chevaux. Les Mauserans ont l'avantage de la mobilité et du terrain face à un envahisseur plus puissant.

– Les combats sont-ils commencés ? s'inquiéta Eldwen.

– Pas encore. Selon les lieux, les armées sont distancées d'un à deux miljies. Ils ont dû assurer leurs positions durant la nuit ; maintenant, l'affrontement ne devrait pas tarder.

Ils demeurèrent un long moment sans parler, soupesant les choix possibles. Devaient-ils s'engager dans le combat ou s'en écarter ? Le moment était-il propice pour confirmer à Del Afrenaie qu'il devrait combattre seul, mais qu'il pouvait retraiter au Gueldroc ? Surtout, tenaient-ils là l'occasion idéale de rencontrer Kurak ?

L'aveugle rompit le silence.

– Je suis totalement inutile dans une telle situation. Est-il sage que toi, tu t'y engages ?

– Sage, probablement pas ! Mais comment demeurer un spectateur passif alors que mon glaive pourrait prêter assistance à celui de Del Afrenaie ?

Le Santerrian était plongé dans ses pensées lorsque les montures hennirent nerveusement. Au même moment, Eldwen sentit elle aussi des présences autour d'eux.

– Ardahel ! Prends garde !

À peine l'aveugle avait-elle lancé son avertissement qu'une vingtaine de guerriers Mauserans bondirent hors des fourrés pour les entourer, pointant de longues hallebardes vers les deux cavaliers. Immédiatement, Ardahel écarta les bras pour bien signifier qu'il ne tenterait pas de sortir son arme.

– Amis ! Nous sommes amis ! Nous sommes venus porter un message à votre Roi.

Trois autres guerriers sortirent des fourrés. Comme ceux qui entouraient Ardahel et Eldwen, ils étaient en tenues légères de cavalier, le torse et les jambes couverts de plaques métalliques fixées sur un cuir épais. L'un des nouveaux venus portait une cape bleue qui indiquait son rang d'officier. Il s'adressa à Ardahel sans cacher sa méfiance.

– Peux-tu prouver ce que tu dis ? Les espions sont nombreux.

– Crois-tu que l'ennemi enverrait une femme aveugle pour remplir une telle tâche ? Fais savoir à ton Roi qu'Ardahel du Pays de Santerre et sa compagne Eldwen sont ici pour le rencontrer au nom du Roi Loruel. Del Afrenaie nous connaît et il te donnera ses instructions.

L'officier s'avança et, soudain, il fit un geste brusque en direction d'Eldwen tout en scrutant ses réactions. Comme la jeune femme n'avait aucunement sursauté, il parut rassuré ; elle était réellement aveugle. Après un court instant de réflexion, il donna ses ordres en désignant cinq des guerriers.

– Qu'on attache leurs mains aux rênes de leurs montures. Vous autres, prenez vos chevaux et accompagnez-moi. Nous allons les conduire auprès du Roi. S'ils disent vrai, ils seront reçus selon leur rang ; s'ils mentent...

L'officier n'avait pas besoin de terminer sa phrase. Ardahel et Eldwen n'opposèrent aucune résistance et se laissèrent guider vers le Roi Del Afrenaie.

Le Roi du Pays de Mauser se tenait au milieu de ses troupes, sur une butte d'où il pouvait voir les mouvements de l'ennemi. Ardahel reconnut de loin l'imposant guerrier sur son cheval blanc, entouré de ses principaux officiers et des Chefs de guerre du Mauser. Depuis l'époque des combats contre les Sorvaks, ses traits s'étaient creusés de rides, sa longue chevelure brune s'était clairsemée, mais il avait conservé la même noble prestance qui suggérait tout autant la force brute que le raffinement. L'officier s'approcha du Roi et lui dit quelques mots. Del Afrenaie tourna la tête vers le Prince et l'aveugle qu'il reconnut aussitôt. Un sourire éclaira son visage, le premier depuis longtemps. D'un geste, il donna l'ordre de libérer le couple de ses entraves pour ensuite le faire conduire devant lui.

Les premiers mots du Roi étaient chargés d'espoir.

– Ardahel, Eldwen, quelle joie de vous revoir ! Apportez-vous le soutien de notre ami Loruel ? Ses armées sont-elles proches d'ici ?

Ardahel mesurait bien toute la gravité de la situation et toutes les attentes de Del Afrenaie envers Loruel. Mal à l'aise, le Prince contourna la question.

– Loruel ignore encore à quel point l'affrontement est imminent. Il voulait proposer un regroupement de toutes les forces du Levant au Gueldroc afin de...

Un voile passa sur le visage de Del Afrenaie. Il coupa la parole à Ardahel d'un geste désabusé. Le Roi savait l'essentiel ; il devrait combattre seul les armées de Kurak.

– Ce n'est pas cela qui changera le cours de la bataille, mais ton glaive est le bienvenu, laissa finalement tomber le Roi.

Puis, Del Afrenaie releva la tête et se mit à haranguer les siens, affirmant à quel point cette journée serait cruciale pour le Pays de Mauser. Il venait tout juste de commencer à parler lorsqu'un événement inconcevable jusqu'à ce jour se produisit.

À cet endroit où plusieurs petits cours d'eau se rejoignaient pour donner naissance au fleuve Caubal, son lit était peu profond et ses rives distantes d'à peine une trentaine de jambés. Les plateformes flottantes que les Akares avaient tirées jusque-là avec des câbles ne pouvaient plus avancer ; elles étaient maintenant bien échouées et prêtes à servir. Sur les premières à l'avant se trouvaient de curieux assemblages de tubes de métal longs chacun de trois jambés, disposés en groupes de quatre rangées en hauteur sur dix en largeur. Sur chaque plateforme, il y avait dix groupes de quarante tubes placés en éventail. À l'avant, les tubes étaient ouverts, tandis qu'à l'arrière, une grande plaque de métal fermait chaque groupe. Des guerriers se tenaient derrière chacun d'eux avec une lourde masse à la main.

Au signal d'un officier, les guerriers frappèrent de toutes leurs forces avec leur masse sur la plaque à l'arrière des groupes de tubes, provoquant immédiatement une puissante réaction tel un coup de tonnerre. Les tubes crachèrent alors leur contenu, de longs bâtons semblables à des flèches démesurées dont la pointe était remplacée par un globe noir. Dans un vacarme assourdissant, des milliers de ces projectiles encore inconnus en Monde d'Ici fusèrent des plateformes de l'armée de Kurak.

Les flèches montèrent haut dans le ciel avant de retomber sur l'armée du Roi Del Afrenaie. En touchant le sol, chacune explosait en produisant une flamme rouge qui brûlait sauvagement tout ce qui se trouvait dans un rayon de trois jambés, arrachant des cris de douleur aux gens comme aux bêtes.

Jamais de telles armes n'avaient existé avant ce jour. Jamais les Mauserans n'auraient pu concevoir une telle attaque contre eux. Jamais une telle surprise n'avait figé sur place des guerriers désemparés et impuissants. Jamais un tel désespoir ne s'était abattu sur les défenseurs d'un pays du Lentremers.

Totalement déroutés, ignorant comment secourir leurs camarades hurlant de souffrance, les guerriers Mauserans demeuraient sur place, hébétés, les yeux hagards, incapables de comprendre ce qui se passait et de réagir. Soudain, le vacarme reprit de nouveau en provenance d'autres plateformes de l'armée de Kurak. Une dizaine de coups de tonnerre couvrirent un instant les plaintes des blessés. Puis un grincement monstrueux emplit le ciel, d'abord comme un seul bruit, ensuite se précisant comme l'épouvantable addition de milliers de petits sifflements. Une pluie de traits se mit à tomber sur les Mauserans. Chacun était à peine plus long qu'une main, la pointe perçante comme une aiguille, le fût lourd, l'empennage sommaire avec une entaille qui produisait une sonorité aiguë et désagréable. Le son cessait brusquement lorsque le trait se fichait dans un bras, une jambe, un torse ou un crâne que, bien souvent, il traversait même de part en part.

Pendant que les Mauserans tentaient de se secouer de leur torpeur, les premiers détachements de cavalerie des Akares foncèrent sur les flancs de l'armée de Del Afrenaie. Évitant encore les affrontements au centre, l'armée de Kurak attaquait sur les côtés en ne rencontrant que peu de résistance. Les Mauserans, brûlés, blessés, apeurés, se défendaient tant bien que mal ou tentaient de fuir.

De son point d'observation, le Roi ne pouvait que constater avec douleur l'ampleur du massacre. En quelques instants, il avait perdu des milliers de guerriers, près de la moitié de son armée. Les charges de la cavalerie ennemie sur ses flancs forçaient tout naturellement les survivants à se regrouper vers le centre où ils offriraient bientôt une cible facile aux effroyables armes de guerre que l'armée de Kurak devait assurément préparer pour un nouveau tir dévastateur. La panique gagnait l'entourage du Roi et lui-même demeurait sidéré, cherchant désespérément quels ordres donner à ses troupes.

Cette fois, Ardahel se laissa guider par son intuition. Il fallait que ce massacre cesse. Il écarta les officiers pour s'approcher du Roi.

– Del Afrenaie, cria le Prince, tiens encore un moment ta position ; durant ce temps, garde Eldwen sous ta protection. Souviens-toi des murailles de Vorka ! Je vais porter un coup semblable à l'ennemi.

Le Roi du Mauser se secoua ; il lui signifia son accord d'un geste tout en lui adressant un regard reconnaissant. Aussitôt, Ardahel lança CrinBlanc au galop pour se rendre devant la première ligne des Mauserans. Il sauta à bas de cheval pour ensuite s'avancer dans la rivière, directement face à l'armée de Kurak. L'eau était peu profonde ; elle lui arrivait à mi-cuisse. L'ennemi n'était qu'à cinq ou six cents jambés devant lui, en un rang compact devant les plateformes qui portaient les horribles machines de guerre. Ardahel jeta un regard rapide derrière lui ; les visages des Mauserans exprimaient la crainte et le désir de fuir. Puis devant, il discerna parmi les formes menaçantes des archers qui prenaient leur position de tir en le visant. Le temps pressait.

Fébrile, le Santerrian sortit de sa sabretache les Cassettes des Forces de l'Eau et du Feu. Il ignorait s'il pourrait les utiliser comme il le souhaitait et même s'il serait capable de les contrôler. C'était son instinct qui dictait ses actes ; c'était l'horreur du massacre des Mauserans qui l'obligeait à passer à l'action.

Ardahel eut une dernière pensée avant de brandir les Cassettes devant lui.

– Alahid mon père, que mon choix soit juste !

Kurak se tenait en retrait sur une hauteur d'où il pouvait observer tout ce qui se passait sur le champ de bataille. Il vit soudain la rivière se gonfler devant ses troupes. À toute vitesse, l'eau afflua de partout pour se concentrer en un point précis, devenant une impressionnante muraille liquide. L'Akares eut le temps de noter que les plateformes de ses engins d'attaque se trouvaient à sec, déséquilibrées par le retrait soudain de l'eau. L'instant d'après, il vit la masse liquide enveloppée de flammes qui se précipitait à une vitesse folle sur son armée. La vague fabuleuse sembla absorber le feu pour devenir un mélange bouillonnant d'où s'élevait une vapeur brûlante. Elle frappa de plein fouet les guerriers qui se trouvaient dans la rivière et sur ses berges, les emportant dans son mouvement. Ensuite, elle s'abattit sur les plateformes. Les machines de guerre furent renversées et démantelées sous la force de l'impact.

La terrible vague continua de foncer dans le lit de la rivière en se répandant aussi sur ses berges, arrachant des hurlements de douleur aux guerriers ébouillantés sur son chemin. Enfin, elle s'étala complètement, laissant derrière elle la stupéfaction tout autant chez les Akares que chez les Mauserans.

Au moment de libérer les Forces des Cassettes, Ardahel avait vu le mur d'eau gonfler devant lui. Il s'était senti aspiré par le mouvement du courant alors que le lit de la rivière s'asséchait autour de lui. Il s'était agrippé de toutes ses forces à un rocher et avait fermé les yeux. Dans un tourbillon indescriptible de sons, de mouvements et de sensations, il comprit que la vague qu'il venait de créer retombait en direction de l'armée Akares. Il se releva enfin pour voir ce qui se passait, mais il se sentit repoussé violemment. Sans comprendre comment, il se retrouva projeté sur la berge, à demi assommé par l'impact.

La prodigieuse réplique venue des Mauserans avait fait reculer les cavaliers de l'armée de Kurak. Incertains de ce qu'ils devaient faire, les officiers avaient donné l'ordre de se replier. Lentement, les deux armées reprirent leurs positions initiales en comptant leurs pertes et en soignant leurs blessés. De part et d'autre, les événements inexplicables venant de se succéder avaient fait naître une terreur superstitieuse qui remplaçait progressivement la tension guerrière. Dans cette vallée du Pays de Mauser, des milliers de combattants figés sur place réalisaient pleinement qu'ils étaient les acteurs d'un affrontement qui les dépassait.

Au prix d'efforts douloureux, Ardahel était remonté sur CrinBlanc pour retourner près d'Eldwen. Les officiers et les proches de Del Afrenaie s'étaient écartés, témoignant à la fois la crainte et le respect envers celui qui venait d'arrêter l'attaque effroyable de l'ennemi. Le Roi de Mauser l'accueillit avec les plus grands égards, accordant dès lors au Santerrian un rôle prédominant dans les décisions à prendre. De son côté, Kurak fut d'abord surpris par l'intervention d'Ardahel. Rapidement, il retrouva le sourire, ravi par ce qu'il venait de comprendre.

L'Akares était accompagné de Belgaice. Il lui parla à l'oreille, sans que ses officiers puissent entendre.

– Cette riposte est l'œuvre du Santerrian, l'ennemi juré de Vorgrar. Donc le mien. Il possède les Cassettes semblables à la mienne qui me permet de contrôler les Forces de l'Air. Voilà l'occasion qui m'est servie sur un plateau de l'abattre et de concrétiser ma puissance.

– Ce doit être un guerrier redoutable, s'inquiéta la Cahanne.

– Mais je suis le plus puissant. Si je devais le craindre un seul instant, tout ce que j'accomplis n'aurait aucun sens.

L'Akares interpella un officier.

– Toi ! Tu vas te rendre porter mon message. Fais savoir que l'Empereur Kurak veut rencontrer le Santerrian face à face, seul à seul.

Le soleil entamait sa descente vers l'horizon lorsque Ardahel et Kurak franchirent la ligne des guerriers qui se faisaient face. À cet endroit, à une centaine de jambés de la rivière, moins d'un miljie séparait les deux armées. Les deux cavaliers s'approchaient dans la plaine encore épargnée à cet endroit par les combats. L'herbe était épaisse, d'une belle teinte riche, parsemée de fleurs de toutes les couleurs. La chaleur du soleil faisait chanter les grillons.

Ardahel chevauchait CrinBlanc, éclatant de noble beauté dans la lumière vive de cette journée sans nuages. Il portait ses habits de fin tissu vert et brodés d'or de Santerrian, sa cape verte de Prince de Santerre, ses grandes bottes de cuir qui montaient jusqu'aux genoux, son bandeau de tête et le collier d'Alahid qui faisaient partie de son héritage avec le Glaive Nouveau. Il brandissait devant lui, au bout d'une lance, une oriflamme bleue du Roi de Mauser signifiant son intention de parlementer.

Avançant vers lui, Kurak montait aussi un magnifique cheval au pelage blanc. L'Akares était vêtu complètement de rouge ; seule la chemise s'ornait d'un motif noir fait de lignes et de cercles qui se répétaient à l'encolure et au bas du vêtement. Sa grande cape pourpre éclatait de riches reflets sous le soleil. Comme en Akar, son pays d'origine, il gardait ses longs cheveux blonds attachés par une bande de cuir décorée de griffes d'ours. Il portait bien haut sa bannière de parlementaire de couleur rouge.

Ils se rencontrèrent en plein centre de l'espace libre entre les deux armées. Un long moment, ils se toisèrent pour mieux prendre la mesure de la valeur de l'adversaire, les yeux gris vifs de Kurak fouillant le regard bleu profond d'Ardahel.

– Voici enfin le redoutable Santerrian devant moi.

La voix de Kurak ne trahissait aucune émotion. Il constatait sans rien laisser deviner de ses sentiments. Ardahel répondit sur le même ton.

– Et voilà l'Empereur qui fait trembler le Monde d'Ici.

Une sorte d'embarras s'installa entre les deux antagonistes. Ils avaient tant à se dire et si peu à la fois. La seule logique pour l'un comme pour l'autre était d'abattre son vis-à-vis.

– Tu as demandé à me parler, reprit Ardahel. Je t'écoute.

– Je veux t'affronter. Un combat entre toi et moi uniquement, sans lien avec la guerre qui se déroule autour de nous.

L'Akares était si direct dans ses propos qu'Ardahel fut étonné. Il chercha le piège.

– Je vois mal l'intérêt de cet affrontement, autant pour toi que pour moi.

Kurak sourit à son adversaire. Il comprenait avec tellement de clarté que ce qui l'opposait au Santerrian se situait dans une dimension tout autre que de simples affrontements entre les peuples du Monde d'Ici. C'était le combat de deux Pensées. Pour l'Akares, vaincre Ardahel était une nécessité incontournable.

– Ton rôle n'a rien à voir avec les royaumes des souverains de ce monde, Ardahel le Santerrian. Tu n'existes que pour abattre Vorgrar. Pour ma part, mon rôle est d'accomplir les desseins de Vorgrar. Je suis son bras ; je suis son cœur... Je suis Vorgrar. Tu es donc l'obstacle sur mon chemin et je suis l'obstacle sur le tien. N'est-il pas évident que nous devions nous affronter, et le plus tôt possible ? Pourquoi pas ici ? Pourquoi pas maintenant ?

– J'imagine que tu as à l'esprit d'autres enjeux que notre seul affrontement, répondit prudemment Ardahel. Qu'y a-t-il à perdre et à gagner de part et d'autre ?

– Si tu gagnes, tu as la voie libre vers Vorgrar ; je donnerai l'ordre à celle qui m'accompagne de te conduire à lui. Si je gagne, mon seul obstacle possible est balayé. Ma domination sur le Lentremers ne sera plus qu'une question de temps. De très peu de temps.

– Si je gagne, tes armées quittent le Lentremers pendant que je suis conduit vers Vorgrar. Si je perds, tu accordes aux peuples du Lentremers...

Kurak coupa la parole au Santerrian.

– Si je suis vaincu, j'accepte tes conditions. Si je suis le vainqueur, il n'y a rien à discuter, rien à négocier. Tu n'es pas en mesure d'exiger quoi que ce soit. Tu gagnes tout... ou tu perds tout !

L'Akares écarta le bras qui tenait la longue lance avec sa bannière de parlementaire. Il la plaça bien droite puis, d'un coup sec, il la planta dans le sol.

– Je reviendrai ici lorsque l'ombre de cette lance touchera les fleurs rouges que tu vois juste là. Si tu es là, nous combattrons pour l'enjeu que je t'ai dit. Si tu manques à l'appel, mon armée recevra le signal de déployer toute sa puissance contre les troupes du Mauser.

Sans attendre de réponse ni laisser de place à la discussion, Kurak fit reculer sa monture de trois pas. Il lui fit faire demi-tour lentement, avec grâce, pour ensuite s'éloigner au pas. Ardahel le regarda s'en aller, troublé tout autant par la proposition de l'Akares que par la toute-puissance qui émanait de lui. Enfin, le Santerrian imita son geste et planta son oriflamme près de la bannière de l'Empereur. Il fit demi-tour lui aussi, sans plus hésiter mais sans marquer de hâte.

✧ ✧ ✧

Mis au courant des détails de la rencontre avec Kurak, Eldwen et Del Afrenaie évaluaient la meilleure réponse à faire. Ils étaient tous les trois descendus de cheval et le Roi avait ordonné à ses officiers de s'écarter pour les laisser discuter en privé. Ils parlaient à voix basse, comme si leurs doutes n'avaient pas le droit de s'exprimer. L'aveugle hésitait, le cœur serré par un funeste pressentiment.

– N'y a-t-il pas une autre façon d'être conduits vers Vorgrar ? Je sais que c'est ce que nous devons faire, mais je redoute ce combat que Kurak te propose.

– Peut-on faire confiance à un tel conquérant ? demanda le Roi de Mauser. Comment croire qu'une telle armée quitterait les lieux parce que son chef est vaincu ! Il y en aura d'autres pour lui succéder à la tête de ses troupes.

– Pas vraiment, estima Ardahel. La conquête du Monde d'Ici n'a de sens que pour Vorgrar au travers de Kurak. Sans leur Empereur, cette armée devient sans but véritable, sans vision, sans objectif précis.

– Nous avons vu sa puissance, conclut Del Afrenaie. Ta victoire sur Kurak est donc notre meilleur espoir. Notre seul, en fait.

– Je le crains, en effet, soupira Eldwen.

L'aveugle se serra encore plus fort contre son compagnon. Elle se sentait prise dans un piège sans issue, contrainte d'approuver Del Afrenaie, obligée d'accepter qu'Ardahel soit en péril, forcée de taire l'angoisse qui faisait monter à ses lèvres un cri de refus. Pour être bien certaine de ne pas dire sa peur, elle colla sa bouche sur celle de son compagnon en un baiser chargé de tout son amour, de toutes ses craintes, de tous ses espoirs.

Chapitre onzième
Douleur

Le petit bouquet de fleurs rouges paraissait si fragile dans le pré, à cet endroit que les armées n'avaient pas encore piétiné. Les contrastes et les teintes chaudes de la lumière du soleil déjà bas dans le ciel les rendaient encore plus éclatantes. À l'instant précis où l'ombre de la bannière de Kurak les toucha, l'Akares arriva sur les lieux. Il était accompagné de Belgaice, elle aussi toute vêtue de rouge et chevauchant une magnifique monture blanche. Monté sur CrinBlanc, Ardahel s'était avancé en même temps vers le lieu du combat en compagnie d'Eldwen sur Noiras. Ils se trouvaient au centre des premières lignes des deux armées, celles de Kurak et celles de Del Afrenaie, séparées de moins d'un miljie de distance. Même sans en connaître les enjeux, les guerriers gardaient le silence, conscients que cet affrontement revêtait une portée exceptionnelle.

Les deux couples de cavaliers s'immobilisèrent à vingt jambés l'un de l'autre. Ils descendirent de cheval pour se préparer. Ardahel et Kurak enlevèrent leurs capes pour les remettre à leurs compagnes qui se tenaient debout devant leurs montures. Ils détachèrent aussi leurs ceinturons et leurs fourreaux, ne conservant que leurs épées.

En remettant à Eldwen la sabretache avec les Fioles et les Cassettes de son héritage de Santerrian, Ardahel lui caressa doucement le visage.

– Fais-moi ton plus beau sourire. Je veux combattre en ayant avec moi la plus belle image de tout le Monde d'Ici. À bientôt, mon amour.

Eldwen s'efforça d'adresser à son compagnon le sourire des jours de bonheur. Elle lui caressa aussi le visage.

– À bientôt. Je t'aime.

Ardahel plongea ses yeux dans ceux éteints de sa compagne, certain qu'elle percevait toute l'intensité de son regard. Puis il se retourna pour marcher vers l'Akares. Le Santerrian avait en main le Glaive Nouveau, une arme faite d'orabron, ce métal d'une extrême rareté, résistant et léger, qui pouvait se manier aussi bien à une qu'à deux mains. La lame brillait d'un éclat remarquable depuis cet épisode en Pays de Gueld – ainsi qu'en Royaume d'Elhuï – où Ardahel avait pleinement compris et accepté ce que signifiait pour lui de lever cette arme contre Vorgrar et ses alliés.

Marchant vers lui, l'Empereur Kurak tenait bien haut sa longue épée noire, sombre comme un vide infini buvant toute lumière. Ardahel évalua immédiatement la plus grande portée de l'arme de son adversaire, mais en contrepartie la souplesse moindre que cela procurait normalement. Or, la façon de combattre de l'Akares compensait les possibles failles de ce type d'épée, même si cela exigeait une force phénoménale. La maniant à deux mains sur le manche, il faisait alterner des mouvements offrant une force de frappe maximale avec une très courte amplitude et des retours d'une rapidité foudroyante.

Dès que les adversaires furent à portée de frappe, Kurak porta les premiers coups sans aucun avertissement. Le choc des deux armes résonna dans le silence troublé jusqu'à cet instant par le seul chant des grillons. Les chevaux du Nalahir eurent un sursaut nerveux ; Eldwen serra leurs rênes avec angoisse. Jamais auparavant elle n'avait entendu un tel son, un bruit sourd, étouffé, aucunement naturel pour deux lames se heurtant de toute la force des combattants.

Surpris par les premiers coups, Ardahel riposta avec juste assez de puissance pour tenir Kurak à distance et en même temps pour sonder sa force véritable. L'Akares ne donna aucun répit au Prince, reprenant aussitôt son attaque en obligeant son vis-à-vis à reculer pour se mettre hors de portée.

De nouveau, les armes s'entrechoquèrent rapidement en une série d'attaques et de parades qui mirent les adversaires en sueur. Cette fois, Ardahel frappait de manière à prendre l'initiative et Kurak dut reculer à son tour. Après un dernier échange, les deux antagonistes s'immobilisèrent un instant, seules les pointes de leurs épées poursuivant un léger mouvement circulaire comme pour chercher la faille dans la défense adverse.

Kurak modifia alors son approche. Il leva le manche audessus des épaules en gardant la pointe dirigée vers le torse de son opposant. La lame se déplaçait sans arrêt, lentement et avec amplitude, attendant le moment de porter un coup brusque et incisif. Une première attaque fut bloquée facilement ; Ardahel tenta d'en profiter pour frapper sur le côté tandis que Kurak avait les bras allongés, mais celui-ci se replaça avec une vitesse incroyable pour parer la contre-attaque. Les deux opposants se retrouvèrent dans la même position à s'observer. Alors, ce fut l'assaut ; les deux lames glissèrent l'une contre l'autre jusqu'à la garde, bloquées en position rapprochée. Les combattants se retrouvèrent face à face, les bras près du corps, les visages à la même hauteur, immobilisés dans leur effort pour renverser l'autre tout autant que pour éviter de l'être.

L'épreuve de force silencieuse dura un moment douloureusement interminable pour Eldwen qui ne pouvait suivre le combat autrement qu'en entendant le choc des armes. L'aveugle était tendue, les mains crispées sur les rênes des chevaux, le visage blême, couvert de sueurs froides. De l'autre côté, Belgaice retenait son souffle, elle aussi figée par une tension de plus en plus insoutenable.

Risquant un déséquilibre dangereux, Kurak s'appuya sur un seul pied pour soudainement donner un coup avec l'autre. Déstabilisé, Ardahel ne put contenir la poussée de l'Akares. Il tomba sur le dos, donnant immédiatement un coup de rein pour rouler sur le côté. La lame noire siffla à ses oreilles pour frapper le sol à l'endroit où il se trouvait l'instant auparavant. Il eut le temps de remarquer comme une présence au travers de l'épée, un regard lointain et intéressé porté sur son combat. Au travers du vide de la lame, Vorgrar concentrait toute son attention et son énergie sur le déroulement de l'affrontement.

Le temps que Kurak retire son épée du sol et la relève, Ardahel était de nouveau debout. Il força l'attaque avec une ardeur telle que l'Akares recula de plusieurs pas en ne faisant que se défendre. Toutefois, il fit une parade habile en accomplissant un tour complet sur lui-même tandis que son adversaire frappait le vide. Entraîné par son élan, le Santerrian perdit un précieux instant que l'Akares mit à profit pour reprendre l'initiative. Il porta une série de coups puissants et rapides qui remirent Ardahel en position défensive.

De nouveau, les adversaires s'immobilisèrent, trempés de sueur, les armes levées pour tenir l'autre à distance le temps de reprendre son souffle. Les échanges reprirent, leur donnant chacun à tour de rôle l'offensive ou la défensive. À l'écart, Eldwen et Belgaice vivaient la même angoisse d'attendre le dénouement de cet affrontement hors du commun, tant par ses enjeux que par l'intensité de ses combattants exceptionnels.

Depuis le début, Kurak avait tenté plusieurs types d'attaques et, chaque fois, Ardahel les avait parées. Il décida de tirer avantage de sa très longue portée en décrivant des moulinets larges et puissants. C'était exactement ce que le Santerrian souhaitait ; il attendait le moment précis où l'Akares serait vulnérable, son épée encore sur le côté, emportée par son élan. Alors, plutôt que de parer le coup avec son glaive, Ardahel l'esquiverait du corps tout en conservant son arme pointée. Durant un très court instant, il pourrait porter un coup décisif. Ardahel fit dévier un premier moulinet avec son glaive, puis un second et, enfin, il passa à l'attaque. Le Glaive Nouveau tendu, il s'élança pour frapper au torse. Comme au ralenti, il vit soudain la lame noire revenir vers lui avec une rapidité qu'il avait cru impossible. Dans le même geste, Kurak s'était déplacé. L'arme d'Ardahel passa dans le vide ; au même instant, il ressentit une douleur fulgurante. Il lui sembla qu'un éclair lui fouillait le côté droit.

Le Santerrian voulut reprendre une position stable, mais ses genoux fléchirent. Ce fut à peine s'il plaça son épée en position lorsque la lame noire apparut encore devant lui. L'épée de Kurak pénétra son torse profondément, provoquant une douleur atroce qui lui monta jusqu'à la tête. L'image de l'Akares se voila ; de toutes ses forces, Ardahel s'accrocha à celle d'Eldwen qui lui souriait amoureusement avant de commencer ce combat fatidique.

Kurak regarda son adversaire s'écraser au sol. Le souffle court, il demeura immobile à le regarder, l'épée encore prête à frapper, redoutant un sursaut. Jamais il n'avait livré une telle bataille et il lui fallait la certitude absolue que le Santerrian était définitivement vaincu. Alors, il frappa de toutes ses forces au cou pour le trancher. Sans dire un mot, le souffle toujours rauque, il empoigna la tête par les cheveux pour la lever devant lui. Le visage fermé, le regard fixe, il marcha vers Eldwen.

L'aveugle savait que le combat était terminé, que le vainqueur s'approchait d'elle. Le silence était insoutenable, l'instant d'une cruelle éternité. Tremblante, folle d'espoir, elle tendit lentement les bras devant elle pour serrer son compagnon. Elle sentit alors que la personne devant elle lui mettait entre les mains une boule toute chaude et dégoulinante. Ce devait être Ardahel qui lui donnait quelque chose. Elle ne comprenait pas pourquoi son compagnon ne lui parlait pas. Des doigts, elle examina la boule. Une tête ! Un visage aux traits familiers qu'elle avait exploré des milliers de fois. Fébrile, l'aveugle passa la main partout. Elle s'écroula assise, recroquevillée sur la tête qu'elle serrait contre elle.

Ses doigts repassèrent lentement sur les sourcils, le nez, les pommettes, la bouche, le menton. Ces formes, elle les connaissait par cœur. Avec tout son cœur.

Toujours silencieux, Kurak ne se décidait pas à s'adresser à l'aveugle ni à retourner vers Belgaice. Il pensait plutôt à Beldouse et à la douleur qu'elle aurait eue si c'était lui qui avait été vaincu. Il imaginait la peine de la femme qu'il aimait véritablement, ce qui lui faisait mesurer celle de cette aveugle brisée, incrédule devant l'inéluctable. L'Akares eut le goût de lui dire combien Ardahel avait été un grand adversaire. Mais à quoi bon ? Il la regarda s'écraser au sol devant lui, si misérable en examinant à tâtons le visage entre ses mains pour se convaincre de l'impossible réalité. Kurak nota qu'elle avait laissé tomber les objets du Santerrian, surtout la sabretache qu'il portait toujours à son ceinturon. Il se baissa pour la prendre. D'un rapide coup d'œil, il constata avec joie qu'elle contenait bien les Cassettes des Forces de l'Eau et du Feu ainsi que quatre fioles inconnues qu'il s'appropria sans tarder.

Eldwen sentit le mouvement de l'Akares qui prenait la sabretache d'Ardahel. Elle entendit ses pas s'éloigner et, plus loin, le cri de joie de Belgaice qui brisait enfin le silence, suivi de la rumeur terrible des ovations qui s'élevaient de l'armée de l'Empereur victorieux. Tremblante, l'aveugle souleva la tête inerte pour coller son visage contre le sien. Malgré la sueur, malgré le sang, c'était bien sa peau, ses traits, son odeur. Elle la baissa pour la coller contre son cœur, la serrer de désespoir. Elle releva la tête pour crier sa détresse, mais aucun son ne put sortir. Eldwen demeura figée, la tête renversée en arrière, la bouche grande ouverte sur un hurlement qui refusait de se faire entendre.

Elle demeura ainsi, contractée de tout son être, le cœur presque arrêté, sans respirer, jusqu'à ce qu'elle perde connaissance. Elle retomba par en avant, recroquevillée en un geste protecteur autour de la tête d'Ardahel. Elle n'eut pas conscience que Noiras se coucha près d'elle tandis que CrinBlanc allait faire de même près de son maître, les chevaux du Nalahir se tenant prêts à les défendre.

Immédiatement après sa victoire, Kurak donna l'ordre à son armée d'avancer. Il prit la précaution de poster des gardes qui obligeaient les guerriers à contourner le lieu de son affrontement avec le Santerrian. Durant tout le reste de la soirée, les troupes défilèrent en évitant soigneusement de s'approcher des deux chevaux qui veillaient, l'un sur un cadavre sans tête, l'autre sur une femme évanouie, à peine vivante. Le vacarme des guerriers en mouvement diminua finalement pour s'estomper dans la nuit naissante.

Lorsque la lune se leva sur la vallée, sa lumière bleutée révéla le spectacle lugubre des milliers de cadavres des Mauserans brûlés vifs ou percés de traits, ainsi que ceux des Akares ébouillantés sur les rives de la rivière autour des machines de guerre démantelées. Au centre, dans un petit espace qui semblait épargné par la fureur guerrière, la seule personne vivante était une femme aveugle pour qui l'existence n'avait douloureusement plus aucun sens.

Haut dans le ciel, des formes ailées tournèrent une dernière fois au-dessus du champ de bataille pour ensuite se diriger, l'une vers le Pays de Gueld, l'autre vers le Pays de Santerre. Les Oiseliens portaient avec eux la nouvelle funeste.

Dès qu'il avait vu le Santerrian s'écrouler, Del Afrenaie avait donné l'ordre à ses troupes de se replier. En fait, c'était une fuite devant l'envahisseur que le Roi tentait d'endiguer de son mieux. Écoutant le conseil qu'Ardahel lui avait donné un peu plus tôt, il avait décidé de prendre la direction du Pays de Gueld pour se réfugier au Gueldroc tout en laissant sur place quelques groupes de résistants. Il leur avait donné pour mission d'attaquer sans relâche les Akares dans de petits combats rapides, comme des moustiques agaçants qui piquent continuellement le plus puissant des animaux de la forêt. Cependant, à toutes fins utiles, le Pays de Mauser appartenait maintenant à l'Empereur Kurak.

En Kalar Dhun, les Scasudens du Chef de guerre Sudan maintenaient leur allure. L'armée venue des Terres Mortes progressait à toute vitesse vers la Mi-Jour du pays, visant de toute évidence un but bien précis. Lorsque l'émissaire

Kalardhin revint avec le message de Loruel, le Roi Tornas comprit à son tour que la seule résistance possible du Pays du Levant se ferait encore au Gueldroc. Pourtant, cette fois-ci, l'adversaire arrivait de toutes parts avec une puissance et des armes auxquelles il semblait utopique de tenir tête.

Les alentours de l'embouchure de la Rivière Alahid en Région de la Baie du Pays de Santerre étaient le théâtre d'une activité frénétique de jour comme de nuit. De leurs postes d'observation, les Baïhars voyaient l'amiral Andrak organiser le déploiement des cinquante mille guerriers de l'armée des Lions. Ils remarquaient aussi que des équipes s'activaient à installer d'étranges machines de guerre sur des plateformes flottantes.

Le Roi Tocsand avait envoyé des messagers partout dans le pays. Répondant le plus rapidement possible, les guerriers de Santerre s'organisaient et commençaient à affluer par milliers pour tenir tête aux envahisseurs. Les Princes et les Chefs de guerre s'affairaient à prendre position le plus avantageusement possible pour profiter de l'avantage du terrain. Toutefois, les débats allaient bon train quant à la stratégie à adopter. Les opinions devenaient de plus en plus partagées sur la justesse des ordres du Roi. La défaite devant les Sormens en Région des Métiers et l'agitation au Temple autour du Prince Jeifil étaient au centre des discussions. Le doute s'installait et des clans se formaient, malsain prélude aux divisions et aux luttes intestines de pouvoir.

Les traits tirés par l'inquiétude, le manque de sommeil et les incessantes chevauchées, Tocsand arriva sur une hauteur d'où le Prince Bouhar observait les mouvements de l'armée ennemie. Le vieux Baïhar trapu avait le regard encore plus sombre qu'à l'accoutumée. Tocsand sauta de cheval pour aller se placer à côté de lui.

– Quelle est la situation ? s'enquit-il dès son arrivée.

– Les guerriers semblent tous prêts à l'attaque, répondit Bouhar. Ce qui les retient d'avancer est visiblement la préparation de leurs étranges machines de guerre. Je n'ai jamais rien vu de tel ; je me demande quel en est le principe...

– J'aimerais mieux ne pas les voir à l'œuvre, soupira le Roi. Alors, Prince Bouhar, quel est ton conseil ?

Plus petit de taille que Tocsand, le Baïhar releva la tête pour le fixer dans les yeux. Sa voix était ferme, autoritaire même.

– Veux-tu mon conseil pour l'immédiat ou pour l'ensemble de cette guerre ?

Tocsand comprit immédiatement que le vieux Prince désirait lui faire part d'inquiétudes encore plus profondes que la stratégie de guerre contre l'ennemi de l'extérieur.

– Je veux tous tes conseils, directement et avec ta franchise coutumière.

– Roi Tocsand, je crains cet ennemi puissant ; toutefois, je redoute encore plus les divisions qui apparaissent en Pays de Santerre. Tu dois démasquer ceux qui manœuvrent contre toi et les châtier sans tarder. Tu ne seras pas plus populaire, mais au moins, ceux qui n'obéissent pas avec respect le feront par crainte. Ton devoir est de recréer l'unité.

Tocsand se frotta le visage de ses deux mains en prenant une grande inspiration. La perspective d'agir ainsi lui répugnait ; pouvait-il cependant faire autrement ?

– La situation est-elle à ce point viciée ? soupira Tocsand.

– Malheureusement oui, répondit Bouhar sans hésitation.

– Dès mon retour au Temple, je vais agir contre le Prince Jeifil pour en faire un exemple éloquent. Pour l'instant, les machines de guerre des Akares me préoccupent. Si une armée aussi puissante s'attarde si longtemps à les attendre, c'est qu'elles doivent être redoutables. Il faut faire une attaque surprise pour les incendier, même si nous n'avons pas encore suffisamment de troupes pour livrer un combat décisif.

– Tu demandes de commettre une folie, Roi Tocsand.

– Il en faudra plusieurs pour préserver notre pays, Prince Bouhar.

Durant tout le reste de la journée, Tocsand multiplia les rencontres avec les Chefs de guerre et les capitaines. Il donna ses ordres avec autorité, affichant en apparence un grand calme et une totale confiance en lui. Son attitude rassura les troupes et recréa une fragile unanimité parmi ses rangs.

Enfin, tard dans la nuit, il s'accorda quelques heures de sommeil. Avant que le soleil ne soit levé, il était de nouveau en selle. Cette fois, le Roi était bien entouré. Trois divisions de cavalerie attendaient son signal. Le plan de Tocsand était de lancer une première, puis une seconde attaque sur la rive gauche de la rivière, de manière à laisser croire que l'objectif visé se trouvait de ce côté de la rivière. En fait, cette charge de plus de quatre mille cavaliers ne serait qu'une diversion lui permettant de s'approcher par l'autre rive jusqu'à une distance suffisante pour incendier les machines de guerre ancrées au milieu du cours d'eau. Il faudrait faire vite, car les guerriers d'Andrak l'Akares se regrouperaient rapidement ; par contre, ils étaient moins nombreux à l'endroit choisi par Tocsand. À la tête de mille cinq cents cavaliers, le Roi comptait sur l'effet de surprise dans un terrain plus difficile à défendre pour porter ce coup majeur à l'ennemi.

Sachant pouvoir compter sur la rapidité d'Aurac la Dorée, Tocsand était demeuré jusqu'au dernier moment avec ceux qui lanceraient l'attaque sur la rive gauche. Lorsqu'ils se mirent en branle, le Roi lança son cheval du Nalahir à pleine vitesse pour rejoindre les cavaliers en position sur la rive droite. Ce matin-là, le jour semblait tarder à se lever. Pourtant d'un bleu immaculé la veille, le ciel charriait de lourds nuages qui assombrissaient le temps. Ainsi, l'assaut débuta dans la faible lumière grise d'une journée au temps incertain.

Tocsand regardait l'étrange ciel sombre avec appréhension. Il lui vint le goût de donner un contre-ordre et de remettre l'attaque à plus tard, mais déjà la clameur des combats lui parvenait de l'autre rive. Alors, il donna le signal de la charge.

Dans un grondement assourdissant, les chevaux s'élancèrent au galop. Ils surgirent en terrain découvert, à proximité des lignes ennemies. De sa position au centre de la charge, Tocsand vit que les combats étaient engagés au loin, de l'autre côté de la rivière. Pourtant, il n'y avait aucun mouvement en face de lui. Sa division de cavalerie pénétrait sans rencontrer de résistance dans le campement des Akares, fait d'abris temporaires de toile où les guerriers devraient normalement encore dormir.

Les cavaliers de Santerre avaient presque un miljie à parcourir entre les premières lignes ennemies et la rive du cours d'eau. Plus ils s'enfonçaient au cœur du campement Akares apparemment désert, plus l'angoisse étreignait Tocsand. Ils venaient de tomber dans un piège ! À mi-chemin de leur objectif, les archers de Santerre se préparaient déjà à lancer leurs flèches enflammées vers les plateformes. C'est à cet instant que les Akares surgirent de toutes parts entre les abris. Tocsand les vit tirer sur des câbles qui firent se dresser devant les chevaux des pieux dissimulés sous une fine couche de sable. Dans un fracas démentiel, les premiers cavaliers s'écroulèrent, entraînant les suivants dans leur chute. En tentant d'éviter les obstacles devant eux, les cavaliers fonçaient dans toutes les directions. Certains perdaient l'équilibre en percutant les abris de toile ; d'autres se retrouvaient loin des leurs, isolés et devenus des cibles faciles pour les archers Akares.

Quelques flèches porteuses de feu furent néanmoins tirées par les cavaliers de Santerre, quelques-unes d'entre elles atteignant leur objectif. Cependant, il était évident que les Akares avaient prévu de telles attaques ; les débuts d'incendie furent immédiatement noyés sous des masses d'eau stockées dans des barils au sommet des assemblages.

Sur la rive gauche, les deux divisions de Santerre se heurtaient à une défense bien organisée et nullement prise de court. Devant les difficultés évidentes de l'attaque du Roi sur l'autre rive, les capitaines tentèrent de se regrouper pour former une vague d'assaut plus compacte. Ils avaient eux aussi des flèches enflammées prêtes à diriger vers les plate-formes. Au moment où ils parvenaient à s'approcher à portée de tir, ils virent avec stupeur les Akares s'écarter devant eux à toute vitesse. Plus loin, en face, une bâche tomba, découvrant une machine de guerre qui les visait de ses centaines de petites gueules rondes. Avec leurs masses, des guerriers frappèrent l'arrière des assemblages de tubes. Des bruits successifs de tonnerre se firent entendre, immédiatement suivis de grincements affreux, la clameur de milliers de sifflements stridents produits par autant de lourds traits de métal effilés.

Le regroupement des cavaliers venait d'offrir aux Akares la cible idéale pour leur machine de guerre. Cavaliers et montures virent fondre sur eux les formes imprécises de chaque volée de traits qui les fauchait sans pitié. À chaque déflagration, des centaines de guerriers et de bêtes s'écroulaient, transpercés de part en part. Lorsque les machines se turent, il y eut un instant de flottement parmi les rangs de Santerre. Incrédules, hébétés, les cavaliers regardaient autour d'eux sans vouloir comprendre ce qui venait de se passer. Puis ce fut la panique. Les survivants se mirent à reculer pour finalement fuir le plus vite possible la vision démentielle de ce carnage inutile. Des quatre mille attaquants, moins de la moitié quittèrent le champ de bataille.

Sur l'autre rive, les cavaliers de Santerre tombaient sous les flèches des archers Akares. Quelques combats à l'épée s'engagèrent. Grâce à la rapidité de son cheval Aurac et à la puissance du glaive autegentien Mailchord, le Roi Tocsand se défendait âprement. Sans relâche, il se porta à la rescousse d'autres cavaliers encerclés par l'ennemi. Il paraissait se trouver partout à la fois, frappant les uns, renversant les autres. Nombre des siens lui durent la vie sauve. Toutefois, Tocsand constatait que la situation était insoutenable. Il donna l'ordre de se replier. Rapidement, cela se transforma en sauve-qui-peut désordonné. Le Roi continua à secourir le plus longtemps possible ceux qui étaient en mauvaise posture.

Après une mêlée féroce avec des cavaliers Akares, des officiers entourèrent Tocsand.

– Il faut fuir ! Tu as déjà pris trop de risques, Roi Tocsand. Il est inutile que tu tombes maintenant au combat.

– Il reste encore des nôtres en danger dans le camp des Akares, répliqua Tocsand.

– Si tu t'obstines à demeurer ici, il restera encore plus de cadavres !

La rage au cœur, le Roi de Santerre dut se résoudre à quitter les lieux lui aussi pour se retrouver enfin en sécurité. Autour de lui, il ne restait que quelques centaines de cavaliers.

Une fine pluie se mit à tomber sur la Région de la Baie. Une pluie froide, désagréable. Malgré cela, Tocsand dédaigna les abris de toile disponibles ; il convoqua les Princes et les Chefs de guerre sur le sommet de la colline d'où ils pouvaient observer les positions ennemies. Le Roi tentait de ne pas le laisser paraître, mais chaque pas le faisait souffrir. Ses habits étaient maculés de sang. Il avait reçu plusieurs coups, notamment aux jambes, de la part d'Akares qui tentaient de le désarçonner.

Une vingtaine de Chefs de guerre ainsi que six Princes formaient un demi-cercle devant lui. La moitié d'entre eux avaient pris part aux attaques catastrophiques ; ils ne cachaient d'aucune manière leur colère, voire leur mépris, envers Tocsand. Quant aux autres, leurs visages affichaient soit le découragement, soit l'embarras devant le Roi. Sous la pluie, dans le décor gris de cette triste journée, leurs habits aux couleurs royales de Santerre, le rouge et le blanc, offraient aux regards une image terne et pitoyable.

Dès qu'ils furent au complet, Tocsand les dévisagea tour à tour en marchant en silence devant eux. Ceux qui revenaient du champ de bataille soutenaient le regard furieux de leur Roi avec une égale colère ; les autres baissaient les yeux, mal à l'aise.

Tocsand revint au centre du demi-cercle. Sa colère éclata, une rage profonde et froide.

– Il y a un traître parmi nous ! Un enfant du Pays de Santerre a trahi les siens !

Une réaction stupéfaite suivit ces paroles. Les Princes et les Chefs de guerre se dévisagèrent en silence, toutes les émotions passant dans leurs yeux, de l'incrédulité à l'indignation, de l'acquiescement à la fureur.

– Les Akares savaient où, quand et pourquoi nous attaquerions. Tous nos cavaliers sont tombés dans des pièges bien préparés. Dans les campements, ils attendaient le moment précis pour réagir. Ils étaient prêts à éteindre le feu sur leurs machines de guerre.

– C'est impensable ! s'indigna un Prince. Qui ici aurait intérêt à nous trahir ?

– Cette attaque était... risquée, poursuivit un Chef de guerre. On ne pouvait espérer que les Akares demeurent sans réaction !

Tocsand, les poings sur les hanches, se tourna pour répondre à celui qui venait de parler.

– Tu la qualifies de risquée, mais tu penses que cette attaque était folle, n'est-ce pas ?

– Oui, Roi Tocsand...

– Au moins, j'apprécie ta franchise ! Cette manœuvre aurait pu porter un coup important à l'ennemi, mais nous avons été trahis, je vous le répète. J'ai déjà pénétré à l'improviste au cœur du campement d'ennemis largement supérieurs en nombre. Plusieurs fois, j'ai mené des attaques encore plus insensées contre les Sorvaks en Pays du Levant. Aucun d'entre vous, quelle que soit sa valeur, n'a participé à des combats de la sorte, car le Pays de Santerre vit en paix depuis des générations. Cependant, moi Tocsand votre Roi, j'ai livré des batailles plus désespérées. J'ai vécu le fer et le feu. Je sais quelle est la peur dans le regard d'un ennemi pris au dépourvu et qui doit défendre sa vie. Mais il n'y avait que satisfaction et ironie dans les yeux des Akares.

Le Prince Bouhar s'avança d'un pas pour prendre la parole.

– Aussi inconcevable que cela puisse paraître, il y a effectivement un traître dans nos rangs. Tu as raison, Roi Tocsand. Il était évident que vous étiez attendus.

Ildal, une Chef de guerre qui se trouvait avec Tocsand durant l'attaque, fit un pas en avant à son tour.

– Je t'ai vu combattre, Roi Tocsand. Je t'ai vu risquer ta vie sans hésiter pour plusieurs d'entre nous. J'ai compris plus que ta valeur ; je sais que tu interprètes avec justesse ce qui se passe sur un champ de bataille. Voilà pourquoi je suis convaincue que tu as raison.

– Dans ce cas, qui est le traître ? fit un autre Chef de guerre. Comment le démasquer ?

Tocsand demeura un moment plongé dans ses pensées. Le visage du Prince Jeifil s'imposait à son esprit. Enfin, il se secoua les épaules comme pour chasser le poids de la fatalité. Il s'adressa au vieux Prince Bouhar et à la Chef de guerre Ildal.

– Je vous désigne responsables de l'armée de Santerre pendant que je retourne au Temple du Roi et des Sages. C'est là que se trouve la principale personne à démasquer.

La pluie se faisait de plus en plus forte ; l'horizon s'estompait dans la grisaille. D'où il se trouvait, Tocsand distinguait de moins en moins ce qui se passait dans le campement ennemi. Il devinait cependant avec précision les Akares qui récupéraient les armes sur le champ de bataille, qui achevaient les chevaux blessés pour garnir leurs réserves de viande, qui empilaient les cadavres de leurs adversaires sur des charrettes pour les transporter hors de leur campement et, surtout, qui saluaient avec un enthousiasme bruyant les paroles victorieuses de leur amiral Andrak.

Chapitre douzième
Renard

On aurait dit que le soleil retardait le plus possible le moment de chasser la nuit, comme s'il savait que ses rayons éclaireraient un spectacle désolant dans la vallée du Pays de Mauser. Enfin, peut-être pris de pitié pour la jeune femme prostrée au centre du champ de bataille, il se décida enfin à monter dans le ciel. Il éclaboussa le décor d'une lumière dorée, chaleureuse, qui chassa les lambeaux de brume traînant sur le sol. Sa chaleur réconforta un peu l'aveugle tremblante de froid, de fatigue et de découragement. Elle demeurait en état de choc, son esprit se refusant à accepter la réalité, pleurant silencieusement sans être capable de fixer sa pensée sur une idée précise.

Des oiseaux charognards décrivaient de larges cercles dans le ciel pour ensuite jeter leur dévolu sur l'un des cadavres. Ceux-ci étaient si nombreux que les noirs volatiles n'avaient aucunement besoin de se disputer avec les animaux qui s'enhardissaient eux aussi dans la plaine. Toutes ces bêtes proclamaient par leur présence à quel point la vie restait malgré tout la plus forte. Parmi elles, un renard se faufila entre les corps inertes, indifférent à leur présence tout comme à celle des autres animaux. Il trottait sans hésiter vers un but très précis.

C'était un renard argenté à l'allure remarquable avec son gros collier de longue fourrure blanche qui se poursuivait sur ses flancs jusqu'à une grosse queue touffue, elle aussi immaculée. Il avait le pelage du dos, des cuisses, des pattes et de la tête plus court, de couleur gris argent, parsemé de reflets noirs. Ses grands yeux brillants, sa tête triangulaire et ses oreilles pointues lui donnaient un air coquin tout à fait délicieux. Il s'approcha d'Eldwen en lui adressant quelques petits glapissements.

L'aveugle sortit de sa torpeur ; elle releva la tête pour murmurer un appel incrédule.

– Renard ? Est-ce toi qui es là, Renard ?

L'animal s'approcha jusqu'à se frotter contre l'aveugle comme autrefois, lorsqu'il désirait se faire prendre par la fillette prisonnière du puits où elle avait donné sa vue à Ogi, comme autrefois lorsqu'il la guidait sur les routes du Pays de Santerre. Spontanément, Eldwen retrouva les gestes qu'elle avait pour prendre l'animal et le coller contre elle. Le renard se laissa faire ; il donna au passage de petits coups de langue sur la joue de la jeune femme, sa façon à lui de la saluer.

L'aveugle enfouit son visage dans la fourrure de Renard et se mit à pleurer à chaudes larmes. Enfin, sa douleur s'exprimait ; elle pouvait la confier à un ami.

– Oh, Renard ! Mon cher Renard ! Si tu savais... Si tu savais... J'avais un amour, un magnifique compagnon. Il était si tendre, si fort, si grand... Maintenant, il n'est plus là. Tu ne l'as pas connu. Reste avec moi, Renard, je vais te le raconter. Il était si beau ; il avait les yeux comme de l'eau profonde, les cheveux comme les blés de son pays, des mains habiles, des bras puissants dans lesquels j'étais tellement en sécurité. Il s'appelait Ardahel et il portait le titre de Santerrian. Dès la première fois que je l'ai rencontré, je l'ai aimé éperdument. J'ai douté au début, je l'ai repoussé et mis à l'épreuve. Il a affronté tant de dangers pour moi. Je vais tout te raconter, reste avec moi, Renard. Je n'ai plus que toi en Monde d'Ici...

Eldwen continua à parler à son petit compagnon surgi du passé. Toute la journée, elle lui raconta des dizaines d'anecdotes, des petits et des grands bonheurs vécus avec le Prince de Santerre. Parfois, les histoires étaient drôles et l'aveugle éclatait de rire. Ensuite, elle redevenait nostalgique ou sérieuse ; parfois, elle faisait mine de s'irriter d'un propos maladroit que le Prince avait eu autrefois et qu'elle lui pardonnait immédiatement. Elle s'agitait aussi, se laissant emporter par le côté dramatique ou excitant de certaines situations. Sans s'arrêter, sans prendre de pause, assise avec la tête d'Ardahel enroulée dans son vêtement, l'aveugle se remémora les vingt dernières années. Elle confia tous ses secrets au renard qu'elle tenait dans ses bras ou qu'elle laissait marcher autour d'elle, s'inquiétant immédiatement si elle cessait de le sentir près d'elle.

Le soleil approchait de l'horizon pour conclure une autre journée lorsque la jeune femme arriva au terme de son récit, au moment où elle s'avançait dans la plaine avec Ardahel qui s'apprêtait à affronter Kurak.

– Lorsqu'il m'a demandé de lui faire mon plus beau sourire pour aller combattre avec en tête la plus belle image du Monde d'Ici, j'ai su ce qu'il pensait réellement. Il voulait emporter avec lui cette dernière image du Monde d'Ici. Il se doutait qu'il allait être vaincu, je le sais maintenant.

Eldwen eut un grand soupir et elle avala péniblement sa salive. Des larmes coulaient à nouveau sur ses joues. Son chagrin était infini, sa perte irremplaçable. Toutefois, tout raconter à son renard lui avait fait tellement de bien. Il lui semblait qu'elle serait peut-être capable de survivre pour participer encore au destin du Monde d'Ici.

– Je ne sais pas ce que je vais faire. J'ignore même si je suis capable d'agir. Je suis perdue, aveugle, seule... Oh Renard ! Je suis si heureuse que tu sois là. Tu vas m'aider, dis, Renard, tu vas me guider encore ?

Eldwen poussa un long hurlement de détresse. Elle mesurait avec tellement d'ironie combien son comportement était insensé. Elle était là, aveugle désemparée, à se confier à un animal autrefois apprivoisé, demandant son aide pour continuer la lutte contre Orvak Shen Komi, le dernier et le plus puissant des membres de la Race Ancestrale en Monde d'Ici. La jeune femme se mit à rire et à pleurer en même temps, se demandant si elle n'était pas en voie de sombrer dans la folie.

C'est à ce moment qu'elle entendit des pas. Une personne s'approchait d'elle et Renard n'avait pas grogné. C'était quelqu'un de familier pour l'animal. Même Noiras n'avait pas réagi, sachant que la présence n'avait rien de menaçant. Eldwen demeura tendue, les sens aux aguets, se demandant qui se trouvait près d'elle.

– Qui est là ? interrogea-t-elle, mal assurée.

La voix qu'elle entendit lui était si familière, si précieuse, qu'une chaleur intérieure la gagna comme une bouffée de bien-être dans son malheur.

– C'est moi, fillette, répondit Ogi.

Comme autrefois, il l'appelait *fillette* ! Eldwen eut une sorte de râle lourd de son espoir et de son immense besoin de réconfort.

– Oh ! Mon Guide ! Si tu savais... Si tu savais...

– Je sais, poursuivit doucement Ogi. C'est pourquoi nous n'en parlerons pas. Nous allons nous occuper d'Ardahel. Ensuite, je prendrai soin de toi, fillette.

Eldwen retrouvait avec surprise et émerveillement celui qui avait veillé sur elle lorsque, encore une enfant de six ans, elle était restée prisonnière d'un puits profond pendant une année entière. D'une sagesse et d'une bonté sans limite, Ogi avait été pour elle le Guide, celui qui l'avait instruite, lui apprenant à ne pas avoir peur des ténèbres et à voir le monde avec son cœur. C'est à lui qu'elle avait donné sa vue pour le remercier. En sa présence, elle se sentait rassurée.

Il était impossible de préciser l'âge d'Ogi, de même que rien ne paraissait certain pour qui pouvait le voir. Il était assez grand, mais pas tant que ça, le corps bien pris mais en même temps délicat. Il était vêtu d'une bure tissée avec un mélange étonnant de laine fine et de soie qui donnait un aspect tout aussi doux que résistant au tissu. D'une couleur indéfinissable, le vêtement semblait bien sobre, mais en y regardant de plus près, on discernait un motif complexe où s'entrecroisaient des fils argentés, dorés et d'un bronze tirant sur le vert. Enfin, il portait une cape de semblable apparence, un ton plus sombre, dont le capuchon lui cachait presque toute la tête. Il était impossible de voir complètement son visage aux traits fins, tout autant masculins que féminins. Ogi parlait d'une voix un peu rauque, rocailleuse et chaude, qui aurait pu être aussi bien celle d'un homme que d'une femme.

Profitant des derniers moments de clarté, Ogi s'affaira à dresser un bûcher sur lequel il déposa le corps décapité d'Ardahel. Il plaça sur lui ses objets personnels à l'exception du Glaive Nouveau. Enfin, il se dirigea vers Eldwen pour prendre la tête qu'elle serrait encore contre elle. L'aveugle refusa d'abord de la céder à Ogi.

– Accepte de lui dire adieu, de le remettre « à Dieu », dit le Guide avec fermeté. Laisse désormais Ardahel aller en paix à Elhuï. Chercher à le retenir vous fera mal à tous les deux.

Résignée, Eldwen caressa une dernière fois le visage de son compagnon. Ogi termina les préparatifs, puis il fit lever l'aveugle. Celle-ci n'avait pas bougé les jambes depuis une journée entière ; elle tomba, incapable de se mettre sur pied immédiatement. Affaiblie, ankylosée, il lui fallut un long moment ainsi que l'aide d'Ogi pour enfin se tenir debout.

Le Guide lui détailla comment tout était installé, le bûcher fait de bois ramassé aux alentours, dont surtout des pièces des machines de guerre démantelées, le corps d'Ardahel bien étendu, les mains repliées sur son cœur, sa cape le recouvrant pour cacher ses blessures. Au fur et à mesure, Ogi décrivit à l'aveugle comment sa torche embrasait le bûcher qui devint un brasier dont les flammes montaient haut dans le ciel étoilé ; comment sa lumière brillait sur des miljies à la ronde ; combien sa chaleur était réconfortante. Ensemble, ils prièrent le Dieu créateur jusqu'à ce qu'Ogi confirme à Eldwen que le corps n'était plus que cendres. Alors, ils dirent les paroles rituelles.

– Ardahel a été gagné par le Repos Éternel, que son âme soit en paix.

– Et qu'il partage le Festin d'Elhuï.

L'aveugle chercha les bras du Guide pour s'y réfugier.

Il la serra contre lui un long moment, puis il l'obligea à s'éloigner des restes du bûcher. Comme autrefois, comme dans le souvenir d'Eldwen, les instructions que donnait Ogi ne pouvaient être remises en question. Il parlait avec douceur et respect, mais aussi avec fermeté. Même si l'enfant d'autrefois était devenue une femme, elle demeurait totalement soumise, car elle savait qu'Ogi parlait avec sagesse. Elle fut donc obéissante lorsque le Guide lui demanda de lever les bras afin qu'il fixe à sa taille le ceinturon et le fourreau de l'épée du Santerrian.

– Voilà, fillette, que tu portes désormais le Glaive Nouveau. C'est entre tes mains que son nom prendra son véritable sens. C'est sur tes épaules que repose le sort du Monde d'Ici.

Si Ogi le lui disait, l'aveugle le croyait. Toutefois, elle ne put s'empêcher de le questionner.

– Dis-moi que tu seras avec moi, que je ne serai pas seule. Je t'en prie...

– Oui, je t'accompagnerai. J'existe moi aussi pour ce moment qui vient. Maintenant, nous allons quitter cet endroit. Tu as besoin de dormir et de manger. J'ai un refuge non loin d'ici ; nous allons y finir la nuit.

Le Guide appela les montures qui répondirent docilement. Malgré sa tristesse évidente, CrinBlanc avait accepté d'accorder son aide à Ogi qui lui avait longuement parlé auparavant. L'exceptionnel cheval du Nalahir comprenait qu'il prolongeait ainsi son amitié pour Ardahel.

Une fois sur Noiras, Eldwen entendit un glapissement joyeux. Elle sentit Renard sauter devant elle pour l'accompagner. L'aveugle le prit dans ses bras, réconfortée par sa présence.

– Où étais-tu durant toutes ces années, cher Renard ?

Ce fut Ogi qui lui répondit avant de donner le signal du départ.

– Il n'était jamais très loin de toi. Renard est un excellent observateur, discret et efficace, qui me rapporte tout ce dont il est témoin. Grâce à lui, je sais tout ce que tu as fait. Même sur le chemin qui t'a conduite à Almé.

– Renard ! Mon ami, ainsi tu étais l'espion du Guide ?

Il y avait à la fois de l'amusement et de la déception dans la voix d'Eldwen qui continua à caresser le petit animal dans ses bras. Une autre fois, Ogi se fit le porte-parole de Renard.

– Ton ami, fillette... Seulement ton ami. Renard t'aime et il a veillé sur toi de la manière dont je le lui ai demandé. Allez, maintenant partons. Tu as grandement besoin de refaire tes forces, car tu as encore beaucoup à accomplir.

Durant toute la nuit et la journée suivant sa victoire sur le Santerrian, l'Empereur Kurak avait fait progresser son armée sans lui accorder de répit. Les quelques poches de résistance des Mauserans avaient été éliminées sans même ralentir ; l'armée de Del Afrenaie était en totale déroute. Le soir, l'Akares avait ordonné une halte ; ses troupes se trouvaient à moins de deux jours de marche d'un affluent du fleuve Mauld, dans la région où se chevauchent les limites des Pays de Mauser, de Gueld et du Kalar Dhun. Avec la pression des Scasudens du Chef de guerre Sudan qui descendaient de la Mi-Nuit, Kurak prévoyait que des affrontements majeurs se préparaient.

La température clémente permettait de dormir à la belle étoile, ce que la majorité des guerriers firent cette nuit-là. Des abris temporaires en toile avaient été dressés pour Kurak et ses principaux officiers. Cependant, l'Empereur avait décidé de rencontrer ses troupes et de dormir avec les guerriers. Il avait passé toute la soirée à se rendre d'un feu de camp à l'autre pour saluer les combattants, les féliciter et les encourager. Belgaice était demeurée dans la tente destinée à Kurak. Ses tâches de coordination accomplies, elle s'enferma dans la plus stricte intimité après avoir donné l'ordre de n'être dérangée sous aucun prétexte.

La tente circulaire était relativement grande, d'une dizaine de jambés de diamètre, avec un lit de camp au centre. De lourdes toiles pouvaient être refermées tout autour, créant ainsi un espace plus petit et très intime. Belgaice alluma une lampe minuscule, juste suffisante pour distinguer ce qu'elle faisait. Elle tira les toiles pour ensuite s'installer à genoux sur le lit où elle avait déposé l'épée noire de Kurak. La Cahanne prit l'arme, la sortit du fourreau et la plaça à la verticale devant elle, le manche sur les draps et la pointe vers le ciel. Elle avait les deux mains derrière la lame sombre au travers de laquelle il lui semblait contempler un vide infini. Elle demeura immobile dans cette position, concentrée au maximum, jusqu'à ce qu'elle perçoive une présence. L'arme de Kurak devenait une sorte d'ouverture, de brèche dans l'espace qui s'ouvrait sur le domaine de Vorgrar.

Indéfinissable, sans être précise, la présence de Vorgrar ne faisait aucun doute. Il s'adressa à Belgaice, servante dévouée qui communiquait de cette manière avec son maître dans les moments les plus importants.

– J'ai ressenti une immense joie autour de vous, fit la voix douce et envoûtante.

– Ce fut un grand jour, confirma la Cahanne. Kurak a affronté le Santerrian. Il l'a vaincu... Vous l'avez vaincu ensemble.

– Je sais. Toute ma puissance accompagnait Kurak. Raconte-moi maintenant ce que je ne pouvais voir de mes yeux.

Belgaice fit le récit du combat ; elle donna tous les détails des gestes de Kurak.

– Après sa victoire, il s'est emparé des Cassettes et des Fioles qui paraissent être celles que vous recherchez.

La joie de Vorgrar fut si intense que Belgaice la ressentit clairement et la partagea.

– Nous maîtrisons enfin les Forces du Feu, de l'Air et de l'Eau ! Nos armées sont invincibles. Que Kurak en fasse usage pour raser les défenses de ceux qui s'opposent à nous. Même le Gueldroc n'est plus qu'un fragile château de sable désormais. Cependant, je lui interdis de toucher aux Fioles que le Santerrian possédait.

Confusément, Belgaice ressentit que Vorgrar aurait préféré posséder en mains propres les Cassettes et les Fioles. Elles devaient faire partie d'un ensemble d'une dimension fabuleuse. Elle n'eut pas le temps d'y penser, car les questions se poursuivaient.

– L'aveugle qui accompagnait le Santerrian ? A-t-elle été exécutée à ce moment ?

– Non, Maître. Kurak l'a épargnée ; elle était si pitoyable... si inutile...

– Ce fut une erreur de lui laisser la vie. Il fallait lui trancher la tête à elle aussi ! Qu'on envoie des troupes à sa recherche pour la capturer et l'éliminer. Ou plutôt, puisqu'il en est ainsi, qu'on la garde vivante pour me la livrer poings et pieds liés ! Tu en profiteras pour me faire porter les quatre Fioles. Je les veux.

La lame de l'épée redevint noire. Belgaice la remit dans son fourreau ; ensuite, elle replaça tout en ordre dans la tente afin que Kurak ne soupçonne toujours pas que sa maîtresse disposait de ce contact privilégié avec Vorgrar.

Avant de se coucher, Belgaice fit venir un officier qu'elle savait fiable et dévoué tout autant à elle qu'à Kurak.

– Prends un détachement de cavaliers avec toi. Vous retournerez sur le champ de bataille, et de là, vous ferez enquête partout en Pays de Mauser pour retrouver l'aveugle. Tu feras couper les têtes de ceux qui ne te donnent pas de réponse jusqu'à ce que la terreur incite les Mauserans à te la livrer. Lorsqu'elle sera en ton pouvoir, j'aurai d'autres instructions pour toi... et une récompense digne de ta réussite.

L'officier s'inclina devant la Cahanne. Il se retira en songeant que la récompense mentionnée pourrait bien se transformer en un châtiment sévère en cas d'échec.

Dès les premières lueurs de l'aube, Kurak se leva. Il partagea un solide repas avec des guerriers originaires d'Akar et de Cahan. Bien que les Akares composaient la forte majorité des troupes, des mercenaires d'autres peuples étaient venus grossir les rangs de l'armée. Ils se mêlaient ensemble assez facilement, particulièrement ceux qui se proclamaient sujets de la Reine Belgaice de la Terre Cahan et compagne officieuse de l'Empereur.

Même s'il gardait une certaine distance, Kurak savait se faire apprécier. À défaut d'entretenir de la familiarité avec ses soldats comme le faisaient plusieurs de ses hauts officiers, il jouissait d'un profond respect et d'une admiration réelle. Il savait que sa présence était considérée comme un honneur, beaucoup plus qu'un plaisir. Néanmoins, il salua avec entrain ceux avec qui il avait partagé le bivouac pour la nuit. Des acclamations sincères lui répondirent. L'Akares lança alors son cheval au galop vers une butte voisine d'où il pouvait regarder l'armée s'éveiller et se préparer au départ.

Un moment seul, Kurak laissa vagabonder son esprit. Comme chaque fois, ses pensées furent pour Beldouse.

« Ah ! si tous ces guerriers avaient pour moi un amour comparable au tien, pensa l'Akares. Mais non ! Cela ne se peut pas ; cela ne se doit pas. Si cela était, comment risquerais-je d'en perdre un seul sur le champ de bataille ? Surtout, ils sont dans un monde et toi dans l'autre ; deux univers qui ne se rejoignent pas, qui ne doivent jamais se toucher. Il n'y a que moi qui passe de l'un à l'autre, de cette laideur immonde à ta beauté sublime. »

Le regard perdu dans le vague, Kurak se mit à imaginer comment et pourquoi il pourrait s'éloigner quelques jours de son armée afin de passer, ne serait-ce qu'une heure, avec Beldouse bien à l'abri sur le navire où elle l'attendait secrètement. L'Akares se remémorait chaque détail des cartes qu'il possédait des Pays du Levant. Soudain, il eut une inspiration.

Son armée venait de remonter le fleuve Caubal jusqu'à sa source. Elle devait maintenant traverser un paysage de collines et de forêts jusqu'à la source du fleuve Mauld d'où il se rendrait jusqu'au Gueldroc. S'il redescendait le Caubal, il pourrait repartir avec sa flotte pour contourner tout le Pays de Mauser par la Mer du Levant pour ensuite remonter le Mauld. Il aboutirait au même endroit avec ses navires dont les flancs étaient encore lourds des nombreuses armes développées selon les plans de Vorgrar. Une telle manœuvre de sa part se justifiait donc pleinement, car il pourrait ainsi disposer de nouvelles machines de guerre pour livrer combat aux Gueldans et aux Kalardhins. De plus, lui seul pouvait contrôler les Forces de l'Air et celles de l'Eau afin que les navires parcourent cette distance en un temps record. Il lui fallait donc être à bord de ses bateaux parmi lesquels se trouvait celui de Beldouse.

Plus Kurak soupesait la situation, plus il s'enthousiasmait. Sa ruse pour revoir Beldouse se transformait en une solide tactique militaire. Il perdrait au maximum une semaine avant d'investir le Pays de Gueld, mais cela ne serait que reculer pour mieux sauter. Par la même occasion, il pourrait s'accorder tellement d'heures avec celle qu'il aimait tant. Le plus appréciable dans son stratagème était que Belgaice resterait avec l'armée pour la diriger en son nom, preuve exemplaire de la confiance qu'il accordait à la fidèle servante de Vorgrar !

Un large sourire de satisfaction éclaira le visage de l'Empereur. Il était en train de cueillir le Monde d'Ici comme un fruit mûr. En prime, il découvrait le bonheur.

✧ ✧ ✧

Dans une minuscule cabane perdue dans la forêt, Eldwen dormait profondément. Ils étaient arrivés au plus noir de la nuit. Ogi avait forcé l'aveugle à avaler un repas soutenant et à boire un breuvage fortifiant de sa composition. Il contenait aussi un puissant somnifère qui la plongea dans un sommeil que le Guide souhaitait des plus réparateurs.

Pendant qu'elle dormait, le Guide fit sa toilette. Il la changea de vêtements pour faire brûler ceux pleins du sang d'Ardahel. Il s'occupa aussi des chevaux avant de se permettre à son tour un peu de repos. Parfois, en s'affairant dans l'unique pièce de son refuge, il s'adressait à Renard qui était lové contre Eldwen dans le lit. Ses propos révélaient alors tout l'attachement et toute l'importance qu'il accordait à cette femme qu'il jugeait exceptionnelle. Pourtant, il persistait à lui donner le nom de fillette, avec l'affection d'un père ou d'une mère.

– Tu vois, Renard, Hunil Ahos Nuhel n'a jamais mesuré tout ce dont il a privé sa fille unique. Même les plus sages qui croient bien agir se trompent souvent. Allez, je vais dormir un peu sur le plancher ; si notre fillette s'éveille avant moi, tu me feras signe immédiatement.

Renard acquiesça d'un mouvement de la tête qu'il posa ensuite sur la jeune femme endormie. Le silence se fit ; Eldwen dormit toute la journée et toute la nuit suivante, veillée par Ogi et par Renard.

Lorsque les rayons du soleil pénétrèrent dans la cabane, annonçant une nouvelle journée, Eldwen fut la première à s'éveiller. Elle demeura parfaitement immobile, les idées encore toutes embrouillées. Physiquement, elle se sentait bien. Son esprit redevint clair, lui permettant lentement de replacer les récents événements dans l'ordre. Les souffles réguliers des respirations de Renard tout près d'elle et d'Ogi un peu plus loin la réconfortèrent. Le cœur lourd, elle repensa à Ardahel ; des larmes coulèrent en silence sur ses joues. Tout à coup, elle prit conscience qu'elle portait de nouveaux vêtements.

Elle bougea pour les tâter, ce qui réveilla Renard qui s'empressa de lui donner quelques petits coups de langue sur le visage pour la saluer.

Eldwen lui rendit son salut en s'efforçant de sourire.

– Bonjour, Renard ! Ou peut-être est-ce encore la nuit ?

Réveillé à son tour, Ogi s'approcha.

– Bonjour, fillette. C'est effectivement le lever du jour. Je vais préparer le repas du matin... et ne proteste pas ! Tu dois refaire tes forces.

Vaincue avant même d'avoir parlé, Eldwen se contenta de s'asseoir dans le lit. Pendant que le Guide s'affairait, elle osa une question qu'elle avait toujours refoulée.

– J'aimerais savoir... Si cela est possible... Pourquoi avoir pris ma vue ?

– Parce que tu me l'as offerte.

Eldwen bafouilla, se sentant honteuse d'interroger Ogi.

– Je sais, mais... Je me suis toujours demandé... Était-ce vraiment nécessaire ? Je veux dire... Je me suis toujours demandé si tu n'avais pas un autre moyen de voir...

Le Guide s'approcha avec un gobelet de breuvage chaud qu'il donna à l'aveugle. Il prit le temps de s'asseoir sur le rebord du lit.

– Tu veux savoir si j'avais besoin de ta vue ? Non. Lorsque je disais ne pas voir, c'est tout simplement parce que nous étions dans l'obscurité. Je n'ai jamais été aveugle.

Ogi avait fait cette révélation sur un ton détaché, comme s'il s'agissait d'un détail sans importance. Eldwen devint livide. Ses yeux rougis se remplirent à nouveau de larmes et il lui semblait que son cœur se déchirait une nouvelle fois. Un mot s'échappa finalement de ses lèvres, à peine audible, douloureux.

– Pourquoi ?

– Pour que tu voies autre chose que ce que les yeux peuvent voir. Allez maintenant, bois !

Le Guide l'obligea à porter le gobelet à sa bouche. Il avait posé les mains sur celles de l'aveugle pour la diriger, mais aussi pour l'empêcher de renverser le breuvage tant Eldwen tremblait, bouleversée par l'attitude désinvolte d'Ogi. Elle but lentement le liquide chaud et épais, ressentant immédiatement son effet bienfaisant. Aucune colère ne montait en elle, car il lui était inconcevable d'avoir un tel sentiment envers son Guide. Toutefois, elle voulait qu'il justifie de l'avoir privée de sa vue durant toute sa vie.

– Est-ce que tu peux m'expliquer ? Est-ce que je peux comprendre ?

Ogi lui répondit avec un aplomb qui ne laissait aucune place au doute, ni à la remise en question. Il semblait décrire une évidence que personne ne pouvait songer à contredire.

– Pense un instant à tout ce que tu as accompli en Monde d'Ici. Pense à l'impact que tu as eu auprès de tant de gens. Pense aux moments si heureux que tu as vécus. Tout cela sans tes yeux, n'est-ce pas ? Maintenant, le sort du Monde d'Ici dépend de toi, Eldwen la Désignée. Pourrait-il être entre les mains d'une personne ordinaire qui voit le monde comme tous les autres ? Réponds-moi !

Eldwen baissa la tête comme une fillette prise en défaut par ses parents.

– Non... Tu as raison... comme toujours !

Satisfait de cette réponse, Ogi se releva pour aller terminer la préparation du repas. Eldwen se sentait dans une sorte d'état second, comme assommée par les mots de son Guide. Elle prit Renard dans ses bras pour le flatter et lui ébouriffer les poils du front comme il aimait tant. L'aveugle se courba pour approcher la bouche des oreilles de l'animal, pour lui parler en chuchotant ses confidences comme elle le faisait autrefois.

– Tu sais, Renard, je pense qu'il exagère un peu. Je suis juste une fillette ordinaire, moi. Je veux juste jouer un peu avec toi...

Tout en s'affairant, Ogi regardait avec bienveillance Eldwen confier ses doutes à Renard dans l'humble décor de cette cabane perdue dans les profondeurs de la forêt. Il n'y avait rien ici de majestueux à opposer aux puissances prodigieuses de Vorgrar. Pourtant, l'obligation de réussir à le vaincre constituait désormais leur seule raison de vivre.

Chapitre treizième
Abandons

Même si l'été approchait, il semblait qu'un air froid et humide s'acharnait à empêcher le retour des jours de chaleur. La pluie détrempait les routes du Pays de Santerre, les transformant en autant de désagréables parcours vaseux. Elle finissait par pénétrer les vêtements des voyageurs, les mouillant jusqu'aux os. Dans les haltes, les nouveaux arrivés s'agglutinaient autour des foyers pour se sécher. Ils discutaient de la situation, ajoutant leurs mauvaises nouvelles aux doutes qui s'exprimaient de plus en plus ouvertement à l'encontre du Roi Tocsand. Le pays était miné par une tension où se mêlaient le défaitisme et l'exaspération. De plus, l'arrestation du Prince Jeifil faisait jaser énormément. Il avait été conduit dans un petit appartement au troisième étage du Palais Royal après avoir été arrêté par les gardes royaux. Toute visite avait été interdite par le Roi, même celle d'un Sage ou d'un autre Prince. Depuis, il attendait de rencontrer Tocsand.

De retour au Temple du Roi et des Sages après une longue chevauchée aux limites des forces de sa monture du Nalahir, Tocsand s'était précipité aux appartements où Jeifil se trouvait confiné. Les gardes postés devant la porte virent arriver le Roi, sale et détrempé, les traits tirés, le regard mauvais. Ils lui ouvrirent en silence, n'osant même pas lui adresser de salutations tant le feu dans ses yeux était terrible. Le Prince était assis nonchalamment à une table, un plateau de fruits à portée de main. Frais rasé, les cheveux bien coiffés, portant de riches et confortables vêtements, il offrait un contraste saisissant avec son Roi qui revenait d'une désastreuse bataille.

Un sourire narquois flottait sur le visage de Jeifil. À l'extérieur, Tocsand n'avait pu ignorer la foule de ses partisans, sûrement plus d'une centaine malgré la pluie. Elle se tenait près du Palais Royal, le plus près possible de la fenêtre d'où le prisonnier pouvait les saluer à travers les barreaux qui avaient été installés pour la circonstance. Les Princes Rahilas et Gravelas se présentaient parfois pour soutenir leur ami et affirmer le droit de la foule de se réunir à cet endroit. Prudents, ils s'assuraient de calmer les ardeurs des plus bruyants afin d'éviter d'autres affrontements.

Un violent désir de tirer son arme pour frapper l'insolent Prince monta en Tocsand. La main sur le manche de son arme, mais sans la tirer du fourreau, il marcha lentement dans la pièce en se plaçant de l'autre côté de la table où Jeifil demeurait assis. Celui-ci continua à regarder son visiteur en souriant ; il tendit la main vers le plat pour y prendre un fruit et le croquer tranquillement.

Comme Tocsand ne parlait pas, le Prince s'étira pour pousser le plat de fruits dans sa direction. Il lui souriait toujours.

– Tu en veux ? Ils sont délicieux, fit le Prince.

Cette fois, Tocsand ne put se contenir. D'un geste vif, il tira son épée et il frappa le plat qui éclata en morceaux. Par réflexe, Jeifil s'était reculé sur sa chaise ; il se leva calmement, prit une pomme demeurée sur la table, puis il marcha sans hâte vers la fenêtre. Le Prince s'assit sur le rebord en ouvrant le volet. Des cris montèrent de la foule de ses partisans auxquels il répondit d'un petit geste de la main. Avec le même sourire ironique, il tourna la tête vers Tocsand. Il se tenait bien à la vue des gens au-dehors, assuré ainsi que le Roi n'oserait jamais faire un geste malheureux à son endroit.

En le regardant agir, Tocsand eut soudain une certitude. Le Prince Jeifil n'était qu'un irresponsable qui prenait plaisir à le défier, sans mesurer la réelle portée de ses gestes. Il était sans aucun doute manipulé habilement par quelqu'un d'autre qui demeurait en retrait. Jeifil ne devait même pas réaliser à quel point il était entraîné à son insu à jouer le jeu de la personne qui tirait les ficelles dans l'ombre. Imbu de lui-même, le Prince devait se sentir important, convaincu de son bon droit et de la justesse de ses propos.

Maintenant plus calme, Tocsand posa la pointe de son arme sur le sol pour la tenir droite devant lui, les deux mains sur la garde. À son tour, il eut un sourire méprisant.

– Tu me fais pitié, laissa tomber le Roi.

– Pitié ? Je vois mal pourquoi, répondit Jeifil.

– Le pire est que tu ne comprendrais même pas ! Tu es beaucoup trop préoccupé par ta seule personne.

– Au contraire, répliqua le Prince. Je suis ton prisonnier parce que j'ose défendre le point de vue des autres, que je me fais leur porte-parole.

– Excusez-moi, Prince Jeifil, je constate que vous êtes la victime vertueuse et innocente d'un Roi tellement méchant, railla Tocsand. Pourquoi ne profiteriez-vous pas de ce tête-à-tête pour exposer vos doléances, pauvre héros persécuté ?

La charge satirique de Tocsand déstabilisa un instant le Prince. Il se ressaisit en retournant la question à son Roi.

– N'est-ce pas à toi de préciser les motifs pour lesquels je suis retenu prisonnier, moi un Prince du Pays de Santerre ?

Cette fois, Tocsand durcit le ton. Il leva son arme et marcha lentement vers Jeifil.

– Toi, un Prince du Pays de Santerre ? Voilà un titre que tu ne mérites pas ! En effet, je t'accuse de haute trahison envers ton pays. Je t'accuse d'irresponsabilité qui coûte la vie à des milliers des plus valeureux défenseurs de ton pays. Dans quelques heures, la nouvelle de notre défaite devant les troupes d'Andrak parviendra au Temple. Ce fut un massacre parce que nous avons été trahis. L'ennemi nous attendait dans un piège grâce à la complicité d'un traître. Je t'accuse de participer à cette trahison. Je t'accuse en plus d'empêcher les forces de ton pays de s'unir pour être capable de vaincre l'ennemi. Je t'accuse d'avoir failli à tous les devoirs de ta charge de Prince en te préoccupant de tes intérêts personnels au détriment de ceux des gens de ton pays. Je t'accuse d'avoir les mains souillées du sang des gens de ta race, du Pays de Santerre, et de n'en avoir aucun remords.

Conscient que la foule regardait vers la fenêtre où se tenait le Prince, Tocsand avait bien pris soin de se tenir dans un angle qui ne permettait pas de l'apercevoir. Son arme menaçait Jeifil, mais elle aussi hors du champ de vision d'éventuels témoins.

– Quitte cette fenêtre immédiatement, et sans un geste vers les gens qui sont dehors !

Ébranlé par les accusations que le Roi venait de porter, Jeifil avait blêmi. Il regarda l'arme pointée vers lui, la panique dans les yeux. Soudain, il s'accrocha de toutes ses forces aux barreaux de la fenêtre et il se mit à hurler.

– À l'aide ! À l'aide ! Le Roi veut me tuer. Assassin ! Roi assassin ! À l'aide ! Au secours ! Je suis innocent !

Au même moment, la porte de l'appartement s'ouvrit. Un cri retentit.

– Non, Tocsand ! Ne fais rien !

MeilThimas s'engouffra dans la pièce. Elle courut vers Tocsand pour l'obliger à reculer et à tourner les yeux vers elle. Rarement elle avait vu une telle expression de rage dans le regard de son époux.

– J'ai été informée de ton retour. Pourquoi ne pas être venu vers moi d'abord ? Que s'est-il passé ? Tes vêtements sont couverts de sang ! Oublie un instant cette larve immonde et parle-moi !

Tocsand prit une longue inspiration. Tout en tenant d'une main son épée pointée vers Jeifil, il mit l'autre sur l'épaule de MeilThimas en s'efforçant de retrouver son calme.

– Nous avons tenté une attaque surprise pour détruire les machines de guerre des Akares. Ils avaient été prévenus par un traître et nous sommes tombés dans une embuscade. Ce fut un carnage. C'était un piège qui portait la signature de ce Jeifil.

Encore agrippé aux barreaux de la fenêtre, le Prince avait cessé de crier. Il se mit à pleurer nerveusement en niant les accusations du Roi.

– Non, c'est faux ! Je n'ai rien fait contre le Pays de Santerre.

Ce qui se passa alors se déroula si rapidement que Tocsand ne put rien éviter. Il se tenait debout avec MeilThimas collée contre lui, de trois quarts par rapport à la fenêtre où Jeifil cédait à la panique. Son épée était pointée vers le Prince, la poignée accotée contre sa hanche. Le Roi avait plongé ses yeux dans ceux de son épouse à la recherche de réconfort et de certitude quant aux gestes à poser. Le couple royal demeurait immobile, indécis, lorsque totalement affolé, Jeifil posa un geste désespéré. Il tira un couteau de sous ses vêtements ; d'un bond aussi inattendu que rapide, il se jeta sur son accusateur en brandissant son arme.

Instinctivement, en percevant le mouvement vers lui, Tocsand avait renforcé sa prise sur son arme. Jeifil s'empala de lui-même sur l'épée du Roi qui était bloquée contre sa hanche, l'empêchant ainsi de reculer ou d'amoindrir le coup. La lame autegentienne de Mailchord possédait un tranchant redoutable ; elle traversa le torse du Prince en ouvrant une large plaie de part en part. Dans un réflexe protecteur, Tocsand avait écarté MeilThimas tout en évitant le couteau de Jeifil.

Ceux qui entrèrent à ce moment dans la pièce virent la scène stupéfiante d'un Prince de Santerre s'écroulant sur le sol, le corps transpercé par l'arme que son Roi tenait encore dans ses mains. Il y avait Cordal l'Aînée et Laulane, la sœur de Tocsand, accompagnées par les Princes Rahilas et Gravelas, grands amis de Jeifil. Il y eut un moment de lourd silence et d'hésitation.

Laulane et les deux Princes se précipitèrent vers le corps inerte pour l'examiner.

– Il a été gagné par le Repos Éternel, constata Laulane. Que son âme soit en paix.

– Et qu'il partage le Festin d'Elhuï, murmurèrent les autres encore sous le choc.

– Il s'est jeté sur Tocsand, fit MeilThimas en s'adressant à Cordal. Il brandissait un couteau pour s'attaquer au Roi !

L'Aînée des Sages du Pays de Santerre demeura silencieuse. Son regard allait du corps de Jeifil à l'arme pleine de sang que Tocsand avait toujours à la main. Lorsqu'elle parla, sa voix se fit autoritaire et déterminée, sans qu'elle laisse paraître ses sentiments envers le Roi.

– Je demande une réunion immédiate de tous les Sages, Princes et Prétendants en ta présence, dans la Salle des Paroles. Toute personne qui le désire pourra écouter ce qui se dit et intervenir si cela est à propos.

Tocsand tourna son regard vers MeilThimas ; il lui adressa un signe d'approbation. Cette confrontation publique très rapide s'avérait le geste le plus sage. Ou bien le Roi rétablirait son autorité, ou alors il la remettrait aux deux Conseils, des Sages et des Princes.

Au même moment, à l'autre extrémité du Lentremers, en Pays de Gueld, le Roi Loruel se dirigeait lentement vers la salle du palais où se trouvait le Trône Argenté. La Reine Lowen marchait avec son époux en le tenant par la taille. Ils s'y rendaient pour une rencontre avec les Nobles de l'Assemblée de Gueld et les Chefs de guerre ; à cette occasion, ils décideraient s'il fallait se regrouper au Gueldroc.

Malgré l'importance des débats à venir, Loruel avait l'esprit ailleurs. Le cœur serré, les yeux rougis d'avoir pleuré, le Roi ne pouvait que repenser à la nouvelle inconcevable que l'Oiselien venait de lui communiquer. Son ami le plus précieux en Monde d'Ici, son frère par l'échange de leur sang, son compagnon extraordinaire des combats d'autrefois, Ardahel avait été terrassé par Kurak, leur ennemi d'aujourd'hui.

Le couple royal arriva devant la porte qui lui donnait accès à la salle. Loruel s'arrêta, incapable encore d'y pénétrer.

– C'est une cause perdue, soupira le Roi.

Lowen aussi était triste, mais elle n'acceptait pas le défaitisme de son époux.

– Le Gueldroc est solide. Le peuple Gueldan y a trouvé refuge dans les pires moments de son histoire. Chaque fois, il en est ressorti plus fort, plus uni et plus libre.

– Je sais, répliqua Loruel. Mais cette fois, l'ennemi dispose de toute la puissance de Vorgrar. L'Oiselien m'a raconté comment les Akares ont mis les armées de Del Afrenaie en déroute sans subir la moindre perte. Seul le Santerrian pouvait se dresser devant eux et Kurak l'a vaincu. Bientôt, les Scasudens vont se joindre aux Akares. Ce sera encore la guerre en Pays de Gueld, les massacres, les privations, les horreurs...

Loruel mit les mains de chaque côté du visage de Lowen en l'attirant vers lui pour poser son front contre le sien et lui parler doucement. Il murmurait ses mots, comme s'ils étaient trop effrayants pour les prononcer à haute voix.

– Nous avons tant travaillé à bâtir la paix, à effacer l'héritage de la guerre. Je ne me sens pas capable de plonger tous ces gens dans l'horreur des combats.

– Qu'as-tu donc en tête ? s'inquiéta Lowen.

– Je voudrais négocier une reddition avec Kurak afin d'éviter la guerre...

La Reine de Gueld était stupéfiée. De toutes les possibilités qu'ils avaient envisagées, il n'avait jamais été question de celle-ci. Déposer les armes avant même de les avoir levées ?

– Nous serons vaincus, poursuivit Loruel. Les survivants seront alors dépossédés de leurs biens et de leur pouvoir. Alors qu'en négociant, nous pourrons conserver nos institutions et ainsi l'essentiel de notre appartenance au pays.

– Tu abandonnerais mon frère Tornas au Kalar Dhun ainsi que nos alliés des autres Pays du Levant ? s'indigna Lowen en se reculant.

– Les abandonner ? Non ! Les convaincre de négocier avec moi afin d'épargner à nos peuples les souffrances de la guerre !

En évoquant les conflits, la Reine ne pouvait que repenser à sa jeunesse marquée par la terreur et les privations, cachée dans les cavernes du Kalar Dhun. Elle songea aux déchirements que le désespoir fait naître entre les proches, comme cette traîtrise de sa tante TuorDern contre son propre frère ErDern Beg qui avait permis aux Sorvaks de découvrir la cachette de son Clan, puis de le massacrer. La Reine se remémora les épisodes douloureux de la victoire sur les Sorvaks tout au long de ce qu'on surnommait l'*été de sang* et l'*automne de feu*, alors que Loruel avait commandé les armées de l'Alliance. Elle savait qu'il avait vu tomber tant d'amis, de guerriers valeureux et aussi... Adrigal, qu'il aimait éperdument.

– Peut-être as-tu raison, soupira Lowen. Mais qui acceptera d'envisager cette solution ?

Loruel attira de nouveau son épouse contre lui pour la serrer dans ses bras. Il avait tant besoin de sa force en ce moment. Désormais, le Roi du Pays de Gueld n'entretenait plus aucun espoir de victoire devant l'avance des armées de Kurak.

La foule accourait pour se masser dans les gradins de la Salle des Paroles du Temple du Roi et des Sages. Ce qui venait d'arriver au Prince Jeifil s'ajoutait aux mauvaises nouvelles en provenance de la Région de la Baie. Même si la retenue était de mise dans cet endroit, le tumulte des conversations s'était vite transformé en clameur menaçante, alimentée par les partisans de Jeifil.

Le Trône d'Alahid, un simple banc de bois équarri à la hache et usé par le temps, était encore libre, car Tocsand n'était pas encore arrivé. Du côté cœur du Roi, plusieurs sièges vides du Conseil des Princes rappelaient qu'ils étaient tombés au combat ou qu'ils se trouvaient en première ligne, face aux envahisseurs Akares au Couchant et Sormens à la Mi-Nuit. Du côté raison du Roi, les sièges du Conseil des Sages étaient presque tous occupés. Dans le demi-cercle formé par les sièges, on voyait briller doucement la carte du Pays de Santerre peinte en or et en argent sur les dalles de marbre.

Au premier rang de la foule se tenaient les jumeaux Noakel et Eldguin. MeilThimas vint se joindre à eux, puis le Roi fit son entrée. Les conversations cessèrent, cédant la place à un silence pesant, menaçant. Tocsand portait encore ses vêtements de combat sales et maculés de sang. Il marcha vers le Trône en prenant bien soin de contourner la carte sur le sol, un ouvrage sur lequel personne ne devait jamais poser le pied. Toutefois, plutôt que de s'asseoir comme d'habitude, il demeura debout, face à la foule, le visage fermé, le regard froid.

Cordal l'Aînée prit immédiatement la parole.

– Roi Tocsand, Sages, Princes et Gens du Pays de Santerre, j'ai demandé la tenue de cette rencontre afin que tout ce qui doit être dit le soit ; que tout ce qui doit être éclairci le soit ; que tout ce qui doit être décidé le soit.

Le ton solennel de l'Aînée fit taire les derniers murmures. Elle jouissait d'un grand respect ; quelles que soient les circonstances, elle imposait son autorité aux gens présents.

– Nous venons d'apprendre, poursuivit Cordal, que nos cavaliers ont subi une défaite cinglante sous tes ordres en Région de la Baie. Tu avais déjà retraité contre les Sormens qui progressent toujours dans la Région des Métiers. En arrivant ici, tu es allé directement rencontrer le Prince Jeifil qui était retenu prisonnier selon tes ordres. Lorsque nous sommes arrivés, nous l'avons vu s'écrouler au sol, ton épée lui transperçant le corps. Juste avant, il avait crié par la fenêtre que tu voulais l'attaquer. Tu comprends, Roi Tocsand, que nous ayons besoin de t'entendre.

Pour écouter la Sage, Tocsand se tenait debout, les bras croisés, les jambes légèrement écartées. Il répondit d'abord sans bouger, puis il s'anima, ponctuant ses paroles par des gestes de ses mains qu'il fermait souvent pour serrer les poings fortement.

– Face aux Sormens, le Prince Tiras a devancé mes ordres pour se lancer à l'attaque. J'ai tenté de l'arrêter, mais en vain. J'en accepte malgré tout le blâme ; la défaite était due à une mauvaise décision contre un adversaire plus puissant. Cependant, en Région de la Baie, nous avons été trahis ; l'ennemi nous avait tendu un piège parce qu'il avait été averti de notre stratégie. Quant au Prince Jeifil, il a lui-même provoqué les événements qui le concernent.

Tocsand donna sa version des faits avec le sentiment d'informer les Sages et les Princes. Toutefois, il ressembla rapidement à un accusé qui tente d'assurer sa défense. Tour à tour, des Sages et des Princes se levèrent pour le questionner, demandant au début de légitimes éclaircissements sur la situation, puis passant progressivement à des interprétations de plus en plus subjectives.

L'un des vieux Sages, Geneu le Baïhar, eut un commentaire qui insulta Tocsand.

– Tu rejettes facilement toute responsabilité sur les autres, affirma le Sage. N'y aurait-il pas d'erreurs que tu doives admettre parfois ?

Tocsand blêmit en serrant les poings. Comment un Sage pouvait-il ainsi aviver le doute alors qu'il fallait l'écarter des esprits ! Des disciples de Jeifil n'attendaient que ce moment pour se manifester. Un jeune Culter, l'air arrogant, se détacha de la foule. Il s'avança jusque devant la carte du Pays de

Santerre, signifiant ainsi qu'il voulait prendre la parole, car c'était un droit jalousement respecté pour chaque personne de pouvoir faire valoir son point de vue.

– J'étais sous la fenêtre de la prison du Prince Jeifil ; je l'ai bien entendu crier. Il appelait à l'aide en affirmant que le Roi tentait de le tuer bien qu'il soit innocent. Ses derniers mots ont été pour dire que Tocsand est un assassin. Un Roi assassin !

D'autres cris fusèrent de la foule pour appuyer celui qui venait de parler. Cette fois, il s'agissait d'accusations directes qui reprenaient les idées sur lesquelles Jeifil aimait insister.

– Notre Roi baladin n'a-t-il que de belles paroles pour défendre le pays ? fit une voix.

– A-t-il fait un pacte secret avec la mystérieuse Race de son épouse ? lança une autre.

– Qu'on apprenne au moins qui est vraiment l'étrangère MeilThimas ! cria quelqu'un avec hargne. Le Roi Tocsand a toujours fait croire qu'elle venait d'un Pays du Levant, mais le Prince Jeifil a bien vu que cela était faux. Des faits nous sont cachés !

La Sage Cordal se leva, les bras tendus bien haut, pour tenter d'apaiser les esprits. Les propos désobligeants se poursuivaient envers MeilThimas ; d'autres disciples de Jeifil reprenaient les accusations du Prince. Un désordre comme il ne s'en était jamais vu régnait maintenant dans la Salle des Paroles.

– Assez ! cria soudain l'Aînée.

Cette fois, le silence se fit. La Sage tenta de reprendre le contrôle de la situation.

– Nous avons entendu les propos du Roi Tocsand ; nous savons qu'il dit vrai. Pour l'avenir du Pays de Santerre, il importe maintenant de cesser ces propos qui nous divisent. Que tous se lèvent et affirment leur loyauté.

Cordal s'apprêtait à prononcer encore une fois les paroles rituelles. Elle regarda autour d'elle pour constater qu'aucun

Prince ni aucun Sage n'osait se lever le premier. Toujours debout, épuisé, humilié, Tocsand serra si fort les poings que des blessures mal soignées de la veille se remirent à saigner.

Sans un mot, Tocsand quitta sa place. Il avança droit devant lui, sans prendre le soin de contourner la précieuse carte de Santerre peinte sur le dallage. Geste de mépris pour les uns, de défi pour les autres, geste d'abandon de la part d'un Roi blessé, il suscita un silence scandalisé dans l'assistance. Sans montrer la moindre émotion, Tocsand se dirigea directement vers la foule qui se retira de son chemin, lui laissant le passage libre. Sur le sol, les gens virent qu'il laissait une traînée de sang derrière lui ; la ligne de gouttes rouges partait du Trône d'Alahid, pour ensuite passer de part en part de la carte du Pays de Santerre. Le sang que le Roi versait pour les siens.

Une fois à l'extérieur, Tocsand se dirigea vers les écuries du Temple. MeilThimas, Noakel et Eldguin le suivirent sans oser lui adresser la parole tant son regard brûlait de rage contenue. Ce n'est que lorsqu'il s'approcha d'Aurac la Dorée qu'il desserra les dents un instant.

– Tu n'as pas eu le temps de te reposer et je vais te demander un nouvel effort, fit le Roi à l'intention de sa monture du Nalahir.

– Où allons-nous ? demanda sèchement MeilThimas.

Le ton de l'Autegentienne sembla tirer Tocsand de ses sombres pensées. Il se tourna vers son épouse et les jumeaux.

– Pardonnez-moi, soupira Tocsand, je veux quitter cet endroit au plus vite. Je vous propose d'aller nous reposer un moment à l'auberge de Bober. Je suis tellement fatigué...

MeilThimas s'approcha pour réconforter son compagnon.

– Ne disons rien pour l'instant, recommanda MeilThimas. Nous en reparlons après un bon repos. D'ici là, apprécie la présence de ceux qui t'aiment.

– Et qui te seront toujours loyaux, ajouta Eldguin.

Retenant de son mieux ses larmes, Tocsand donna l'accolade aux jumeaux, puis il serra longuement MeilThimas contre lui. Enfin, ils prirent leurs montures pour quitter le Temple du Roi et des Sages. Même pour les chevaux du Nalahir, ils avaient encore deux ou trois heures de chevauchée devant eux.

Dans la Salle des Paroles, Cordal l'Aînée fixa un long moment le sang du Roi sur la carte du Pays de Santerre. Depuis le départ de Tocsand, les murmures montaient de la foule, certains gênés, d'autres ironiques et satisfaits. Sur leurs sièges, aucun Prince ni Sage n'avait encore bougé ; le premier à le faire fut Golbur. Le regard triste, il s'approcha de Cordal.

– Je crains que l'ennemi ne vienne de remporter une grande victoire, murmura le Sage.

– Une très grande victoire, renchérit l'Aînée. Si un Roi de la trempe de Tocsand abandonne le combat, tout espoir devient illusoire pour le Pays de Santerre.

L'un après l'autre, les membres des deux Conseils quittèrent leur place. C'était à Cordal d'assumer les charges du pouvoir lorsque le Roi était absent. Devait-elle le considérer ainsi, et pour combien de temps ? Définitivement ? Encore indécise quant à ce qu'il convenait de faire, elle se retira à son tour sans répondre aux questions que posaient les gens de la foule. Les prochaines discussions se tiendraient en privé.

Les cavaliers arrivèrent à l'auberge de Bober alors qu'une autre soirée pluvieuse s'achevait. Le temps était sombre, la pluie froide ; bêtes et cavaliers étaient fourbus.

Bober accueillit avec surprise les quatre nouveaux venus.

– Roi Tocsand, MeilThimas, Noakel et Eldguin ! s'exclama le pittoresque aubergiste. Quel bon vent vous amène ?

– Plutôt un mauvais orage, railla Tocsand. Mais nous parlerons de cela demain. Fais préparer de bons bains chauds ainsi que ton meilleur repas du soir. Nous sommes sales, fatigués et affamés.

– Vous êtes venus au meilleur endroit pour vous restaurer et vous reposer, affirma Bober.

Tandis que les voyageurs se lavaient, l'aubergiste déclara aux clients qu'il fermait son établissement, les renvoyant à leurs maisons ou à leurs chambres pour la nuit. Il fit cuisiner de bons repas pour ses hôtes qui vinrent finalement prendre place à une table en sa compagnie dans la grande salle de l'auberge maintenant déserte. Durant tout le repas, Tocsand simula l'enthousiasme, se montrant enjoué d'une manière qui ne dupait personne. Il se mit à commander de la bière sans arrêt, vidant sa chope à toute vitesse. Il parlait fort, riant avec excès à ses propres blagues ou à celles de Bober.

Attristée, MeilThimas regardait son époux s'enivrer. Elle eut l'idée de le retenir, mais elle laissa aller. Tocsand ne faisait jamais cela. Ce soir, il avait besoin de s'évader, de quitter son rôle de Roi du Pays de Santerre. Heureusement, elle n'eut pas à attendre très longtemps avant que son compagnon ne vacille au point de s'endormir sur son banc. Aidée par Noakel, l'Autegentienne réussit à le guider jusqu'à sa chambre.

Tocsand se laissa tomber lourdement sur le lit, à peine conscient. Lorsqu'il fut seul avec MeilThimas, son regard se fit plus lucide.

– Pardonne-moi, mon amour ! Pardonne-moi d'être ainsi et de te faire souffrir, implora Tocsand. J'ai tellement mal...

D'autres mots se bousculèrent sur ses lèvres, complètement inaudibles. Le Roi s'accrocha à son épouse et se mit à sangloter. MeilThimas le serra contre elle encore plus fort, puis elle lui caressa le visage et la tête, passant et repassant doucement ses mains dans ses cheveux jusqu'à ce qu'enfin Tocsand s'endorme profondément. Quelques jours auparavant, l'Autegentienne était prête à se rendre sur les champs de bataille avec son époux ; maintenant, elle n'avait que le goût de partir pour l'Augenterie en amenant avec elle ce Roi que les Sages et les Princes de Santerre ne méritaient pas selon elle.

Chapitre quatorzième

Autoritaire

Lorsque Eldwen sortit à l'extérieur, elle constata qu'il faisait beau. Le soleil du matin éveillait les sons, les odeurs et les sensations de la forêt que l'aveugle appréciait tellement. Elle pensa à Ardahel avec qui elle aurait aimé partager ce moment ; des larmes montèrent à ses yeux, puis elles coulèrent sur ses joues. D'un coup de langue, Renard les chassa. Eldwen tenait l'animal dans ses bras et elle ne put s'empêcher de lui adresser un sourire triste pour l'approuver.

– Tu as bien raison, Renard, chuchota-t-elle. Je pleurerai Ardahel plus tard...

Le pas des chevaux fit se retourner Eldwen. Elle entendit Ogi faire approcher CrinBlanc et Noiras. Rapidement, elle prit place sur sa monture, heureuse de la présence de cet ami puissant et merveilleux. Elle nota que l'avant de la selle avait été modifié.

– C'est pour Renard, expliqua Ogi. Vous aurez plus de confort durant les longs trajets.

Le Guide décrivit aussi à Eldwen les habits qu'elle portait maintenant. Elle était vêtue de la même manière que lui, avec la même bure à la fois sobre et précieuse, tissée de fils argentés, dorés et d'un bronze verdâtre qui dessinaient un motif complexe. L'aveugle portait aussi une cape d'un ton plus sombre dont le capuchon cachait presque toute la tête et le visage. Elle était assise sur sa monture noire et lui sur son cheval blanc, ils paraissaient si semblables tout en offrant un contraste saisissant. Plus surprenant encore, le seul des deux cavaliers à porter une arme était aveugle. Eldwen avait à la taille le ceinturon et le fourreau avec le Glaive Nouveau d'Ardahel.

Maintenant qu'ils étaient prêts à partir, Eldwen attendait le signal du départ.

– Vers quel endroit allons-nous ?

– Je l'ignore, répondit Ogi. C'est toi qui connais le chemin.

– Quoi ? s'exclama Eldwen, incrédule. Tu crois que je sais où aller ?

– Bien sûr, fit Ogi avec assurance. Tu es Eldwen la Désignée. Indique vers où se rendre et je te guiderai ; tel est ton rôle, tel est le mien.

Une protestation monta aux lèvres de l'aveugle, mais encore abasourdie, elle la retint. Comment pouvait-elle indiquer le chemin ? Elle ignorait quoi faire et où se rendre. Pourtant, si Ogi lui disait cela, c'est qu'elle devait effectivement agir ainsi. Un point, c'est tout. Comme il ne servait à rien d'argumenter avec son Guide, elle s'efforça de réfléchir. Les idées tourbillonnaient dans sa tête. Les enseignements reçus sur le Chemin lui revenaient par bribes à la mémoire ainsi que les paroles d'Almé avec leurs calmes certitudes. À force d'y penser, elle se sentit vaincue par l'évidence. Il lui revenait de déterminer la direction à prendre. Or, pour se décider, il lui fallait avoir une idée exacte des actions à entreprendre. Le but ultime de leur parcours vint orienter sa réflexion.

– Peux-tu me conduire directement à Vorgrar ? demanda Eldwen.

– Malheureusement non, répondit Ogi. J'ai appris à quel endroit il se cache. Du moins, je le crois sans en avoir la certitude. Vorgrar serait dans une forteresse sur une île près du Pays d'Akar, là d'où vient l'Empereur Kurak. Pour s'y rendre, il faudrait trouver un solide navire et entreprendre une longue navigation. Sans la Cassette des Forces de l'Air pour gonfler les voiles, un bateau en partance des rives de la Mer du Levant en aurait pour des semaines avant d'arriver. Nous n'avons pas ce temps ; d'ici une semaine, Kurak sera prêt à livrer les batailles décisives et je crains fort que la situation ne soit encore pire en Pays de Santerre. Tu n'as que quelques jours devant toi, fillette !

Il y avait une fatalité dans sa voix qu'Ogi cherchait à dissimuler. Surtout, Eldwen sentit un scepticisme qui la piqua au vif. Comment ? Son Guide doutait ! Elle trouverait bien la route à suivre.

– Alors, si la route est trop longue *sur* les mers, il faut passer *sous* les eaux ! s'exclama Eldwen. Vorgrar et ses alliés possèdent les Cassettes des Puissances de l'Eau, de l'Air et du Feu. Mais la Terre ! Voilà notre espoir Ogi ; la Terre est notre alliée contre Vorgrar.

Un nouvel enthousiasme gagna Eldwen.

– Il y a un Peuple dans le Lentremers qui peut nous aider, enchaîna la jeune femme. Une Race qui va nous aider ! Conduis-nous à une entrée du Taslande !

Sur le coup, Ogi se méprit sur les intentions de l'aveugle.

– Ignores-tu que le Peuple Fouisseur n'existe plus ? demanda le Guide. Il n'y a plus de Tanês qui vivent en Taslande...

– Je ne veux pas retrouver de Tanês, répliqua Eldwen. Je veux rencontrer le Grand Conseil du Peuple Alisan. Ils sont les derniers dépositaires du savoir du Peuple Fouisseur ; voilà pourquoi ils veillent sur leur domaine même s'il est abandonné.

Ogi eut un large sourire ; Eldwen commençait à accomplir son destin. Enfin... Malgré tout, il eut un instant d'appréhension ; elle n'avait pas droit à l'erreur. Au moment où le temps était si précieux, l'aveugle entreprenait une chevauchée de près de deux jours à partir de l'endroit où ils se trouvaient jusqu'à l'entrée du Taslande. Et ensuite, il faudrait traverser le domaine souterrain durant deux ou trois autres jours pour arriver au Plateau des Alisans. Ils seraient alors encore à des milliers de miljies de Vorgrar.

Le Guide regarda le ciel pour s'orienter avant de partir. Il en profita pour supplier Elhuï de les assister.

Pendant que les armées de Kurak renforçaient leur emprise sur le Lentremers, pendant que les Sormens et les Scasudens progressaient à toute allure vers leurs objectifs, pendant que les Rois des Pays de Santerre et de Gueld songeaient à baisser les bras devant l'ennemi, une aveugle et son Guide chevauchaient en direction du Taslande.

Toute la journée, ils ne s'accordèrent presque aucun repos, poussant leurs montures du Nalahir aux limites du raisonnable. Tels une ombre noire et un éclat immaculé, Noiras et CrinBlanc traversaient forêts, plaines et vallées, contournaient les collines et franchissaient les cours d'eau à la Mi-Jour du Kalar Dhun, juste à la limite des grands boisés du Pays de Coubaliser.

Le soir venu, au moment d'enlever les selles des chevaux épuisés, Eldwen leur demanda s'ils pouvaient encore couvrir une certaine distance durant la nuit. Noiras et CrinBlanc s'ébrouèrent comme pour se consulter, puis ils donnèrent leur approbation. Ils se trouvaient sur de hauts plateaux herbeux que la lune éclairait avec force. Une chevauchée de nuit s'avérait possible et ils reprirent la route encore quelques heures. Parvenus à la lisière de la forêt qui s'étendait jusqu'aux contreforts des Montagnes Interdites, bêtes et cavaliers firent la première halte véritable pour dormir jusqu'au lever du soleil.

De nouveau, la folle chevauchée se poursuivit durant tout l'avant-mi-jour, d'abord dans la forêt, puis dans les montagnes. En fin de journée, ils arrivèrent à l'endroit que recherchait Ogi. Il y avait un petit défilé menant à une sorte de grande faille qui semblait avoir été taillé dans la roche par une épée gigantesque. Un ruisseau serpentait entre deux falaises, de grises et monotones parois rocheuses d'une soixantaine de tails. Les cavaliers suivirent le petit cours d'eau jusqu'à un coude où le Guide s'arrêta. Il n'y avait rien de particulier à noter, sinon que la courbe du défilé était telle que la vue ne portait qu'à une très courte distance et qu'au-dessus d'eux, l'inclinaison des pentes paraissait forcée. Dans cette courbe prononcée, les sommets se touchaient presque, comme pour créer un lieu caché aux regards indiscrets.

Le Guide donna le signal de s'arrêter. Renard sauta immédiatement à terre, trop heureux de se dégourdir enfin les pattes.

– C'est ici ! fit Ogi laconiquement.

Il savait qu'il existait tout près un passage vers le Taslande, mais sans certitude quant à l'emplacement exact, et encore moins sur la façon d'y accéder. L'aveugle descendit de cheval et s'avança jusqu'à la paroi. Elle mit ses mains sur le mur de roche. Lentement, elle parcourut la surface avec les doigts en se déplaçant pour explorer ainsi les lieux. Elle ignorait ce qu'elle cherchait, mais elle demeurait attentive au moindre détail de la matière qu'elle touchait. Tout à coup, Eldwen sentit la présence de Renard à ses côtés.

– Cherche, toi aussi, ordonna-t-elle à l'animal. Aide-moi de ton flair !

Toujours sur son cheval, Ogi regardait l'aveugle scruter la paroi, suivie de l'animal qui reniflait partout. Plus le temps passait, plus il devenait perplexe. Soudain, Renard poussa un petit glapissement ; Eldwen s'immobilisa, puis elle se concentra sur l'endroit que son petit compagnon venait de lui indiquer.

– Ici ! fit-elle joyeusement. L'énergie dans la roche est différente. Je suis certaine que l'entrée est ici.

– Et comment y pénétrer ? fit Ogi d'une voix la plus neutre possible pour cacher son incrédulité.

Au lieu de répondre, l'aveugle se recula d'un pas pour réfléchir. Le Peuple Fouisseur faisait partie de la grande famille des Nains. Il fallait donc considérer les choses selon leur point de vue.

– Que vois-tu ? demanda-t-elle à Ogi.

– La paroi rocheuse tombe à pic sur le sol de cailloux, répondit Ogi. C'est un mur lisse sur toute sa hauteur et sur toute la largeur. Il n'y a rien à voir de particulier.

– Rien à voir, c'est normal. Il ne faut pas chercher à voir l'entrée, c'est justement ce que les Tanês cherchaient à éviter.

Eldwen s'approcha de nouveau de la paroi, mais cette fois en se mettant à genoux, le dos courbé, pour se trouver à la hauteur d'un Nain. Encore une fois, elle posa les mains sur la roche pour l'examiner du bout des doigts. L'aveugle se disait que s'il n'y avait rien à percevoir par la vue, il y avait certainement quelque chose à découvrir par un autre sens. Soudain, elle tressaillit de joie. Ses mouvements devinrent à la fois frénétiques et attentifs. Il y avait des marques dans la roche, trop régulières pour être naturelles, des marques invisibles aux regards, mais perceptibles pour le toucher si sensible d'une aveugle.

Les lignes formaient un motif complexe dont Eldwen découvrit rapidement la clef. Elles indiquaient deux emplacements précis où poser les mains. La jeune femme se concentra, puis elle poussa de toutes ses forces, le plus également possible aux deux endroits. Alors, un pan de rocher bascula pour découvrir une entrée qui s'enfonçait dans la montagne.

Intérieurement, Ogi poussa un soupir de soulagement et de satisfaction. Il sauta de cheval pour aller rejoindre Eldwen et Renard. Ensemble, ils pénétrèrent dans l'espace qui s'ouvrait devant eux. Un rapide examen des lieux leur permit de constater que les chevaux pourraient entrer eux aussi, pour les porter dans les couloirs qui s'enfonçaient dans les ténèbres. Par contre, encore fallait-il savoir quelle direction prendre !

– Il nous faut de la lumière pour avancer, fit remarquer Ogi. Lorsque nous aurons refermé l'ouverture, les chevaux ne verront plus rien. Or, il n'y a guère de bois à portée de main pour faire une provision de torches.

Eldwen demeura silencieuse ; rapidement, en explorant le contour de l'ouverture, elle trouva comment la refermer. Ils furent plongés dans la noirceur la plus opaque. Soudain, une petite flamme surgit du sol.

– J'ai reçu un cadeau de Migal, expliqua Eldwen. C'est une Volupienne, membre d'un peuple des cavernes. Cette cassette sert à réchauffer les voyageurs ; sa lumière doit suffire pour éviter les obstacles ?

– En effet, confirma le Guide. Dans une telle obscurité, une bien petite flamme procure un éclairage suffisant. Maintenant, quelle direction devons-nous prendre ?

L'aveugle fouilla un instant dans sa sabretache pour en tirer une pochette de cuir contenant des herbes qu'elle déposa sur la cassette. Aussitôt, elles se mirent à dégager de la fumée qui s'enfonça dans l'un des corridors souterrains devant eux, comme si elle était aspirée par un courant d'air imperceptible.

– Ces herbes volupiennes servent aux voyageurs des cavernes pour trouver leur chemin. Il s'agit de suivre la fumée.

– Compris, fillette ! s'exclama Ogi avec une pointe d'admiration. Je vais porter la cassette et passer le premier. Suis-moi !

Rapidement, le Guide confectionna une sorte de luminaire avec un long bâton au bout duquel il attacha une pierre plate sur laquelle il posa la cassette. Brandissant le tout devant lui, Ogi pouvait éclairer suffisamment le chemin pour avancer rapidement derrière la fumée volupienne. Une étrange chevauchée dans les entrailles des montagnes débuta alors ; durant des heures, les deux cavaliers s'engagèrent de plus en plus profondément en Taslande.

Dans cette partie de l'ancien domaine des Tanês, les chemins n'étaient en fait que des couloirs naturels à peine aménagés afin de pouvoir passer d'une grotte à une autre. Toutefois, les colonnes sculptées et les ornements sur les parois devenaient de plus en plus fréquents. Eldwen et Ogi découvraient les témoins de la splendeur passée du Taslande dans un décor époustouflant de bas-reliefs épiques, de colonnades travaillées à l'extrême, de sculptures monumentales entrelacées dans les stalagmites et les stalactites, ainsi que de dallages aux motifs complexes.

Le Guide décrivait les lieux à l'aveugle, sa voix trahissant souvent son émerveillement devant ces œuvres vouées à l'oubli. Soudain, le ton se fit inquiet.

– Je crois... bredouilla Ogi. Je pense que... nous sommes dans un cul-de-sac...

– Que veux-tu dire ?

– Le corridor se termine ici ! Devant nous, il se rétrécit rapidement et il finit à rien. Au-dessus, il se poursuit comme une sorte de puits minuscule qui se perd dans l'obscurité.

– Mais la fumée ? demanda Eldwen.

– Elle monte pour disparaître au-dessus de nos têtes. Il est impossible de la suivre encore.

– Alors, profitons-en pour nous reposer, fit Eldwen avec assurance. Il y a une solution, cela est évident. Il s'agit de la trouver.

Cavaliers et montures s'installèrent de leur mieux pour prendre un peu de repos. L'aveugle était si fatiguée qu'elle s'endormit immédiatement, bientôt imitée par Ogi. Par contre, Renard ne tenait pas en place. L'animal examinait les lieux, flairant le sol à la recherche d'une piste ou d'une issue possible. Malgré l'obscurité, il s'éloignait de plus en plus ; bientôt, les ténèbres l'avalèrent.

Eldwen fut la première à se réveiller. Elle avait dû dormir plusieurs heures, car elle se sentait bien reposée. Par contre, elle frissonna ; l'air commençait à être froid et humide. Cela la surprit puisque la cassette volupienne devait justement leur procurer de la chaleur. Elle chercha la présence de Renard qu'elle souhaitait serrer contre elle.

– Renard, où es-tu ? Viens me trouver, Renard.

Pour seule réponse, elle entendit un grognement venant d'Ogi qui se réveillait à son tour.

– Il fait noir, constata le Guide. Fillette, as-tu fait éteindre la cassette ?

– Aucunement, répondit l'aveugle. Je dormais.

La jeune femme fouilla autour d'elle ; elle trouva la cassette volupienne refroidie et très légère. Vide.

– Ses réserves n'étaient pas illimitées, se désola Eldwen. J'aurais dû l'éteindre durant notre sommeil. Et Renard, où est-il ?

Tous les deux, ils appelèrent l'animal qui ne répondit pas. Il pouvait être tout près ou fort loin, en sécurité ou en danger ; ni l'aveugle ni Ogi ne pouvait le savoir dans ce domaine de ténèbres où ils étaient plongés. Maintenant privés de chaleur et de lumière, ils sentaient le froid les pénétrer.

– Cherchons une issue, décida Eldwen. À l'endroit où le couloir se termine, il faut tout examiner en se plaçant à la hauteur d'un Tanês.

À tâtons, les deux compagnons se mirent à explorer les parois de roche autour d'eux. De nouveau, les heures s'écoulèrent en recherches infructueuses et décourageantes.

Abattus, Eldwen et Ogi s'étaient arrêtés de chercher. Ils étaient assis l'un à côté de l'autre, silencieux, le dos appuyé contre la paroi. Les chevaux du Nalahir étaient demeurés calmes malgré l'obscurité. Soudain, ils manifestèrent leur nervosité. Alertés, les deux compagnons se relevèrent, tous leurs sens tendus. Un petit bruit, puis un glapissement : Renard revenait vers eux. Il trouva sans peine l'aveugle qui le prit dans ses bras avec joie.

– Renard, mon vilain ! Tu m'as fait tellement peur ! Où étais-tu passé ?

L'animal lui donnait des coups de langue joyeux. Puis il se calma ; un autre bruit provenait des corridors. Une lueur apparut au loin, mouvante, qui s'approchait lentement avec une cadence régulière. Quelqu'un venait vers eux, un inconnu qui fut bientôt visible. Il était vêtu d'un vêtement ample et sombre, serré à la taille par une corde blanche, qui cachait tout le corps. Des gants noirs dissimulaient aussi ses mains. Sa tête et sa figure étaient recouvertes par un casque d'argent luisant comme un miroir. La forme de son nez ainsi que les traits au centre du visage étaient finement travaillés dans le métal. Le masque était percé de deux minces fentes vis-à-vis des yeux. Il se terminait à la hauteur de la bouche ; celle-ci était masquée par une longue moustache blanche se mêlant à la barbe. L'inconnu s'appuyait sur un bâton de marche sculpté dans une racine noueuse au bout de laquelle était fixé un globe brillant : la Lumière du Pèlerin alisan.

Ogi avait rapidement décrit le nouveau venu et Eldwen avait aussitôt reconnu l'Alisan qui les avait aidés autrefois. Elle le salua d'une voix joyeuse.

– Mitor Dahant, quelle joie de vous revoir !

Malgré la situation, l'Alisan faisait preuve de la même économie de mots et de cérémonies qui avait marqué leurs rencontres à l'époque des combats contre les Sorvaks. Mitor Dahant ne daigna pas retourner la salutation de l'aveugle. Il se contenta d'avancer vers le fond du corridor en donnant ses instructions.

– Je vais ouvrir le passage. Suivez-moi !

L'Alisan continua à marcher tout en levant plus haut son bâton. Les murs de pierre s'ouvrirent devant lui, découvrant de nouveaux passages aux murs chargés de décorations. Ils pénétraient dans le cœur du Taslande. Eldwen était remontée sur Noiras, mais Ogi continuait à pied. Il s'approcha de Mitor Dahant dans l'espoir de lui poser une question.

– Vers quelle destination... commença Ogi.

La réponse fusa, sèche et ne laissant place à aucune réplique.

– Vous le verrez. Suivez-moi.

Juste derrière, Eldwen ne put s'empêcher de rire. C'était bien la première fois que son Guide se faisait ainsi rabrouer et qu'il l'acceptait aussi docilement. La marche se poursuivit en silence, Mitor Dahant le premier avec la Lumière du Pèlerin alisan, Ogi deux pas derrière en tenant les brides de CrinBlanc et de Noiras qui portait Eldwen ainsi que Renard.

Longues et monotones, les heures se succédèrent encore dans cet univers souterrain. L'aveugle entendait le son des sabots claquer sur les dalles de pierre et se répercuter parfois dans des espaces immenses, parfois dans des tunnels exigus. Elle se mit à somnoler, se rappelant confusément son premier passage dans le Taslande, lorsque la Troupe se rendait rejoindre Ardahel parti en éclaireur avec Loruel et quelques autres. En arrivant dans les cavernes du Clan d'Erdern Beg, ils avaient découvert un massacre épouvantable. Eldwen avait cru qu'Ardahel avait péri. Les sentiments d'alors resurgirent en elle ; dans son état de demi-sommeil, une angoisse indicible submergea l'aveugle qui laissa soudain éclater un hurlement de terreur.

– Ardahel... Ahhhh !

Effrayé, Renard sauta à terre pendant qu'Ogi se précipitait pour calmer la jeune femme.

– Allons, fillette, tu fais un mauvais rêve. Je suis là, près de toi...

Eldwen se laissa glisser à bas de cheval. Ogi l'enlaça avec beaucoup de douceur, tandis qu'elle pleurait nerveusement. Son Guide la réconforta de son mieux, visiblement bouleversé.

Mitor Dahant fit une pause sans manifester le moindre sentiment. Une courte halte s'avérait son unique geste de sollicitude.

– Nous repartons, déclara-t-il d'un ton neutre.

Ils reprirent leur chemin, Renard trottinant cette fois prudemment à côté d'Ogi. Finalement, ils débouchèrent dans une salle aux dimensions fabuleuses, si immense que la Lumière de l'Alisan ne parvenait pas à en tirer les limites de l'obscurité. Environ au centre de cet espace démesuré, une autre lumière brillait. Mitor Dahant donna l'ordre d'arrêter.

Enfin, l'Alisan donna quelques explications.

– Nous observons continuellement ce qui se passe à nos frontières. Ton intrusion en Taslande est un exploit qui nous fait croire qu'il est nécessaire de te rencontrer. Le Grand Conseil du Peuple Alisan est donc réuni pour te parler, Eldwen. Ogi attendra ici avec les montures et Renard.

Docile, l'aveugle descendit de sa monture. Le Guide voulut intervenir.

– Je veux l'accompagner, car...

L'Alisan lui coupa la parole d'un ton où montait la colère.

– Avance d'un pas de plus et tu perds la vie !

Eldwen sentait la tension monter ; elle s'empressa d'intervenir.

– Nous ferons exactement ce que vous demandez, Mitor Dahant, fit posément l'aveugle. Peut-être pourriez-vous seulement préciser pourquoi mon Guide ne peut venir avec moi.

L'Alisan se détendit ; il sembla à la jeune femme qu'un peu de chaleur teintait sa voix lorsqu'il lui répondit.

– Les membres du Grand Conseil ne portent pas de masques semblables au mien. Personne d'autre que nous ne doit apercevoir nos visages. Ils sont si horribles que quiconque les verrait sombrerait dans la folie. Puisque tu es aveugle, tu peux te présenter devant eux sans courir ce risque.

– Puisque vous êtes mon guide pour le moment, poursuivit respectueusement Eldwen, puis-je vous tenir le bras pour me rendre devant le Grand Conseil ?

Mitor Dahant hésita. À quand remontait le dernier toucher avec un autre être réellement vivant ? Sentir encore une fois le toucher d'une femme sur lui, ne serait-ce que sur son bras, à travers ses épais vêtements... Une dernière fois...

– Avance ta main, murmura l'Alisan.

Eldwen mit sa main sur le bras tendu de Mitor Dahant. À travers le tissu, elle sentit un bras décharné, à la peau boursouflée. Sans laisser paraître la moindre répulsion, elle pressa doucement le membre si pitoyable qui tremblait à ce seul contact.

– Allons-y, chuchota l'aveugle, tirant ainsi l'Alisan de son trouble.

Mitor Dahant conduisit alors l'aveugle devant les plus puissants membres de sa Race.

Eldwen se laissa guider au rythme lent qu'avait adopté Mitor Dahant. Elle se disait que cela s'avérait peut-être d'un solennel de circonstances, mais peut-être aussi que l'Alisan désirait simplement ainsi prolonger le contact de sa main sur son bras. Cette pensée intensifia la compassion qu'elle éprouvait envers cette Race née de la volonté de perfection de Vorgrar alors qu'il était Orvak Shen Komi, le Guide respecté des membres de la Race Ancestrale. Oui, ce même Vorgrar qu'elle combattait, premier responsable de la grandeur et de la déchéance de ceux qu'il aimait le plus.

L'aveugle était incapable de mesurer la dimension de l'espace où elle se trouvait tant il était démesuré. Les bruits portaient bizarrement et les voix revêtaient une résonance pompeuse. Elle tenta d'imaginer au mieux le décor où Mitor Dahant l'avait conduite. Devant elle, une sorte d'estrade en demi-cercle, un peu surélevée. Sur des sièges à très hauts dossiers, des personnes vieilles et fatiguées malgré leurs personnalités d'une puissance incommensurable. Ils étaient neuf, estima Eldwen, de sexe masculin pour la plupart.

Celui qui se trouvait au centre parla le premier. Sa voix était éraillée, mais ferme.

– Je suis Mitral Sudrau, membre souverain du Conseil des Alisans. Tu es Eldwen, la compagne du Prince Ardahel le Santerrian qui a autrefois obtenu notre aide contre les Sorvaks. Ou plutôt, l'assistance de Mitor Dahant.

La jeune femme sentit dans ces propos que le geste de l'Alisan avait été sujet à controverse parmi les siens. Elle se hâta de préciser la situation actuelle.

– Je suis effectivement Eldwen ; cependant, mon compagnon a été gagné par le Repos Éternel, que son âme soit en paix.

Aucun Alisan ne répondit selon la formule consacrée souhaitant à la personne décédée de partager le Festin d'Elhuï. Cela troubla l'aveugle ; c'était le premier Peuple à sa connaissance qui n'invoquait pas le Dieu Créateur.

– Je perçois ton malaise, reprit l'Alisan. Notre puissance est née de celle de Vorgrar et non de celle d'Elhuï. Nos prières vont vers celui à qui nous devons tout, tant notre gloire que notre chute.

– Alors, elles sont stériles, répliqua Eldwen avec assurance.

L'insolence de l'aveugle créa des remous parmi les Alisans. Mitral Sudrau éleva légèrement la voix, imposant aussitôt le silence.

– Tu prononces des paroles sacrilèges, jeune femme. Réalises-tu que je pourrais te foudroyer sur place, sans autre forme de procès ?

– La vérité est-elle si choquante à entendre ? demanda Eldwen avec le plus grand calme.

De nouveau, les murmures s'élevèrent. Eldwen sentit que Mitor Dahant cherchait à s'éloigner d'elle. Il lui tendait encore le bras et la jeune femme serra un peu plus la main, lui adressant une muette supplique de demeurer près d'elle.

– Ta vérité est-elle à ce point plus grande que la nôtre ? demanda Mitral Sudrau d'un ton sarcastique.

– Qu'êtes-vous devenus, Alisans ? questionna posément l'aveugle. Votre vérité inspirée par Vorgrar vous réduit à ne plus pouvoir recevoir devant vous qu'une aveugle ! La vérité de Vorgrar vous a rendus si laids que vous demeurez terrés dans le domaine abandonné des Tanês. Cette vérité vous a enlevé le courage de faire face à votre Destin, ainsi que l'ont fait ceux qui ont construit ces lieux. Ce n'est pas ma vérité qui est si grande ; c'est la vôtre qui est si petite. Si pitoyable. Si laide.

Après qu'elle se fut tue, les paroles de l'aveugle semblèrent flotter encore un long moment autour d'elle. Des bruits à peine perceptibles indiquèrent à Eldwen que les Alisans se regardaient, qu'ils échangeaient des regards chargés de colère et d'indignation. Pourtant, près d'elle, Mitor Dahant ne bronchait pas. C'est finalement sa voix qui s'éleva.

– Je suis un gardien des frontières de notre domaine, déclama l'Alisan. Je suis celui qui voit pour vous, celui qui parle pour vous, celui qui entend pour vous. Je suis celui qui maintient les rares contacts de notre Race avec les autres. À cause de cela, mon visage demeure caché tant il est horrible. Je suis fatigué de porter ce masque.

Mitor Dahant leva les bras. Eldwen comprit qu'il enlevait le casque qui masquait ses traits depuis tant de temps. Depuis une éternité. Puis elle entendit un bruit, le choc d'un objet lancé sur le sol. Malgré leur habitude de se voir si horribles, les membres du Conseil Alisan ne purent réprimer une réaction de dégoût en le voyant. Eldwen avança la main pour la remettre sur le bras de Mitor Dahant. Ensuite, elle monta plus haut jusqu'à poser doucement le bout des doigts sur le visage ravagé. La caresse de l'aveugle sur la joue tremblante d'émotion arracha des larmes douloureuses à l'Alisan. Il attrapa cette main si douce pour l'éloigner, puis il s'effondra à genoux, la tête rejetée en arrière, le corps secoué de sanglots.

– Voici ce que nous sommes devenus ! hurla Mitor Dahant à l'intention des siens. Des ombres glaciales à qui tout est refusé. Est-ce là une vérité si grande qu'on doive encore la défendre ?

Eldwen sentit l'Alisan s'accrocher à elle, désespéré, totalement anéanti. La voix courroucée d'un Alisan tonna.

– Mitor Dahant, n'as-tu pas honte de te donner ainsi en spectacle de faiblesse !

– C'est vous qui devriez avoir honte, coupa Eldwen d'une voix autoritaire. Vous lui demandez d'avoir contemplé la beauté du monde extérieur, de voir le bonheur de ses yeux, puis de revenir vous conforter dans votre froide laideur. À son atroce mission, vous ajoutez la cruelle obligation de ne rien exprimer. N'êtes-vous donc que des monstres dénués du moindre sentiment, au cœur de pierre, qui tentez de soulager votre laideur en l'imposant aux autres ? Je vous plains, Alisans ! Vous me faites pitié, car vous n'êtes que la conclusion logique de la Pensée de Vorgrar.

Un silence tendu suivit les paroles d'Eldwen. Écarté de cette rencontre, Ogi entendait cependant ce qui se disait. Le Guide tenait Renard dans ses bras pour se rassurer. Il tremblait de peur pour l'aveugle, car jamais personne n'avait ainsi parlé à un Alisan, encore moins au Grand Conseil au complet.

Chapitre quinzième

Faits et doutes

Durant la journée, Meilsand arriva à l'Auberge au Toit Houblonneux. Revenu de la Région des Métiers avec les dernières nouvelles de l'avance des Sormens, il avait appris comment son père le Roi avait dû affronter les deux Conseils et la foule, notamment les partisans de Jeifil qui accusaient Tocsand. Bouleversé, le jeune homme s'était rendu en toute hâte chez Bober, certain d'y trouver la trace de ses parents ainsi que des jumeaux. Il se doutait bien qu'ils se dirigeraient vers le bac de Noak et Irguin, dernier refuge où le Roi pouvait se retirer. Effectivement, ils se retrouvèrent tous à l'ancienne demeure de Noak et Irguin.

Le soir venu, l'ambiance était lugubre, lourde de la colère retenue de Tocsand, de la frustration de MeilThimas et de la peine qu'éprouvaient Meilsand et les jumeaux. Dans les dernières lueurs du soleil couchant, le Roi de Santerre marchait seul près de l'eau. Soudain, une forme ailée vint tourner au-dessus du bac. Tocsand l'aperçut et il se hâta de se retirer à l'abri des regards. Les Oiseliens n'aiment pas être vus par d'autres que ceux à qui ils s'adressent.

MeilThimas, son fils et les jumeaux savaient qu'ils devaient attendre à l'écart. Lorsqu'ils virent de loin la forme ailée reprendre son vol, ils crurent que Tocsand reviendrait immédiatement vers eux. Pourtant, le Frett ne se montrait pas. Intrigués, ils allèrent à sa rencontre, le découvrant prostré au bord de l'eau.

Inquiète, MeilThimas l'interrogea doucement.

– Qu'y a-t-il, mon amour ? L'Oiselien ? Quel était son message ?

– En Pays du Levant..., murmura Tocsand sans oser lever les yeux. Kurak et Ardahel se sont affrontés et...

– Et quoi ? demanda Noakel en pressentant le pire.

– Kurak... Kurak a été... le vainqueur.

– Non ! hurla Eldguin, dévastée. Ce n'est pas possible !

Entre deux sanglots à peine contenus, Tocsand répéta le message de l'Oiselien, donnant les détails qu'il lui avait transmis. Lentement, l'impensable parvint jusqu'à leur entendement, les assommant d'une nouvelle douleur après celle de la veille. Une souffrance encore plus grande, plus désespérée. L'ami, le frère, le Santerrian n'était plus parmi eux.

De toute évidence, Mitral Sudrau possédait une autorité incontestable parmi les siens. Malgré les remous et les émotions exacerbées que suscitaient ses propos, Eldwen savait que le membre souverain du Conseil des Alisans imposait de force le calme à ceux qui l'entouraient. En attendant sa réaction, l'aveugle s'accroupit pour se mettre à la hauteur de Mitor Dahant qui sanglotait encore.

– Comme tu as dû souffrir, fit doucement la jeune femme. Je comprends mieux ton attitude d'autrefois, cette distance que tu gardais avec nous. Tu as refoulé tant de désir de vivre, si longtemps, si amèrement... Tu as assumé ton devoir d'être froid, inflexible, alors que tu rêvais de chaleur et de plaisir. Allons, lève-toi et tiens-toi près de moi. N'aie pas honte de laisser s'écouler le trop-plein de souffrance accumulée en toi.

Mitor Dahant s'appuya sur Eldwen pour se relever ; il garda une main posée sur le bras de l'aveugle pour se tenir face au Conseil. Il était désormais incapable de poursuivre son rôle de gardien intraitable des frontières du domaine de sa Race.

La voix de Mitral Sudrau résonna de nouveau, chargée de colère, mais témoignant en même temps de sa volonté de discuter.

– Tu es surprenante, déclara l'Alisan. Ta vérité nous oblige à te répondre avant de te faire subir notre châtiment.

– Un châtiment ? ironisa Eldwen. Vous souhaitez me punir, mais de quoi ? De déranger votre égoïste protection d'un domaine dévasté, votre prétentieuse gloire du passé, votre pitoyable rêve de voir renaître votre grandeur d'autrefois ? Vous vous accrochez à une utopie et vous vous complaisez dans votre malheur. Vous magnifiez votre souffrance pour vous justifier de l'entretenir autour de vous. Or, voilà qu'une personne remet en question vos erreurs lamentables et vous préférez la châtier plutôt que de vous interroger. Vous êtes bien une race digne de l'héritage de Vorgrar, l'Esprit Mauvais, qui a souillé sa propre mission en Monde d'Ici ! Lui, le tout-puissant membre de la Race Ancestrale, celui qui devait parfaire l'œuvre d'Elhuï... Ne constatez-vous pas à quel point il l'a avilie ? Vos yeux voient, n'est-ce pas ? Alors, regardez-vous. Regardez l'œuvre de Vorgrar. Vous voulez punir une aveugle de vous faire voir ce que vous êtes ? Honte à toi, Peuple Alisan !

Cette fois, Mitral Sudrau ne put contenir les injures que les autres membres du Conseil adressaient à la jeune femme. Les voix s'élevaient pour réclamer qu'elle soit foudroyée séance tenante. Mitor Dahant se plaça alors devant l'aveugle, se faisant un rempart pour elle.

– Si vous voulez la frapper, il faudra m'éliminer le premier, cria l'Alisan.

Son intervention stupéfia les membres du Conseil. Profitant de ce qu'ils se taisaient, Mitor Dahant poursuivit d'un ton calme, mais ferme.

– Nous sommes des monstres d'orgueil, de vanité et de suffisance. Nous sommes imbus de nous-mêmes ; nous croyons encore que Vorgrar a fait de nous une race supérieure aux autres. Tout cela n'est qu'une mascarade honteuse et lamentable. N'avons-nous pas suffisamment souffert ? À quoi tout cela sert-il ?

Un concert d'exclamations s'ensuivit. Pourtant, aux injures se mêlaient des exhortations à considérer les arguments de Mitor Dahant. Une voix autoritaire se démarqua, provenant d'un Alisan qu'Eldwen n'avait pas encore entendu parler.

– Nous devons faire face à ces questions, fit la voix. Je respecte Mitor Dahant et tout ce qu'il a accompli au service de notre Peuple ; il est en droit que nous écoutions ses interrogations et que nous lui apportions des réponses.

– Nous voici dans une situation ahurissante, ironisa Mitral Sudrau. Cette femme nous insulte et, pour toute réplique, le plus dévoué gardien de notre Race prend sa défense. Pire encore, voilà maintenant que nous sommes obligés de nous accuser et de nous défendre nous-mêmes de nos propres actes !

Le calme revint au sein du Grand Conseil des Alisans. Les opinions se firent plus posées, plus nuancées. Plusieurs concédèrent qu'une réflexion s'imposait, ne serait-ce que pour chasser les doutes surgis chez quelques-uns. Il restait tout de même le sort d'Eldwen à régler.

– Nous faisons face à un épineux dilemme, analysa Mitral Sudrau. Cette femme mérite notre courroux et notre châtiment. Jamais personne n'a ainsi insulté notre Race. Or, il serait illogique de rendre la sentence avant d'avoir considéré le point de vue qui nous offense...

Eldwen se fit alors entendre.

– Ne devrais-je pas comparaître devant celui qui peut porter un jugement que tous accepteront ? demanda l'aveugle.

– Devant quelle autorité supérieure à la mienne pourrais-tu prétendre être présentée ? s'offusqua Mitral Sudrau.

– Conduisez-moi à Vorgrar. Faites en sorte que je comparaisse devant lui. Aujourd'hui même !

La requête de l'aveugle stupéfia les Alisans. Mitral Sudrau prit le temps d'y réfléchir. En vérité, les propos d'Eldwen l'avaient ébranlé. Des doutes anciens remontaient en lui, des angoisses qu'il aurait préféré museler en même temps que la jeune femme. Combien il aurait été plus simple et si facile de l'éliminer, pour ensuite ne plus penser à la vérité qu'elle opposait à la leur. Encore une fois, les certitudes de l'Alisan s'effritaient, cette fois sous le poids des paroles d'une aveugle qui se dressait devant eux.

Troublé, l'Alisan soupesait cette possibilité afin de se débarrasser de la jeune femme sans porter le fardeau d'un geste injuste.

– Pourquoi crois-tu que nous pouvons accéder à ta requête ? s'enquit l'Alisan.

– Vous êtes les détenteurs de la science des Tanês, affirma Eldwen. Rien des Forces de la Terre ne vous est étranger. Vous pouvez me mettre en présence de Vorgrar ; il se trouve dans une île, à peu de distance du Pays d'Ankar.

L'Alisan tarda à répondre. Ses mots s'enchaînèrent lentement afin de lui donner un maximum de temps pour réfléchir. Il hésitait à confirmer qu'il pouvait satisfaire la demande de l'aveugle, présentant la situation sous la forme d'une hypothèse.

– Certes, les Tanês possédaient une connaissance totale de la Terre, fit gravement l'Alisan, et si de tels secrets nous appartenaient..., je dis bien si..., ils nous feraient ouvrir pour toi des passages dangereux à un point que tu ne peux imaginer. Tu dois aussi comprendre qu'au bout d'un tel chemin, il n'y aurait pour toi que ta perte face à Vorgrar.

– Ce sont des risques que j'accepte et assume pleinement, assura Eldwen avec calme.

– Laisse-nous réfléchir. Mitor Dahant va te reconduire près de ton compagnon de voyage. Il vous fournira boissons et nourriture pour patienter. Allez !

Le gardien du domaine Alisan tendit avec soulagement le bras à l'aveugle pour la reconduire. Il n'avait pas remis son masque. Les chevaux du Nalahir et Renard eurent un mouvement de recul en voyant s'approcher le repoussant personnage. Pour sa part, Ogi ne laissa transparaître aucune autre émotion que son soulagement de retrouver Eldwen.

Dès que l'Alisan fut parti, Renard sauta dans les bras de l'aveugle pour manifester sa joie. Moins démonstratif, Ogi se contenta de commenter la situation.

– J'ai eu peur pour toi, fillette..., mais j'ai bien apprécié les propos que j'ai entendus ! Toutefois, nous voici à un point de non-retour. Soit les Alisans nous enlèvent la vie, soit ils nous précipitent dans la gueule du loup, évalua froidement Ogi.

– N'est-ce pas là notre raison d'exister : nous rendre jusqu'à Vorgrar ? Ensuite, il n'y a plus rien, répondit Eldwen avec fatalisme.

L'officier chargé par Belgaice de retrouver Eldwen était un mercenaire Cahan nommé Pokhiau. Au début, il avait obéi strictement aux ordres de la Reine Cahanne. Avec un détachement de cinquante cavaliers, il avait parcouru les alentours du champ de bataille. Dans chaque village, il questionnait des gens au hasard, coupant les têtes de ceux qui ne pouvaient répondre. Ensuite, il faisait savoir qu'il cesserait ces exécutions lorsque l'aveugle lui serait livrée.

Cependant, Pokhiau douta rapidement qu'il obtiendrait des résultats de cette manière ; les gens qu'il terrorisait n'étaient que des fermiers ignorant même l'existence de l'aveugle. Il lui fallait pourtant rapporter des renseignements qui sauraient satisfaire la Cahanne s'il désirait conserver sa propre tête sur ses épaules. L'officier décida donc de laisser ses hommes poursuivre leur sinistre enquête, pour se rendre aux navires de la flotte des Squales. Là, il comptait rencontrer les officiers chargés d'explorer les régions conquises après le passage de l'armée. Il n'eut pas à se rendre très loin, car les plus petits navires avaient remonté le fleuve Caubal le plus loin possible afin d'assurer des liaisons rapides entre l'armée et le reste de la flotte ancrée à l'embouchure du fleuve.

Lorsque Pokhiau arriva à l'endroit où mouillaient les navires, il constata une grande agitation malgré l'heure tardive. Éclairés par des feux sur les berges, les guerriers démontaient à la hâte les installations temporaires et remontaient tout le matériel à bord.

Le Cahan se présenta à un officier qu'il connaissait pour s'informer de la situation.

– L'Empereur vient d'arriver, expliqua le guerrier. Nous partons immédiatement rejoindre le reste de la flotte.

– Où se trouve-t-il en ce moment ?

– Sur le navire interdit, fit l'officier en désignant un navire ancré un peu à l'écart.

– Interdit ? Pourquoi ?

L'officier interrogé par Pokhiau semblait aimer les racontars. Il ne se privait pas pour les colporter, profitant de l'occasion pour se donner l'importance de celui qui détient un secret.

– On le nomme ainsi, car personne n'a le droit d'y embarquer. Ceux qui y montent la garde ne se mêlent pas à nous ; ils ne font que se tenir à la disposition de l'Empereur au cours de ses quelques visites à bord. Les rumeurs disent qu'il y a une cabine réservée uniquement à Kurak où se trouve une femme d'une grande beauté, un joyau précieux, un butin auquel l'Empereur tient plus que tout au monde.

L'officier baissa encore plus la voix en jetant un regard autour de lui.

– Garde cela pour toi, Pokhiau, fit l'officier, mais on raconte que la mystérieuse femme serait un double magique de la Reine Belgaice de la Terre Cahan. Il paraît que l'Empereur la consulte pour connaître l'avenir... Ce serait elle qui prend les grandes décisions stratégiques !

– Vous avez trop d'imagination, se moqua le Cahan. L'Empereur s'offre du bon temps quand bon lui semble, c'est aussi simple que ça ! Allez, je poursuis ma mission... secrète !

L'histoire qu'il venait d'entendre avait attisé la curiosité de Pokhiau. Il s'éloigna dans l'obscurité pour aller examiner le navire interdit. C'était un bateau de taille modeste, plus rapide que puissant ; des guerriers sur le pont montaient la garde sans se mêler aux activités de préparation au départ. Plus il l'examinait, plus Pokhiau éprouvait l'envie d'aller voir de plus près ce qui s'y passait. Il remonta un peu le cours d'eau à la recherche d'un arbre abattu qu'il poussa dans le courant, pour ensuite nager à côté en le dirigeant vers le navire interdit.

Dans l'obscurité, les gardes ne virent qu'un tronc à la dérive qui passait à proximité du bateau dont ils avaient la garde. Personne ne vit le Cahan nager sous l'eau pour faire surface le long de la coque, près de l'arrière. Un filet pendait contre la coque, donnant à Pokhiau un moyen de se hisser hors de l'eau. Au prix d'efforts exténuants pour progresser sans faire le moindre bruit, il réussit à se rendre sous la fenêtre de la cabine. Il se tenait agrippé aux grosses moulures de bois, dos à la surface de l'eau, en équilibre précaire.

Bientôt, il entendit des voix.

– Encore un peu de temps, ma tendre Beldouse, et nous vivrons ensemble au grand jour.

– Vous déciderez comment et quand il vous plaira, mon maître.

– Mon bel amour, j'ai une faveur à te demander. Fais-moi plaisir... Cesse de me parler comme une servante parle à son maître. Tu es mon égale, tu es ma raison de vivre. Je l'ai tellement compris lorsque cette pauvre Eldwen se trouvait effondrée devant moi. Désormais, je désire que tu prononces mon nom comme toutes les amoureuses le font, comme tous les complices de la vie le font. Je ne veux plus sentir la moindre distance entre toi et moi.

– Rien ne peut m'éloigner de vous... de toi, Kurak.

Cette fois, Pokhiau n'avait plus aucun doute quant à l'identité et aux liens des personnes dans cette mystérieuse cabine. Dans le plus grand silence, le Cahan rebroussa chemin. Il réussit à redescendre le long de la coque pour ensuite s'enfoncer sous l'eau. Il nagea le plus loin possible, reprit rapidement sa respiration, replongea sous l'eau jusqu'à une autre branche à la dérive qui lui permit de se tenir la tête hors de l'eau jusqu'à ce qu'il fût suffisamment éloigné pour retourner sur la rive sans être vu.

L'officier Cahan souriait dans l'obscurité. Il avait maintenant la certitude de posséder une information que Belgaice saurait récompenser.

Lorsque le soleil se leva, ses rayons ne parvinrent pas à traverser l'épaisse couche de nuages gris qui déversaient des trombes d'eau sur le Pays de Santerre. Les yeux rougis tout autant par le chagrin que par la longue nuit sans dormir, le Roi Tocsand regardait par la fenêtre sans vraiment voir le décor devant lui.

La veille, ils avaient pleuré Ardahel après avoir improvisé une cérémonie en sa mémoire dans les lieux de son enfance. Aux petites heures du matin, gagnés par la fatigue, ils s'étaient endormis. Tous, sauf Tocsand. Le Roi – mais l'était-il encore ? – cherchait une signification à ce qui se passait. Le Monde d'Ici était en voie d'appartenir à Kurak, et par là, à Vorgrar. Cela signifiait que les derniers représentants des Races Anciennes et des Races Premières disparaîtraient, y compris les Autegens. MeilThimas, son épouse, rejoindrait-elle son Peuple en un Monde d'Ailleurs ? Et lui, Tocsand, s'en irait-il avec elle ? Et pourquoi pas ? Son rôle en Pays de Santerre avait été un gâchis. Il n'avait plus l'autorité nécessaire pour mener les troupes à la victoire. Si sa compagne voulait bien le garder encore près d'elle, il pourrait se fondre dans la famille Thimas. Se faire oublier. Tout oublier.

Un brusque coup de vent fit entrer la pluie par la fenêtre ouverte. Arraché à sa contemplation morose du paysage, Tocsand referma les volets pour ensuite aller s'étendre près de MeilThimas, à la vaine recherche d'un peu de sommeil. Au bout d'un moment, incapable de tenir en place, il se releva pour marcher sans bruit dans la maison endormie. Ses pas le guidèrent à l'entrée de la chambre des invités. Il ouvrit doucement la porte pour y jeter un regard. Il eut alors un sursaut. Le lit réservé à son fils Meilsand était vide. Tocsand s'avança un peu plus dans la pièce. Noakel dormait dans le lit voisin. Le Roi se dirigea silencieusement vers le voile qui cachait le lit d'Eldguin ; il l'écarta juste assez pour constater que Meilsand et la jeune fille dormaient profondément, enlacés.

Pour la première fois depuis longtemps, un sourire se dessina sur le visage de Tocsand. Les deux jeunes gens n'avaient pas encore révélé qu'ils étaient amoureux. Le premier moment de surprise passé, le Roi se dit que cela n'avait rien d'étonnant ; en fait, il se rendit compte qu'il s'était toujours douté que cela se produirait un jour. Il comprenait aussi leur pudeur d'attendre avant de l'annoncer à leur entourage, surtout en ces moments troublés.

Tocsand demeura un long moment à les regarder, si beaux, si jeunes et si pleins d'espoir dans la vie. Il les trouva bien inexpérimentés pour affronter seuls les combats qui avaient débuté autour d'eux. Bien sûr, Ardahel et Loruel n'étaient guère plus vieux lorsqu'ils s'étaient dressés devant les Sorvaks, mais ils étaient entourés de la sagesse de Delbon, de l'expérience des membres de la Compagnie Frett, de la puissance des Saymails et de combien d'autres forces du Monde d'Ici. Puis le Roi se mit à rire intérieurement en réalisant à quel point il était surprotecteur. Il tremblait à l'idée de voir son fils se comporter comme lui-même l'avait fait à l'époque.

Tocsand laissa retomber le voile et se retira sans faire de bruit. Il retourna s'allonger auprès de MeilThimas qui s'éveilla cette fois.

– Tu ne dors pas, mon amour ? murmura l'Autegentienne.

– Tu m'aimes toujours ? questionna le Roi. Malgré tout ?

– Mais bien sûr, comment pourrais-tu en douter ?

– Tu pourrais retourner auprès des Autegens, fuir ce monde en guerre, oublier sa laideur, poursuivit Tocsand.

– Je n'irai nulle part ailleurs que l'endroit où tu vis, affirma l'Autegentienne.

– Alors, es-tu prête à te battre avec moi ?

– Oui, pour autant que je sache quels sont tes plans. Je le ferai pour remporter des victoires et non pour nous offrir en sacrifice. Mais pourquoi ces questions maintenant ?

– Parce que j'ai retrouvé la vraie raison de me dresser contre les envahisseurs de cette terre à laquelle nous appartenons.

– Quelle est-elle ? demanda MeilThimas.

– Viens, je vais te la montrer.

Tocsand fit signe à son épouse de ne pas faire de bruit. Il la conduisit dans la chambre des invités pour qu'elle puisse voir leur fils avec Eldguin. À son tour, MeilThimas sourit en découvrant les amoureux. Toujours en silence, en se tenant par la main, le couple revint dans son lit.

– Tu vois, expliqua Tocsand, je crois qu'il faut se battre pour eux, pour la suite de la vie, pour l'avenir de ceux qui nous suivent. Nous avons profité de la terre qui nous fait vivre ; nous devons la leur transmettre pour qu'ils en profitent à leur tour.

– Pour Meilsand et Eldguin ; pour leur avenir, ajouta MeilThimas. Je te retrouve enfin, Tocsand, et je veux être à tes côtés.

L'Autegentienne empoigna à deux mains la chevelure de son compagnon comme pour le faire prisonnier de son étreinte. Elle l'embrassa avec ardeur, tellement heureuse de sentir que le temps des doutes était terminé pour son compagnon.

Dirigée par Belgaice, l'armée de Kurak traversait rapidement les collines et les forêts du Pays de Mauser en direction du fleuve Mauld, en cet endroit qui marque la limite entre le Kalar Dhun et le Pays de Gueld. Il fallut trois jours à Pokhiau pour rejoindre enfin les troupes. Aussitôt, il demanda à être reçu par la Reine Cahanne.

La nuit était tombée. La tente circulaire de l'Empereur avait été dressée ; Belgaice y recevait les officiers avec qui elle coordonnait les mouvements des troupes. Elle portait une grande cape pourpre semblable à celle de Kurak. Lorsqu'elle apprit que Pokhiau réclamait d'être reçu, la Cahanne ordonna qu'on la laisse seule avec lui. Elle l'accueillit avec une satisfaction évidente, assise sur un banc recouvert de coussins moelleux.

– Enfin de retour ! se réjouit Belgaice. Tu as capturé cette aveugle, Eldwen ?

– Malheureusement pas encore, répondit Pokhiau, toujours debout. Les gens des villages ne sont d'aucune utilité. Ils sont terrorisés et ignorants.

Un éclair de colère traversa les yeux de la Cahanne ; elle ne lui pardonnerait pas d'avoir abandonné sa mission sans l'avoir menée à terme. Déjà prête à châtier le guerrier, Belgaice lui ordonna de s'expliquer.

– Alors, pourquoi oses-tu te présenter bredouille ici ?

– J'apporte une information plus importante encore que la capture de l'aveugle, affirma l'officier. Des renseignements que tu sauras... apprécier à leur juste valeur.

Les désirs de Pokhiau étaient manifestes. Il voulait négocier ce qu'il avait découvert.

– Parle d'abord, réclama avec prudence la Cahanne. Ta récompense sera à la mesure de ton service.

L'officier fit une rapide mise en situation, puis il relata comment il s'était rendu sous la fenêtre de la cabine du navire interdit. Belgaice l'interrompit.

– Je connais le navire dont tu parles, précisa la Cahanne. Kurak y conserve en sécurité des cartes secrètes, des instructions sur les machines de guerre... En fait, des documents précieux qu'il doit consulter souvent, mais qu'il désire entourer d'une protection spéciale...

– Il n'y a pas que des papiers dans la cabine qui lui est réservée, murmura Pokhiau. Il s'y cache aussi une personne très importante pour l'Empereur.

Le sérieux de l'officier troubla Belgaice. Elle sentit son cœur battre plus rapidement. Conservant en apparence une totale maîtrise d'elle, Belgaice écouta la suite du récit ; elle se sentit s'enfoncer dans les coussins sous le poids de l'inconcevable révélation. Chaque mot de Pokhiau se transformait en autant de poignards qui lui transperçaient le cœur et l'âme. Livide, totalement sans réaction, elle laissait les affirmations de l'officier devenir des doutes douloureux, puis des vérités intolérables.

D'une voix blanche, elle posa une question à Pokhiau qui n'avait pas encore précisé l'identité de la femme.

– Sais-tu qui est cette personne ?

– J'ai entendu l'Empereur l'appeler par son nom. Elle se nomme Beldouse.

Une chaleur intense et un froid lugubre traversèrent en même temps le corps de la Cahanne. Pendant un instant, tout ce qui l'entourait chavira autour d'elle. Soudain, il n'y eut plus rien de réel, plus aucun son, plus aucune odeur, plus rien de précis à distinguer. Puis un bourdonnement accompagné de grands coups affolés dans sa tête : le sang qui battait à ses tempes à en rompre ses veines. Des images se formèrent dans son esprit hébété, celles de Kurak regardant sa sœur avec avidité lors de leur première rencontre ; la vision de sa sœur si belle et si désirable le jour du couronnement de l'Empereur ; l'image de l'Akares perdu dans ses pensées lorsqu'il regardait le navire interdit.

Un tourbillon d'incrédulité, de douleur, de rage et de désespoir fouilla les entrailles de Belgaice pour se transformer en un glacial goût de vindicte. Après être demeurée parfaitement immobile et muette, la Reine Cahanne se leva lentement. Affichant une froide détermination face à l'officier, elle l'interrogea encore.

– As-tu parlé de ceci à quelqu'un d'autre ?

– Aucunement, ma Reine ! assura Pokhiau. Cette information ne concernait que toi, n'est-ce pas ?

– Tu me le jures ?

– Sur ma tête et sur celles des membres de ma famille tout entière !

À cet instant, Belgaice eut un geste surprenant. Elle fit tomber la cape qu'elle portait, se dévoilant à l'officier dans une fine robe rouge qui mettait en valeur sa beauté.

– Dis-moi, fit langoureusement Belgaice, suis-je une femme belle et désirable ?

Décontenancé, Pokhiau admira la Cahanne en cherchant rapidement ses mots.

– Tu es sans doute la plus belle de toutes, souffla l'officier, la voix rauque. Je ne peux imaginer que quiconque, même le plus grand des Rois, ne soit totalement et pour toujours sous ton charme.

– Je vais t'offrir un premier acompte sur ce que tu mérites. Étends-toi sur le lit.

Troublé, Pokhiau se dirigea vers la couche qu'il savait être celle de son Empereur. Il était à la fois excité par ce qu'il devinait des intentions de la Cahanne et apeuré par les conséquences d'un tel geste. Les yeux fixés sur Belgaice qui l'accompagnait avec des gestes invitants, il s'étendit comme elle le lui ordonnait.

– Ferme tes yeux un instant, exigea la Cahanne.

Obéissant, Pokhiau fit ce qui lui était demandé. Alors, doucement, dans le plus grand silence, Belgaice saisit une lourde épée qui se trouvait près du lit. Elle la leva et l'abattit d'un coup puissant sur l'officier ; la lame trancha le cou de part en part.

– Personne ne saura qu'il m'a trompée, murmura Belgaice. Personne ne vivra pour le raconter, surtout pas ma sœur... Kurak m'appartient !

La Cahanne remit sa cape pourpre sur ses épaules, puis elle appela des gardes.

– Ramassez le corps de ce traître, lança Belgaice en désignant le cadavre. Il a calomnié notre bien-aimé Empereur et il a tenté de me soutirer des avantages par le mensonge.

Interloqués, les gardes s'affairaient à prendre le corps sans poser de questions.

Lorsqu'ils furent partis, Belgaice retourna près du lit, contemplant avec une fascination malsaine le sang qui avait éclaboussé partout, maculant les draps de rouge poisseux.

– Voilà la couche que mérite quiconque se place au travers de ma route, marmonna la Cahanne.

Chapitre seizième
La Terre

Combien de temps Eldwen et Ogi attendirent-ils un signe des Alisans ? Jamais ils ne purent le préciser. Dans cette salle si démesurée que la Lumière du Pèlerin alisan s'y perdait, incapable de chasser les ombres éternelles, le temps semblait figé, indifférent aux préoccupations des gens qui y passaient.

Mitor Dahant leur avait apporté de quoi manger et boire, conservant un mutisme embarrassé que l'aveugle avait respecté. Il s'était retiré rapidement pour revenir à deux autres occasions avec des victuailles. Ni Renard ni les chevaux du Nalahir n'osaient s'éloigner. Ils demeuraient ensemble, dormant ou attendant sans trop bouger ni faire de bruit. Eldwen et Ogi se parlaient peu, d'une part parce qu'ils craignaient d'être épiés, et d'autre part parce qu'ils n'avaient pas vraiment le goût d'échafauder mille hypothèses toutes aussi improbables les unes que les autres. À son retour auprès de son Guide, la jeune femme avait manifesté sa satisfaction d'avoir forcé les Alisans à la réflexion. Ogi avait exprimé son scepticisme, déclarant préférer attendre les résultats de cet affrontement. Depuis, ils attendaient.

Le Conseil des Alisans avait quitté les lieux pour délibérer ; enfin, ils reprirent leurs places au centre de la vaste salle. Mitor Dahant vint pour convoquer Eldwen.

– Je veux l'accompagner, réclama Ogi.

– Es-tu prêt pour cela à dévoiler totalement ton identité ? demanda l'Alisan. En t'approchant du Conseil, cela deviendra impératif de te révéler.

Le Guide réalisa que Mitor Dahant n'était pas dupe. L'Alisan savait qu'il masquait une part de lui-même ; pourtant, il n'avait pas insisté sur ce point. Pour une raison obscure, il avait visiblement omis de mentionner cela au Conseil de sa race et il l'avait gardé éloigné. La question et l'hésitation d'Ogi à répondre avaient fait sursauter Eldwen. Elle se tourna vers lui, une expression de tristesse sur le visage.

– Ogi, déplora-t-elle, tu me caches encore des faits alors que je t'accorde tout entière ma confiance.

– Fillette, tu n'as rien demandé ; donc, je n'ai rien répondu ! répliqua Ogi, un peu mal à l'aise. Je te dirai ce que tu voudras lorsque tu le désireras ; pour l'instant, je préfère éviter d'en discuter avec les Alisans. Cela te nuirait.

Les traits d'Eldwen se firent plus durs ; cela n'échappa pas à Ogi qui en fut attristé. D'un geste de la main, le Guide fit signe à Mitor Dahant de repartir avec l'aveugle tandis qu'il demeurait sur place. Une fois de plus, l'Alisan tendit le bras à la jeune femme, le cœur chaviré par le simple contact de cette main amicale. Encore une fois, il marcha lentement afin de profiter le plus longtemps possible de cet instant si rare, si précieux.

Le Conseil des Alisans accueillit Eldwen avec un mélange de froideur et de compréhension. De toute évidence, Mitral Sudrau était demeuré tourmenté par la rencontre avec l'aveugle ; il avait eu la rigueur intellectuelle de soupeser avec honnêteté ses propos.

– Eldwen, déclara l'Alisan sans autre préambule, tu as porté des accusations très graves contre notre Race. Pourtant, à bien les examiner, nous estimons que tes griefs ne s'adressent pas à nous directement, mais plutôt à Celui dont nous respectons la Pensée. Ce que tu considères comme ta vérité s'oppose non pas à celle des Alisans, mais à la vérité de Vorgrar. C'est donc devant lui que tu dois en répondre.

Une intense satisfaction se répandit en Eldwen, comme une chaleur réconfortante. Elle avait eu raison ; les Alisans se pliaient à sa volonté. Elle s'approchait enfin de son objectif.

– Nous sommes en mesure de t'ouvrir un passage au cœur même de la Puissance de la Terre, poursuivit l'Alisan. Cependant, je dois t'avertir que seul un être exceptionnel peut l'emprunter et en ressortir indemne. Les Forces qui sommeillent dans le sein de la Terre sont si terribles que nous n'avons pas tenté d'en saisir l'essence ainsi que nous l'avons fait autrefois pour l'Air, le Feu et l'Eau.

– Les Cassettes ! ne put s'empêcher de s'exclamer Eldwen. Vous êtes les créateurs des Cassettes qu'Ardahel a eues en sa possession !

– Je constate que tu connais des parties de leur histoire...

– Tout est clair maintenant, interrompit Eldwen. L'Ancêtre, un frœur de Vorgrar, a un jour confié aux Autegens des Fioles et des Cassettes qui contenaient l'essence des Forces du Monde d'Ici. Les Fioles étaient celles de la Vie, de l'Amour, de la Connaissance, de la Vérité, de la Paix, de l'Abondance et de l'Imprévu ou du Chaos ; les Cassettes étaient celles de l'Air, de l'Eau et du Feu. Cette réalisation extraordinaire était l'œuvre des Alisans, la seule race engendrée par Vorgrar. Or, la Pensée de Vorgrar était différente de celle de ses autres frœurs. L'Ancêtre a donc tout fait pour s'approprier les Fioles et les Cassettes, puis s'assurer qu'elles ne soient plus à la disposition de l'Esprit Mauvais. Celui-ci a d'ailleurs toujours souhaité les retrouver !

– Ta connaissance est encore plus vaste que je ne l'estimais, enchaîna l'Alisan. Il paraissait tellement inconcevable qu'une personne soit capable de pénétrer en Taslande par elle-même, qu'elle parvienne devant notre Conseil et qu'elle tienne un discours comme tu l'as fait. Cela me confirme que ton sort n'est pas de notre ressort. Peut-être traverseras-tu le chemin que je te propose...

L'aveugle constata une sorte d'admiration mêlée de fatalisme dans le ton de Mitral Sudrau. Il respectait Eldwen, mais il savait que son passage laissait présager des événements funestes pour les derniers représentants du Peuple Alisan.

– Prends-tu le risque d'emprunter le chemin qui s'ouvre devant toi ? demanda l'Alisan.

– Oui, répondit fermement l'aveugle, confiante qu'aucun obstacle ne pouvait l'arrêter.

– Alors, qu'il soit fait ainsi que tu le souhaites et que nos destins s'accomplissent.

✧ ✧ ✧

Tout s'était déroulé très rapidement. Mitor Dahant avait été chargé de conduire Eldwen et Ogi au travers d'un labyrinthe de couloirs et de pièces jusqu'à une porte fortement cadenassée. La Lumière du Pèlerin alisan constituait la clef qu'il fallait utiliser simultanément avec des formules incompréhensibles pour l'aveugle et le Guide. La première porte menait à une seconde tout aussi bien fermée. La procédure se répéta encore trois autres fois pour enfin permettre d'accéder à une vaste salle circulaire, d'au moins une centaine de jambés de diamètre, au plafond bas et, surtout, au sol en pente qui menait vers un trou noir au centre de l'espace. Dès qu'elle entrait dans la salle, toute personne se sentait irrésistiblement attirée vers cette ouverture qui plongeait vers le cœur de la Terre.

– Je ne vous laisserai pas la Lumière du Pèlerin alisan, déclara Mitor Dahant. Demandez à la Terre de vous conduire et elle le fera. Toutefois, le sein de la Terre est un monde d'obscurité ainsi que de réalités terrifiantes qu'il ne faut surtout pas voir. Voilà pourquoi il est possible que tu en ressortes vivante, toi Eldwen qui es aveugle. Adieu !

L'Alisan avait manifestement hâte de quitter cet endroit ; pourtant, il eut une hésitation que l'aveugle comprit. Elle s'approcha de Mitor Dahant pour lui donner l'accolade, le serrant sans aucune répulsion contre elle.

– Tu m'as aidée au-delà du raisonnable, murmura Eldwen. Je le sais. Pourquoi ?

– Tu hantes mon esprit depuis notre première rencontre, avoua l'Alisan. Je t'ai vue avec des compagnons si beaux ; mais à tes yeux, n'étaient-ils rien de plus que moi, puisque tu ne pouvais nous comparer ? Quelle déraison de t'avoir aimée dans mes ténèbres et ma laideur...

Eldwen serra Mitor Dahant encore plus fort.

– Il n'y a aucune folie en cela, assura l'aveugle. Si nos destins s'étaient croisés autrement, j'aurais été heureuse de partager du temps et de l'espace avec toi. Merci, Mitor Dahant.

L'Alisan réprima ses émotions ; il quitta les lieux – ou plutôt il les fuit – en refermant les portes derrière lui. Un moment, le bruit des cadenas fut encore audible, puis Eldwen et Ogi se retrouvèrent dans les ténèbres silencieuses de la salle. Ils ressentaient avec encore plus d'intensité l'attraction du trou. L'aveugle devenait frénétique ; elle savait qu'en avançant vers cette ouverture, elle pourrait se rendre jusqu'à Vorgrar. Elle, Eldwen la Désignée ; elle qui avait parcouru tant de chemin ; elle que même Almé, incarnation du Dieu Elhuï, avait rencontrée ; elle qui portait à son flanc le Glaive Nouveau hérité du Santerrian ; elle qui avait su dire la Vérité au Peuple Alisan...

– Que décides-tu, fillette ? demanda Ogi.

– Fillette ! explosa Eldwen. Tu m'appelles encore ainsi ? Réalises-tu à qui tu parles ?

– À toi, une fillette qui semble en train d'oublier certains enseignements, reprocha Ogi.

Un bref instant, il y eut dans la voix du Guide des intonations qui rappelèrent à Eldwen celles d'une autre personne, un Vrainain du nom de Sabyl dont les chansons lui revenaient soudain à la mémoire. L'aveugle se détendit, puis elle éclata de rire.

– Oui, tu as raison ; je suis une fillette ! Face à la Terre qui s'ouvre devant nous, je ne suis que cela, une fillette !

Eldwen retrouva son sérieux presque aussi brusquement qu'elle s'était esclaffée.

– J'allais me présenter avec orgueil plutôt qu'avec humilité, poursuivit Eldwen. Car comme toutes les fillettes, j'ai besoin qu'on me répète encore et encore ce que je dois apprendre ! C'est difficile de l'admettre, mais tu as raison de m'appeler fillette.

– Ne sois pas si dure envers toi, répliqua doucement Ogi. Maintenant, prends les devants et je vais te suivre..., jeune femme.

Eldwen eut un sourire qu'Ogi ne pouvait voir dans l'obscurité de la salle, puis elle réfléchit à ce qu'il convenait de faire. Les avertissements des Alisans l'obsédaient ; ils ne devaient pas voir les réalités de cette route pour en ressortir vivants.

– Ogi ! s'exclama l'aveugle. Confectionne des bandeaux que tu placeras sur tes yeux, ainsi que sur ceux de Renard et de nos montures.

Dans l'obscurité, le Guide s'affaira un moment, puis il annonça qu'ils étaient prêts. Eldwen monta sur Noiras en tenant Renard devant elle. Ogi se trouvait juste à côté, assez proche pour que l'aveugle tienne la bride de CrinBlanc entremêlée avec celle de Noiras. Elle fit avancer les chevaux lentement, les obligeant à s'arrêter à chaque pas. La pente du plancher les assurait de se rendre dans la bonne direction, mais Eldwen ignorait précisément à quelle distance ils se trouvaient du trou. Soudain, en tendant bien l'oreille pendant qu'elle immobilisait les chevaux, elle entendit des bruits, une sorte de clameur vivante, invitante. C'était une voix terreuse, lourde et profonde qui montait vers eux.

Les chevaux hennirent nerveusement, avec le plus de retenue possible comme lorsqu'on a peur de déranger. Eldwen les fit avancer encore un peu, attentive à la sourde invitation qui se faisait plus pressante encore. Le langage de la Terre n'était pas de mots, mais plutôt d'évidence. L'aveugle lui répondit en lui adressant sa demande.

– Terre Puissante, accorde-nous de voyager en ton sein vers le Pays d'Akar, en Mer Intérieure de la Riche Terre. Il se trouve près de là une île où réside un membre de la Race Ancestrale, Orvak Shen Komi, que nous devons retrouver. Cela importe pour l'avenir des races qui t'appartiennent et que tu combles de ta vie, de ta protection et de ton abondance.

La clameur se fit plus obsédante. Elle portait des sentiments contradictoires qu'Eldwen parvenait à déchiffrer.

– Je te remercie de m'accepter, mais pourquoi refuser celui qui m'accompagne ? Ce qu'il dissimule de son identité ne cherche en rien à te tromper. Cela concerne celui que nous devons affronter.

La clameur cessa brusquement. Dans l'obscurité, Eldwen se tourna vers Ogi.

– Ce que tu caches dérange à la fois les Alisans et la Terre !

– Ce n'est pas ce que je dissimule, affirma le Guide. C'est ce que je suis.

Ogi éleva alors la voix, criant presque sa supplique.

– Terre Puissante, ma Race a commis de lourdes fautes contre toi ! Ton courroux est juste. Accepte que je me sacrifie pour les expier ; mais auparavant, accorde-moi de veiller encore un temps sur celle qui te délivrera du Mal que nous t'avons fait subir.

La clameur terreuse reprit en s'intensifiant. Le sol vibra, obligeant les chevaux à chercher leur équilibre avec des mouvements nerveux. Soudain, ils basculèrent en avant, entraînant leurs cavaliers dans leur chute.

Eldwen sentit qu'elle tombait, toutefois sans craindre l'impact qui suit une chute ; ils entraient dans le sein de la Terre. Elle ressentit une sensation d'écrasement, puis de légèreté. Aussitôt, elle lança Noiras au galop, entraînant CrinBlanc à sa suite. L'impression qui suivit ressemblait à ce qu'elle avait déjà expérimenté lorsque les montures du Nalahir paraissent s'immobiliser alors que tout se déplace autour d'eux. Pourtant, cette fois-ci, il semblait à Eldwen qu'elle conduisait les chevaux dans une sorte de tunnel dont elle percevait la direction. La vitesse autour d'elle accélérait continuellement, au point où l'aveugle commença à avoir peur ; le doute s'insinua en elle. Presque aussitôt, elle sentit des présences qui les entouraient.

Ce qui accompagnait la course folle des chevaux du Nalahir devenait menaçant. Eldwen se sentit petite, dépassée par ce tourbillon de vitesse. Elle songea à donner la bride des chevaux à Ogi, lui qui était tellement plus expérimenté et plus sage. Les présences autour d'eux se mirent à gronder, d'une voix grave, si profonde qu'elle la ressentait plutôt que de l'entendre. Tout le corps de l'aveugle percevait des moqueries, des menaces, des invectives et des avertissements qui minaient sa confiance de mener les chevaux de Nalahir à destination. Il lui sembla que le corridor devenait de plus en plus étroit, plus dangereux. Effectivement, elle frôla la paroi, ressentant un choc dans l'épaule. Tout près, Ogi eut une plainte ; il venait de heurter les parois toujours plus rapprochées. Bientôt, ils se fracasseraient contre les rochers si dangereusement proches.

Eldwen se recroquevilla sur elle-même. En sentant la tête de Renard près de la sienne, elle lui murmura sa frayeur entre ses mâchoires crispées.

– Qu'est-ce que je fais ? se découragea Eldwen. Qu'est-ce que Sabyl m'aurait dit ?

Cette soudaine pensée envers le Vrainain réconforta l'aveugle. Ne lui avait-il pas enseigné à croire en elle, à sa valeur, à chasser les doutes inutiles ? La jeune femme fixa son esprit sur la route à parcourir ; soudain, en se redressant, elle exigea des chevaux qu'ils forcent encore plus l'allure.

– Droit devant Noiras ! Droit devant CrinBlanc !

L'espace qui défilait autour d'eux se fit encore plus rapide, plus petit, plus menaçant. Eldwen sentait la poussière des parois lui fouetter le visage. Les frôlements sur la roche se faisaient plus nombreux, plus douloureux. Les deux montures se collaient au maximum pour éviter de se fracasser dans le conduit devenu si mince qu'il n'y aurait bientôt plus de place pour continuer. Ogi se pencha sur l'aveugle ; elle le sentit si crispé, prêt à s'abandonner, mais lui accordant malgré tout sa confiance. La jeune femme releva la tête ; ils passeraient. C'était pour cela qu'elle était la Désignée. Pour réussir.

Les présences cessèrent de poursuivre les cavaliers dans leur course folle. Leurs rires moqueurs restèrent loin derrière, alors que l'espace se faisait plus large, plus accueillant. Eldwen fit ralentir les chevaux légèrement, juste assez pour les ramener à un rythme plus facile à soutenir.

– Nous allons nous rendre, ayez confiance ! lança Eldwen, tant pour réconforter Ogi, Renard et les montures que pour se rassurer elle-même.

– Je n'en doute pas, fillette ! répondit le Guide.

Le ton d'Ogi se voulait joyeux, mais il dissimulait mal la terreur qui l'avait rendu muet quelques instants auparavant.

Durant un temps qu'ils ne pouvaient mesurer, les cavaliers continuèrent à s'enfoncer dans les entrailles du Monde d'Ici. Les chevaux galopaient sans efforts apparents, comme si rien n'offrait la moindre résistance à leurs mouvements silencieux. Ils ressentaient autour d'eux un espace mobile sans délimitations précises ; le déplacement de l'air soulevait comme un souffle léger les cheveux et les crinières. Malgré une vitesse étonnante, leur déplacement était d'une fluidité confortable.

Ogi se risqua à soulever son bandeau.

– Il y a de la lumière ici, annonça-t-il. C'est comme une phosphorescence qui émane de tout l'environnement.

– Ogi, interrompit Eldwen, je t'en prie, remets ton bandeau.

Mais le Guide continua à décrire ce qu'il voyait.

– Je ne peux évaluer les distances autour de nous. Ce qui bouge est peut-être si proche ou si loin. Il y a des lumières plus intenses, des formes qui se précisent...

– Remets ton bandeau ! supplia Eldwen.

L'aveugle entendit Ogi s'exclamer devant la beauté des formes et des couleurs qui l'entouraient. D'une autre manière, elle aussi ressentit qu'ils venaient d'arriver dans un espace accueillant et chaleureux. La Terre nourricière, songea la jeune femme. Les mouvements se faisaient plus lents, plus doux. Des présences venaient de nouveau les accompagner, cette fois apaisantes, charmant chacun des sens. Eldwen les sentait la frôler tendrement en dégageant des arômes généreux. Il y avait un son grave, lourd, une sorte de mélodie poignante qui les enveloppait de sa langueur.

– C'est beau, s'extasia Ogi. C'est beau, si tu voyais le Monde d'Ici dans son essence originelle ! Prenons un temps pour souffler, pour laisser les bêtes se reposer.

– Ogi, insista Eldwen, tu dois remettre ton bandeau. Ne regarde pas.

Les présences s'approchèrent encore plus, enveloppant la cavalière de leur chaleureuse tendresse. Les sensations exquises se multipliaient, donnant le goût de s'abandonner dans une quiétude absolue. Eldwen percevait que les chevaux ralentissaient, eux aussi enclins à cesser tout effort afin de profiter de cet espace et de ce temps fabuleux.

Des souvenirs liés à la Terre se bousculèrent pêle-mêle dans l'esprit de l'aveugle. Elle revivait les sensations de son séjour au fond d'un puits noir avec Ogi alors qu'elle n'était qu'une fillette, ses abandons dans le domaine souterrain des Volupiens, sa soif d'apprendre auprès du Sage Delbon à la sortie du Taslande, ses victoires sur JadThimas et plus tard contre SpédomSildon. L'aveugle constata à quel point elle avait vécu des moments cruciaux dans le sein de la Terre. N'était-elle pas fille de cette Terre puissante et généreuse, aveugle pour ne pas être distraite par les autres éléments plus flamboyants, plus fugaces, plus décevants ! Eldwen se sentait chez elle en cet endroit, dans sa véritable maison, dans sa résidence éternelle.

Puis un autre sentiment resurgit en elle. Les caresses de la Terre lui rappelèrent celles d'Ardahel, son compagnon de Feu. Elle n'avait pas le droit de l'oublier ; elle devait poursuivre leur combat, coûte que coûte. Alors que son corps criait son désir d'arrêter, la volonté d'Eldwen hurla sa détermination de continuer. Elle voulut battre les flancs de Noiras pour l'obliger à reprendre son allure, mais ses jambes refusèrent de donner l'ordre au cheval. Elle tenta de secouer les rênes, mais ses bras ne voulurent pas obéir. Tout se figeait. Eldwen comprit que, lentement, ils devenaient partie intégrante de la Terre ; ils s'amalgamaient en elle, dans son éternité immobile.

La jeune femme sentait son corps s'amollir et lui échapper, mais son esprit demeurait vif. Les chants de Sabyl le Vrainain lui revenaient à l'esprit, lui redonnant des forces inespérées. Un refrain résonna dans sa mémoire, clair et inspirant. *Au bout du chemin, Il y aura la raison, Pourquoi il fallait s'y trouver, Pourquoi il fallait y marcher.*

De toutes ses forces, Eldwen obligea sa bouche à ouvrir, ses lèvres à bouger, ses paroles à se faire entendre. Les mots s'étiraient, graves et pesants, portés par une voix au ralenti qui surprit la jeune femme en s'entendant.

– Terre, laisse ta fille te quitter. Accepte cette douleur dans notre matière pour que nous cessions de souffrir dans notre esprit. Je t'implore, Terre puissante, laisse-moi refuser tes bienfaits afin de pouvoir me rendre au bout de mon chemin. Que ton amour soit liberté.

Eldwen continua ensuite à lutter de toutes ses forces pour reprendre le contrôle de son corps, pour le faire obéir. Sans colère contre la Terre, mais déterminée à s'en séparer, l'aveugle se mit à battre les flancs de Noiras de ses talons. Au début, ses membres ne bougeaient presque pas. Puis, progressivement, elle réussit à accentuer le signal. Le cheval s'arracha à son engourdissement, soumis à la volonté de sa cavalière. Aussitôt, l'aveugle sentit une forte résistance sur son bras qui tenait les rênes de Noiras et de CrinBlanc entremêlés ; Ogi devenait un poids à traîner. Le Guide ne souhaitait pas s'arracher à l'incommensurable sérénité qu'il venait de découvrir. Rassemblant toutes ses forces, Eldwen tira sur les rênes. Elle avait l'impression que ce simple geste devenait un exploit exigeant un temps fou. À force de commander à son corps d'obéir, de lui refuser tout relâchement, l'aveugle parvint à forcer CrinBlanc à suivre. Cependant, la jeune femme sentait que quelque chose clochait. Sa main libre partit à la recherche d'Ogi ; elle trouva la selle vide.

Sur le coup, Eldwen crut qu'il était trop tard. Cependant, elle remonta la main pour se rendre compte que le Guide était encore là ; il s'était levé sur les étriers, se préparant à sauter en bas de sa monture. L'aveugle tendit encore plus le bras pour enfin agripper les vêtements du cavalier. Elle sentit Ogi tenter d'écarter sa main, mais ses doigts se refermèrent sur le tissu en une poigne impossible à défaire.

Le bras droit tendu derrière elle pour maintenir le Guide à côté d'elle, le bras gauche croisé sur sa poitrine pour retenir Renard contre elle tout en tenant les rênes des chevaux, tous les muscles durs comme la pierre, Eldwen imposa sa volonté de poursuivre le chemin.

✧ ✧ ✧

Tout était immobile ; tout bougeait. Tout était fluide ; tout était compact comme la terre. Certaine d'avancer sans rien ressentir de sa progression, Eldwen demeura concentrée sur son objectif. Comme dans un deuxième niveau de conscience, elle repensait à Sabyl qui lui enseignait ses forces, à Almé qui lui affirmait qu'elle devrait rester forte dans les épreuves, à Ardahel qui l'aimait comme elle l'aimait, au-dessus de tout. Elle repensa à son séjour auprès des Larousquais, à Doldana qui affirmait qu'il faut donner avec plaisir et recevoir de la même manière. Cette pensée renforça sa poigne sur le vêtement d'Ogi qui luttait pour échapper à son emprise ; elle avait parfois reçu le meilleur contre sa volonté, elle le redonnait de façon identique à son Guide.

Enfin, il lui sembla que le rythme des chevaux devenait plus naturel. Elle réalisa que les sabots faisaient un bruit familier sur la roche, qu'il était plus facile de retenir Ogi sur CrinBlanc. L'aveugle ne ressentait plus de présences autour d'elle. Eldwen laissa les montures du Nalahir poursuivre leur chevauchée ; lorsqu'elle eut la certitude qu'ils avaient mis une distance suffisante entre eux et le giron de la Terre, elle les fit s'arrêter.

Il n'y avait aucun bruit autre que ceux que les montures faisaient ; à la manière dont les sons se répercutaient autour d'eux, Eldwen savait qu'ils se trouvaient dans un espace assez grand, aux murs de roche, qui se poursuivait loin devant eux. Une chaleur lointaine parvenait jusqu'à eux avec une odeur de flammes. Malgré tout, Noiras, CrinBlanc et Renard paraissaient détendus ; avec calme, ils prenaient le temps de souffler. La jeune femme empoignait toujours les vêtements d'Ogi qui se trouvait maintenant à sa hauteur, silencieux, la respiration ample et saccadée comme celle d'une personne profondément bouleversée.

– Est-ce que ça va ? s'informa Eldwen.

Ogi mit du temps à répondre. Sa voix tremblait, chargée d'une émotion intense.

– C'était si beau ! murmura-t-il. Les mots n'existent pas pour décrire l'harmonie de l'essence de la Terre. Si tu avais vu toi aussi, tu aurais tout fait pour demeurer dans cette beauté sublime. J'ai lutté pour que tu me laisses là-bas ; si tu savais comme je t'ai résisté ! Ta volonté a été plus forte que la mienne, fillette...

– Il le fallait...

– Oui, il le fallait ! Tu peux retirer ta main, je ne rebrousserai pas chemin.

Eldwen laissa les vêtements du Guide ; il réalisa qu'elle avait peine à ouvrir ses doigts tant ils étaient restés crispés longtemps. En même temps, l'aveugle s'assura qu'elle tenait toujours fermement les rênes de CrinBlanc avec celles de Noiras.

– As-tu toujours les yeux couverts ? s'informa l'aveugle.

– Non, et cela vaut mieux maintenant, affirma Ogi. Nous sommes dans des tunnels creusées dans la roche par les laves des volcans. En plusieurs endroits, il y a des failles profondes où coule de la roche en fusion.

– Cela explique l'odeur et la chaleur que je ressens, fit remarquer l'aveugle.

– Et aussi une certaine lumière, des lueurs rougeâtres plutôt, qui suffisent à éclairer notre chemin, ajouta Ogi d'une voix éteinte, lourde de tristesse.

– Qu'est-ce qui ne va pas ? insista Eldwen. Tu es troublé, Ogi.

– Ne t'inquiète pas, fillette. J'ai été faible, j'ai voulu tout abandonner ; cela, je me le reproche, mais grâce à toi, je vais continuer. J'ai aussi mesuré avec une grande acuité le Mal que ma Race a causé à la Terre ; cela me pèse lourdement.

– Quelle est ta Race, Ogi ?

La question d'Eldwen n'obtint pas de réponse. Les chevaux se mirent à hennir d'effroi. Des chocs sourds ébranlèrent le couloir où ils se trouvaient. Des fissures éclatèrent dans la pierre, laissant jaillir des jets de lave incandescente. Une lourde fumée envahit l'air, le rendant rapidement irrespirable.

– Fuis, Eldwen, fuis. C'est à moi que la Terre en veut. Tu dois fuir !

– Non, nous restons ensemble, répliqua Eldwen

Elle s'assura que les chevaux du Nalahir n'avaient plus la vue bouchée par leurs bandeaux et elle leur demanda de foncer devant eux. De nouveau, elle tendit la main pour empoigner Ogi par ses vêtements et l'obliger à suivre. La première fois, elle l'empêchait d'abandonner ; maintenant, elle s'assurait qu'il ne tente pas de se sacrifier.

Des pans de rochers tombaient, de la lave jaillissait dans les airs. Les parois, les plafonds et le sol craquaient. La colère de la Terre poursuivait Ogi, sans se préoccuper d'Eldwen.

Chapitre dix-septième

Orvak Shen Komi

À bord du navire interdit, Kurak était lové dans les bras de Beldouse. Durant toute la semaine, l'Empereur avait utilisé la Cassette des Forces de l'Air pour créer un vent puissant. Sa flotte avait ainsi contourné le Pays de Mauser à une vitesse remarquable pour ensuite remonter le fleuve Mauld jusqu'à l'endroit où Belgaice conduisait les troupes qui avaient défait celles de Del Afrenaie.

L'Akares avait profité du voyage pour passer de plus en plus de temps avec Beldouse. Les brèves visites s'étaient transformées en nuits entières. Avec la jeune Cahanne, l'Empereur ébauchait mille projets d'avenir où les guerres, la domination ou les rêves de gloire étaient remplacés par la paix et la construction d'un empire prospère.

Plus le moment de reprendre le commandement de ses troupes approchait, plus Kurak appréhendait de s'éloigner de son amoureuse.

– Dès que nous serons rendus à destination, affirma Kurak, je donnerai l'ordre à ta sœur Belgaice de retourner en Terre Cahan. J'offrirai aux Rois des Pays du Levant des conditions de paix respectueuses de leurs traditions et de leurs institutions s'ils acceptent de déposer leurs armes à mes pieds. Tes yeux si magnifiques ne verront pas l'horreur des champs de bataille. Tes pieds si délicats ne fouleront pas des routes de sang. Je ferai couvrir le sol de fleurs pour que tu marches avec moi afin d'annoncer un règne paisible.

– Mon amour, je ne demande rien pour moi, bredouilla Beldouse. Je ne veux rien d'extravagant, ni d'éblouissant. Tu garderas ces honneurs... pour nos enfants, peut-être...

– Des enfants, fit Kurak d'un ton rêveur. Des enfants de toi, quel bonheur cela serait !

– Kurak, je dois te dire, hésita Beldouse. Je pense que... Je peux me tromper, mais... Je crois que... j'attends un enfant de toi.

L'Empereur demeura figé de stupeur, tandis que Beldouse enfonçait la tête dans les épaules, redoutant la réaction de l'Akares. Les yeux baissés, elle attendait sans voir le sourire qui illuminait le visage de Kurak, sans voir le feu de joie qui brûlait dans son regard. Lorsqu'elle sentit ses mains puissantes lui saisir les épaules, la jeune Cahanne craignit ; lorsque ses lèvres passionnées trouvèrent les siennes pour l'embrasser, Beldouse leva le regard. Aussitôt, elle comprit l'immensité du bonheur de son amoureux.

Les navires avaient remonté le plus loin possible le fleuve Mauld pour finalement atteindre l'endroit où se touchaient les frontières du Kalar Dhun, du Pays de Mauser et de Gueld. Les troupes sous les ordres de Belgaice se trouvaient à quelques miljies seulement. La Reine de la Terre Cahan s'était rendue sur une hauteur qui lui permettait de voir d'un côté les navires s'ancrer dans le fleuve, de l'autre le campement de l'armée des Squales. Dans peu de temps, Kurak serait à terre ; il prendrait son cheval pour venir la rejoindre. Elle était prête à l'accueillir pour préparer le dernier assaut contre les ennemis qui résistaient encore. L'armée des Squales rejoindrait celle des Scasudens du Chef de guerre Sudan dans deux ou trois jours pour lancer l'attaque décisive contre le Gueldroc.

Pour Belgaice, la conquête définitive des Pays du Levant n'était qu'une question de temps, de très peu de temps. Elle devait agir rapidement pour s'assurer une position solide à la tête de l'empire. Quoi que Kurak fasse ou dise, la volonté de Vorgrar devait être respectée. Elle avait la mission de s'en assurer et le pouvoir d'intervenir au besoin. La Cahanne jeta un dernier coup d'œil vers le fleuve, cherchant à voir le navire interdit. Elle serra les poings en pensant à ce qui se passait à bord, maudissant sa sœur Beldouse. La haine au cœur, elle éperonna sa monture pour retourner à toute vitesse auprès des officiers de l'armée des Squales. De *son* armée.

Si la Terre sait être d'une paisible magnificence, elle peut être d'une terrible fureur. Lorsque sa Sagesse devient Déraison, sa voix se fait de feu et son pouls ébranle les montagnes. Dans ses entrailles, la vie de deux cavaliers en fuite n'est qu'une insignifiance, une présence impertinente qu'il faut chasser pour retrouver au plus vite son calme immuable.

Malgré les sensations violentes de la furie des entrailles du sol, Eldwen persistait à fouetter l'ardeur de Noiras. Elle criait aussi à CrinBlanc de l'accompagner et à Ogi de se cramponner à elle. Des grondements caverneux les poursuivaient, ponctués du fracas des rochers qui s'effondraient ; la chaleur de l'air atteignait la limite du supportable, s'engouffrant dans les poumons en un souffle douloureux. Sublimes, les chevaux du Nalahir repoussaient sans cesse l'échéance fatale. Leurs sabots se posaient sur des rochers instables, entourés de lave bouillonnante ; ils franchissaient des ponts de pierre qui s'écroulaient derrière eux ; ils traversaient des rideaux de flammes. Vingt fois, ils manquèrent de s'effondrer ; vingt fois, ils puisèrent au plus profond d'eux une énergie désespérée pour fuir le courroux à leurs trousses.

Soudain, la Terre sembla retenir sa respiration ; l'aveugle sentit une accalmie autour d'elle. Les chevaux du Nalahir étaient parvenus à distancer la colère qui les poursuivait.

– Nous lui avons échappé, s'écria Ogi. La fureur de la Terre est démesurée, mais brève !

– Que vois-tu ? demanda l'aveugle.

– Nous traversons encore des cavernes faiblement éclairées par des coulées de lave de plus en plus distantes, décrivit le Guide. Nous allons toujours en ligne droite, comme s'il n'y avait qu'un chemin qui nous était permis...

La folle chevauchée se poursuivit encore, Eldwen ne laissant ralentir qu'un peu leurs montures afin de s'éloigner le plus possible de la fureur de la Terre. Inévitablement, les chevaux montrèrent des signes de fatigue extrême. Leur course se transforma en galop de moins en moins rapide, pour finalement devenir un trot instinctif, à la limite de leurs forces. Lorsqu'ils parvinrent devant une muraille qui leur interdisait d'aller plus loin, Noiras et CrinBlanc s'immobilisèrent, la bouche pleine d'écume, les muscles agités de spasmes. À peine libérés de leurs cavaliers, les chevaux s'écroulèrent sur le sol, haletant péniblement.

– Ce repos sera leur dernier, murmura Ogi à l'oreille d'Eldwen. Ils ont donné plus que leurs forces pour nous faire échapper au péril.

– Peut-on rendre cet instant plus doux ? s'apitoya Eldwen.

– Je m'en occupe...

L'aveugle s'approcha de Noiras. Elle s'assit de façon à faire reposer sa tête sur elle. Elle le caressa sur le front de la manière qu'il appréciait tellement tout en lui parlant doucement à l'oreille. Ses mots étaient de remerciement, de gratitude, d'affection et de joie d'avoir bénéficié de l'amitié d'un être si exceptionnel. Eldwen ignorait ce que faisait Ogi ; elle ne cherchait d'ailleurs pas à le savoir. Le souffle du cheval se fit plus calme ; le rythme des inspirations s'espaça pour s'arrêter définitivement. Le cœur serré, les yeux pleins de larmes, la jeune femme déposa la tête de Noiras sur le sol.

Elle se rendit près de CrinBlanc pour le remercier à son tour, en son nom comme en celui d'Ardahel. À son tour, le magnifique cheval du Santerrian cessa de respirer.

✧ ✧ ✧

Eldwen savait qu'ils n'avaient pas le temps de pleurer.

Il fallait continuer, mais dans quelle direction ? Par quel moyen ? Les glapissements de Renard la tirèrent de son trouble. Le petit animal avait flairé une issue. Il y avait une mince faille dans la paroi rocheuse devant eux, un espace juste assez grand pour s'y faufiler, qui devenait ensuite un conduit obscur. Eldwen et Ogi hésitaient, mais Renard se fit insistant.

– Faisons confiance à son flair, décida Eldwen. Nous te suivons, Renard.

La progression reprit à tâtons dans l'obscurité. Il fallait parfois ramper et se tortiller entre les roches pour continuer. Heureusement, le conduit finit par devenir assez haut et large pour y marcher normalement. Il sembla soudain se terminer dans un cul-de-sac. Encore une fois, Renard indiqua une autre faille qui permettait de poursuivre leur chemin. Tout à coup, Ogi mit la main sur l'épaule de l'aveugle pour la retenir.

– Il y a de la lumière devant nous, annonça le Guide. Avançons avec prudence.

Fébriles et méfiants à la fois, ils continuèrent d'avancer pour enfin déboucher dans un espace fabuleux qu'Ogi avait peine à bien décrire.

– Nous sommes à la limite d'un extraordinaire jardin intérieur, fit Ogi totalement ébahi. Plus que cela, c'est une véritable ville, c'est un domaine digne des plus grands souverains...

– C'est le refuge de Vorgrar, conclut Eldwen.

– Oui, cela ne peut être autrement, s'extasia Ogi. Nous avons réussi à parvenir dans la cachette de l'Esprit Mauvais... Eldwen ! Nous y sommes !

L'aveugle perçut dans la voix d'Ogi une joie et une excitation comme il n'en avait jamais laissé transparaître. Cet instant revêtait sans le moindre doute une importance cruciale ; l'aboutissement d'une quête qui était le sens de son existence. Quant à l'aveugle, insensible à la beauté des lieux, elle se concentrait sur son objectif.

– Alors, allons-y, dit calmement Eldwen. Conduis-moi à Vorgrar.

Le Guide resta immobile. Le moment s'avérait critique pour lui aussi.

– Laisse-moi le temps de réfléchir, réclama Ogi. Nous devons faire attention. Surtout moi... Ma présence va surprendre Orvak Shen Komi encore plus que la tienne !

Eldwen songea un instant à questionner Ogi, mais elle se retint. Elle désirait surtout être en présence de Vorgrar. Elle eut alors une inspiration.

– Ogi, fit-elle, je possède un baume qui permet de détourner l'attention.

L'aveugle fouilla dans sa sabretache à la recherche du cadeau de Doldana la Larousquaise. Il s'agissait d'un flacon qui tenait dans la main ; sous le capuchon, il était percé de petits trous dont Ogi comprit immédiatement l'usage. Il fallait simplement réchauffer le flacon entre les mains pour rendre le baume liquide ; ensuite, il était possible de le projeter en secouant le contenant avec des petits coups secs.

Le Guide aspergea l'aveugle et Renard jusqu'à vider la moitié du flacon, puis Eldwen fit la même opération sur le Guide.

Enfin, le cœur battant, ils quittèrent leur cachette pour s'avancer dans le domaine souterrain à la recherche de Vorgrar.

✧ ✧ ✧

Une fois à terre, Kurak s'était empressé de rejoindre ses officiers ainsi que Belgaice dans la tente circulaire où il tenait ses réunions importantes. Il avait vaguement salué la Cabanne, l'embrassant sans passion, pour ensuite exiger des rapports précis sur la situation. Il écoutait les officiers distraitement, l'esprit encore sur le navire interdit, ses pensées tournées entièrement vers Beldouse qui lui donnerait un premier enfant qui serait beau comme sa mère, authentique et sage comme elle, fort et déterminé comme lui.

La réunion fut somme toute brève, car tout se déroulait à merveille. Les éclaireurs indiquaient que l'ennemi commençait à se regrouper au Gueldroc ; toutefois, il n'y avait pas de mouvements de troupes énormes de la part des armées de Gueld. Le Roi Loruel semblait manifester peu d'ardeur à organiser la défense de son pays. En Kalar Dhun, les Scasudens du Chef de guerre Sudan atteindraient bientôt leur objectif et leurs troupes pourraient se mêler à celles de l'Empereur.

Kurak confirma qu'il apportait des machines de guerre très puissantes dont le débarquement était déjà commencé. Elles étaient conçues pour être transportées facilement sur les chemins et assemblées rapidement sur les lieux de bataille. Dans quelques heures, l'armée pourrait lever le camp et entreprendre le trajet vers le Gueldroc.

– D'ici là, suggéra Belgaice, notre Empereur devrait se reposer un peu. Sa semaine de navigation a dû être éprouvante. Accordons-lui un peu de temps seul.

– Effectivement, approuva Kurak, j'aimerais qu'on me laisse seul un moment. Vous savez tous ce que vous devez faire. Il n'y a rien de plus à ajouter pour le moment.

Les officiers échangèrent des regards entendus ; ils avaient la certitude que l'Akares avait grande hâte de se retrouver en tête-à-tête avec la magnifique Cahanne qui l'avait attendu patiemment depuis son départ. Ils mirent le manque d'intérêt de l'Empereur à leurs propos sur le compte de l'impatience à profiter d'un moment d'intimité avec sa maîtresse.

Lorsque les officiers eurent quitté la tente, Belgaice s'empressa de servir un vin capiteux et des mets succulents à Kurak. Ses gestes étaient langoureux et sa voix mielleuse.

– Prends le temps de te rassasier et de te détendre, mon amour, susurra Belgaice. Laisse-moi t'enlever tes armes, te masser le corps, t'aider à détendre tes muscles et ton esprit. Chut, ne dis rien, abandonne-toi. Ferme les yeux.

Kurak ne répondit rien. Cela l'arrangeait en fin de compte de ne rien dire pour l'instant. Étendu sur son lit, il pouvait penser à Beldouse et savourer à l'avance son bonheur d'aller la rejoindre le plus rapidement possible.

Eldwen et Ogi avaient remonté les capuchons de leurs capes de manière à couvrir leur visage au maximum. Grâce au baume larousquais, ils marchaient dans les rues de la cité de Vorgrar sans être remarqués par les nombreux guerriers qui patrouillaient les lieux. Le Guide renonça à décrire les lieux à Eldwen, ni ces gens au corps parfait qui semblaient heureux, jeunes et pleins de vigueur, ni les élégants bâtiments de brique rouge ou les jardins à niveaux multiples. Il se contenta de s'orienter de son mieux dans ce splendide labyrinthe pour se diriger vers le centre de la cité, là où était certainement située la demeure de Vorgrar.

De temps en temps, Renard prenait les devants pour explorer les lieux. Il revenait alors en montrant le chemin, indiquant à Ogi les meilleurs passages menant à leur but. Ils pénétrèrent ainsi dans un jardin qui surpassait tous les autres en somptuosité. Partout, des plantes luxuriantes et des fleurs multicolores poussaient dans un harmonieux agencement de formes géométriques et organiques. Des allées de dalles rouges et de sable blanc convergeaient vers une construction somptueuse de deux étages au toit de tuiles rouges. Une partie du bâtiment entourait une piscine, tandis que l'autre créait un jardin intérieur chargé de fleurs délicates et grouillant de petits oiseaux aux couleurs vives, aux chants mélodieux.

Partout, des colonnades finement décorées soutenaient les avancées des toits. Des sculptures de toute taille ornaient les lieux, certaines étant des représentations admirables de corps parfaits dans des positions gracieuses, d'autres étant des formes abstraites d'un équilibre visuel saisissant. Des fresques ornaient les murs, elles aussi explorant tour à tour des avenues réalistes ou graphiques qui enchantaient le regard. Des guerriers en armes se tenaient en faction tout le tour du bâtiment, assurant une garde plutôt symbolique des lieux. Quel danger pourrait menacer le maître de tels lieux ? Leur rôle devait surtout consister à préserver sa tranquillité et son intimité.

L'aveugle et le Guide s'avancèrent jusqu'au bâtiment sans que personne semble prendre connaissance de leur présence. Ils gravirent les marches de l'entrée sans que les gardes aient la moindre réaction. Silencieusement, ils pénétrèrent dans le vestibule qui s'ouvrait sur l'atrium. Au centre, dans la piscine, quelques personnes se prélassaient dans une douce oisiveté ; elles n'eurent aucune réaction au passage des deux intrus. À l'autre bout, une sorte d'antichambre permettait d'accéder au jardin intérieur, entouré d'un passage couvert délimité par des colonnes de marbre immaculé. L'espace non recouvert était vaste, large d'une vingtaine de jambés et profond de trente jambés au moins. Au centre du jardin lui-même, il y avait une table de travail entourée de bancs confortables. Assis à consulter des livres rares, Orvak Shen Komi resplendissait de beauté. Splendide et puissant, grand, noble et de sexe indéfinissable, il portait sa tunique rouge toute simple, aux manches amples refermées aux poignets. Dans son visage délicat empreint de sagesse, son regard noir et profond reflétait la douceur. Sa longue chevelure noire coulait sur ses fines épaules.

La présence de Vorgrar était si intense qu'Eldwen n'avait plus besoin d'Ogi pour se diriger vers lui. Sans hésitation, elle marcha dans l'allée qui menait à sa rencontre, tandis que le Guide préférait demeurer en retrait derrière une colonne, tous les sens tendus pour suivre les détails de l'échange entre l'aveugle et l'Esprit Mauvais.

Eldwen s'arrêta devant son adversaire ; elle rejeta son capuchon vers l'arrière et Orvak Shen Komi prit conscience de sa présence. La personnalité de l'aveugle s'imposait maintenant avec une telle force qu'elle occultait toute autre présence, évitant ainsi à Ogi d'être découvert. Vorgrar eut un mouvement de surprise, mais il conserva un calme absolu. Il se contenta d'examiner avec curiosité l'intruse debout devant lui, de l'autre côté de sa table de travail, en attendant qu'elle parle la première.

– Nous sommes enfin face à face, murmura presque Eldwen. Sais-tu qui je suis ?

Vorgrar prit le temps de s'asseoir bien confortablement, presque nonchalant. Il paraissait détendu, intéressé et sûr de lui ; sa voix était ferme, mais amicale.

– J'ignore comment tu es parvenue jusqu'à moi, Eldwen l'aveugle, fit Vorgrar. Toutefois, je doute que ce soit uniquement pour échanger de simples politesses. Que veux-tu ?

– Tu es Orvak Shen Komi, le dernier membre de la Race Ancestrale. Tu es l'inspiration et la force de Kurak l'Akares qui étend sa domination sur toutes les terres habitées. Tu portes la responsabilité de destructions abjectes, de massacres infâmes, de drames misérables chez tes frœurs, chez les Races Anciennes et les Races Premières, ainsi que parmi les Basses Races. Tu es l'Esprit Mauvais qui avilit le Monde d'Ici après t'être détourné de la Pensée d'Elhuï.

Les paroles chargées de la colère d'Eldwen firent sourire Vorgrar.

– Bref, nos chances de nous entendre sont bien utopiques, ironisa-t-il.

– Tu peux en rire, fit Eldwen en recouvrant son calme, mais tu devras répondre de tout cela.

– Devant qui, pauvre enfant ? se moqua Vorgrar. Personne n'est au-dessus de moi en Monde d'Ici. Ma loi est désormais la seule qui prévaut. Tu n'es qu'un reliquat du passé, Eldwen ! Je te laisse encore respirer parce que cela m'amuse... pour un moment. Je n'ai qu'à le souhaiter et tu n'existes plus ; tu es une insignifiance qui commence d'ailleurs à m'importuner. Tu aimes tellement Elhuï, va donc le rejoindre immédiatement !

Vorgrar leva la main vers l'aveugle, sans nul doute pour accomplir un geste fatal dont il avait le secret, mais celle-ci ouvrit largement les bras.

– Frappe-moi, et ma perte sera la tienne par le fait même, déclara l'aveugle.

Intrigué, Vorgrar s'immobilisa.

– Tiens donc, persifla-t-il, tu serais liée à moi d'une telle manière que j'ignore ?

– Je suis la fille de ton frœur Hunil Ahos Nuhel, ta nièce, issue du sang de ta Race. Les Paroles Oubliées lient ton destin au mien.

Cette fois, Vorgrar éclata franchement de rire.

– Pauvre sotte ! fit-il en martelant les syllabes. Ce ne sont que des foutaises, des racontars et des histoires sans queue ni tête. Pourquoi crois-tu qu'elles méritent le nom de Paroles Oubliées ? Parce qu'il s'agit de simples brouillons de l'histoire du Monde d'Ici, des esquisses qui ont été oubliées parce qu'elles sont sans intérêt. Il y en a tellement et elles sont si contradictoires que tous ceux qui le désirent finissent par y trouver ce qu'ils cherchent. Je suis certain que ton compagnon s'est fait dire qu'il était le Santerrian annoncé dans ces paroles, que tous les Sages de son Pays en étaient convaincus, qu'il en tirait lui-même sa certitude... Cent autres Paroles contredisaient cela. Ton époux fut grand parce qu'il croyait en lui, parce que tu lui donnais sa force, parce qu'il avait décidé d'accomplir ce qu'il croyait son devoir et qu'il y mettait toute son âme, tout son cœur et tout son esprit. Rien ne s'accomplit parce que d'autres l'ont écrit par avance ! Le Destin n'existe que dans les mains de ceux qui le font ! Je suis mon Destin et j'ai décidé de conduire ce monde à la plénitude de sa perfection. J'y mets tout mon cœur, toute mon âme et tout mon esprit. Voilà ce qui est !

Orvak Shen Komi s'était enflammé ; une puissante passion l'animait, qu'il était heureux de partager avec une personne capable d'en mesurer vraiment la portée. Toutefois, l'aveugle devant lui demeurait fermée à ses arguments.

– Tu es dans l'erreur, répliqua calmement Eldwen. Ta logique n'est pas celle de la perfection ; elle mène le Monde d'Ici à sa destruction. Je vais te dire pourquoi. Ta Pensée est celle de la domination du plus fort, du meilleur, des individus supérieurs...

– Bien sûr, affirma Vorgrar. Tout l'univers n'existe que par ce principe ! Les faibles et les imparfaits sont éliminés au profit des individus irréprochables.

– Voilà comment tu as mis en place la logique qui a éliminé tes propres frœurs, souligna Eldwen. Tu te retrouves désormais seul de ta Race ! Ta Pensée a causé la chute des Alisans et la disparition de combien d'autres Races des temps anciens ?

– Elles étaient condamnées, interrompit Vorgrar. L'avenir du Monde d'Ici repose entre les mains du Moyen Peuple.

– S'ils sont animés par ta Pensée, rétorqua Eldwen, ces gens vont s'affronter sans cesse pour dominer les autres. Les guerres vont se succéder jusqu'à ce qu'un groupe soit assez fou et surtout assez puissant pour éliminer toute opposition. Un seul peuple, terrorisé par ce qui l'entoure, réussira à détruire ceux qui lui paraissent une menace. Parce qu'ils respectent ta logique, ils feront ces destructions en affirmant qu'ils assurent leur sécurité, qu'ils veillent sur le bien-être de ceux dont ils sont responsables. Ils se déclareront les défenseurs du *Bien*, alors qu'ils vivront selon la soi-disant perfection que tu leur inculques. Lorsque ce dernier peuple sera seul, les conflits entre les individus continueront pour obtenir la position dominante. Le frère attaquera le frère ; la sœur combattra la sœur ; l'enfant assassinera ses parents. Plus les gens respecteront ta logique, plus tu te retrouveras seul, Orvak Shen Komi. Seul, oublié des peuples et honni par la mémoire du Monde d'Ici.

– C'est faux ! s'écria Vorgrar. Ce monde m'appartient et je l'aime. Je ne peux pas le mener à sa destruction. Nous sommes ensemble sur le chemin de l'accomplissement idéal. J'agis *pour* les gens de tous mes peuples !

– Ha ! Ha ! railla Eldwen. Voilà encore l'erreur de la Race Ancestrale : agir *pour* les gens, au lieu d'agir *avec* eux. Imposer sa Pensée, choisir ce qui est *bien* pour les autres au lieu de leur enseigner à prendre leurs propres décisions. Tu enfermes le Monde d'Ici dans un cul-de-sac, Orvak Shen Komi.

Livide, Vorgrar se leva lentement de son siège. Il aurait pu écraser cette aveugle, l'anéantir d'un geste, la foudroyer et la broyer de sa puissance. Toutefois, il ressentait un profond besoin de lui prouver qu'il avait raison, que sa Pensée était sublime et parfaite. Il était tellement rare qu'une personne à l'esprit si puissant se tienne devant lui. Il ne fallait pas l'écraser sans l'avoir convaincue. Mieux, une personne d'une telle qualité devait nécessairement le comprendre et adhérer à sa Pensée.

– Tu es incapable de comprendre et de mesurer la grandeur de mon œuvre, objecta Vorgrar. C'est l'essence même de la Vie que je dirige vers son apothéose. Si tu étais capable de voir cet endroit et la beauté de ceux qui l'habitent, tu te prosternerais en adoration devant moi, soumise et heureuse de ma souveraineté.

– La beauté est lumineuse, répliqua avec passion l'aveugle. La beauté est lumière, le *Bien* est œuvre de lumière, œuvre d'Elhuï, car Elhuï est lumière. Le *Bien* est *Beau*, Vorgrar ! Toi, tu n'es pas lumière : tu es ténèbres. Voilà pourquoi tu es le *Mal*, Orvak Shen Komi !

Les paroles autoritaires d'Eldwen secouaient Vorgrar, ébranlant ses certitudes et l'obligeant à trouver une riposte. Ce fut presque d'un ton désespéré qu'il tenta d'infirmer la logique de la jeune femme.

– C'est toi, Eldwen, qui es dans les ténèbres. Tu es aveugle ! Tu ne vois pas ma beauté, tu ne vois pas la splendeur de mon œuvre !

– Ta beauté est une illusion, réfuta l'aveugle. Je le sais, car je vois la vraie Lumière, non pas celle qui éclaire le Monde d'Ici, mais plutôt celle de la Vie. La beauté du Bien !

Eldwen sentit alors en elle une certitude réconfortante. Face à Vorgrar, confrontée entièrement à l'Esprit Mauvais, elle mesurait pleinement le sens de sa vie, des enseignements reçus, des expériences vécues. Elle était désignée pour lui parler au nom des Peuples et des Races auxquels il tentait d'imposer sa Pensée.

Spontanément, des paroles montèrent aux lèvres d'Eldwen, à la fois nouvelles et issues de tout le chemin qu'elle avait parcouru pour arriver à cet instant.

– Tu ne respectes pas la Vie. Ta conception de la perfection conduit à la destruction de la Vie. Moi, Eldwen, je suis la Désignée pour te rencontrer. Par ma chair et par mon âme, je te parle au nom du Monde d'Ici pour refuser la Pensée que tu veux prescrire. Au nom de chaque femme, de chaque homme, de chaque enfant du Moyen Peuple, j'affirme que nous refusons ce que tu proposes. En ce moment, en ce temps de l'histoire, en toute connaissance de causes et d'effets, nous faisons le choix d'accepter la Pensée d'Elhuï qui nous est proposée librement.

Chaque parole de l'aveugle sembla s'enfoncer dans l'esprit d'Orvak Shen Komi comme des lames tranchantes qui lui lacéraient l'âme.

✧ ✧ ✧

Étendu sur son lit, les yeux fermés, Kurak s'abandonnait à un doux repos. Les mets que venait de lui servir Belgaice l'avaient repu et même engourdi. Une délicieuse langueur s'était emparée de son corps ; son esprit allait vers Beldouse, en imaginant avec bonheur chacun de ses traits, chacun de ses sourires.

Reine de la Terre Cahan, favorite de Vorgrar, maîtresse de l'Empereur du Monde d'Ici, la Cahanne Belgaice se sentait profondément humiliée. Kurak lui préférait sa sœur Beldouse ; il la rejetterait bientôt alors qu'elle se dévouait à la tête de son armée. Bientôt, c'est sa cadette qui régnerait ? Jamais !

Kurak l'Akares s'était détourné de la mission grandiose que Vorgrar lui avait confiée ; ainsi, il avait trahi la confiance du maître sublime du Monde d'Ici.

Silencieusement, Belgaice tira de son fourreau l'arme de Kurak, l'épée noire qui paraissait boire toute lumière. À travers le vide infini de sa lame, Vorgrar pourrait voir qu'elle assumait ses responsabilités. Il verrait son geste de servante dévouée ; il ignorerait son geste de maîtresse jalouse et bafouée.

– Demeure ainsi, les yeux fermés, et tu connaîtras un moment digne de toi, murmura Belgaice en montant debout sur le lit.

Kurak eut un sourire. Lorsque la Cahanne faisait cela, il profitait toujours d'une surprise qui comblait ses sens. Pourtant, tandis qu'il sentait la femme prendre position, il réalisa qu'il n'avait aucun goût de recevoir les attentions d'une autre que Beldouse. Il décida d'ordonner à Belgaice de s'en aller.

L'Akares s'apprêta à parler ; il ouvrit les yeux et il vit.

Orvak Shen Komi serra les épaules comme si un frisson douloureux lui traversait le corps. Péniblement, il répondit à Eldwen.

– Tu mens, tu ne peux pas dire cela. Il est inconcevable de vouloir refuser ma perfection. Voici la preuve ! Regarde comment Kurak va enfanter la paix en Monde d'Ici ; comment JE vais enfanter la paix à travers celui qui m'appartient !

Vorgrar plaça ses mains pour créer une sorte de sphère qui flottait devant lui. Dans cet espace indéfinissable, il voyait jusqu'à l'Empereur, au travers de la lame de l'épée noire que brandissait Belgaice. L'image qui apparaissait dans la sphère parvenait aussi à l'esprit d'Eldwen. Tous les deux, ils virent l'Akares souriant, étendu sur son lit. Kurak ouvrit les yeux ; ils se chargèrent d'étonnement, puis de douleur lorsque la lourde lame noire s'enfonça dans sa poitrine, le transperçant de part en part juste à l'endroit du cœur.

La vision dans la sphère se transforma en une mare de sang rouge. La forme sembla éclater, se répandant sur Vorgrar qui s'écrasa sur le sol, à genoux derrière sa table de travail.

Il y avait un étonnement douloureux, une détresse infinie dans les yeux de Vorgrar. Sa bouche s'ouvrait et se fermait en tremblant, comme s'il cherchait en vain des mots pour répondre ; ses longues mains fines tournoyaient lentement en se fermant dans le vide, comme s'il tentait de s'agripper à un invisible support. Comment cette femme pouvait-elle refuser sa Pensée magnifique au nom du Monde d'Ici ? Comment les peuples qu'il aimait tant pouvaient-ils refuser l'idéal qu'il leur montrait ?

– Je suis le chemin de la perfection, insista Vorgrar dans un râle pitoyable. Je peux faire de toi la plus grande Reine du Monde d'Ici... la plus redoutée des souveraines..., celle qui commandera chaque être vivant...

– Je ne veux pas de tes chaînes, affirma Eldwen. Je veux être libre !

Vorgrar essayait désespérément de trouver un argument pour convaincre Eldwen. Ses lèvres bougeaient, mais aucun mot ne les franchissait. L'aveugle répéta ses paroles encore une fois.

– Orvak Shen Komi, mon oncle, frœur de mon parent Alios, frœur du parent de mon époux éternel Ardahel, regarde-moi bien. Je suis Eldwen la Désignée pour représenter le Moyen Peuple devant toi. Je suis la Désignée pour parler au nom de l'avenir du Monde d'Ici. Je suis la Désignée qui t'affirme que tu es l'Esprit Mauvais. Que tu es le Mal et que nous te refusons.

Vorgrar subissait chaque parole comme un tourment d'autant plus douloureux qu'il avait toujours été inconcevable. Eldwen s'était tue et elle faisait face à Orvak Shen Komi qui cherchait désespérément à reprendre le contrôle de cette situation impensable. Ogi s'approcha à ce moment, se dévoilant à son tour. Orvak Shen Komi le regarda avec effroi, comme s'il voyait une personne dont la présence ne pouvait être vraie. Il nia tout d'abord l'identité de celui qu'il reconnaissait.

– Jeim Mier Pehar, ce ne peut être toi, mon frœur, sanglota Vorgrar. Tu n'existes plus ! JadThimas a mis fin à tes jours en Monde d'Ici.

Ogi eut un sourire méprisant à l'intention de son frœur.

– En es-tu bien certain, mon frœur ? Pourquoi aurait-elle fait cela ?

– C'était convenu. Elle l'a fait pour moi et elle me l'a confirmé...

– Ainsi, elle exécutait ton ordre ?

Vorgrar demeura un long moment figé, hébété. Il était absolument inutile de mentir. Il restait encore entre eux des liens qui lui interdisaient de cacher la vérité à son frœur. Un râle pitoyable s'échappa de ses lèvres blanches.

– Oui, Jeim Mier Pehar. J'ai ordonné qu'on t'enlève la vie.

– Quel bel aveu ! constata le Guide. Voilà un membre de la Race Ancestrale qui admet avoir commis un crime impardonnable contre son propre sang. Le jugement est sans appel et la sentence est exécutoire immédiatement.

Livide, Vorgrar le Magnifique se releva finalement pour faire face à son frœur l'Ancêtre. Lentement, il reprit le contrôle de son corps et de son esprit, retrouvant sa dignité de membre le plus puissant de la Race Ancestrale. Désormais, tout était clair en lui, lumineux. Il avait failli à la tâche et il avait perdu. Avec une lucidité qui chassait tout espoir d'échapper à son destin, Orvak Shen Komi, dit aussi l'Esprit Mauvais, se redressa fièrement. Il retrouva sa prestance et sa beauté, son allure assurée. Toute sa grandeur rayonnait avec intensité alors qu'il s'avançait d'un pas déterminé pour se placer devant l'Ancêtre.

Vorgrar s'inclina devant Jeim Mier Pehar.

– Fais ce que tu dois faire mon frœur... sans tarder.

Ogi s'approcha d'Eldwen qui demeurait figée, totalement abasourdie par l'incroyable révélation de l'identité de son Guide. Celui-ci lui adressa sa demande humblement.

– Eldwen la Désignée, déclara-t-il, tu as vaincu l'Esprit Mauvais au nom des Races du Moyen Peuple. À mon tour de vaincre le frœur qui s'est élevé contre les siens. Je te prie de me confier le Glaive Nouveau ; au nom de toutes les vies que j'ai données, je m'accorde maintenant le droit d'en prendre une, celle d'Orvak Shen Komi.

L'aveugle fit un signe d'acquiescement à l'intention de Jeim Mier Pehar, connu de ses frœurs sous le surnom de l'Ancêtre, connu d'Eldwen la Désignée sous l'identité d'Ogi, le Guide de son apprentissage et de sa lutte contre l'Esprit Mauvais. Le membre de la Race Ancestrale tira le Glaive Nouveau du fourreau pour aller se placer face à Vorgrar qui attendait cet instant avec résignation.

– Mon frœur, demanda Orvak Shen Komi, crois-tu qu'une certaine paix me sera accordée ?

– Je l'ignore, répondit fermement l'Ancêtre. Seul Elhuï pourra te répondre. À Dieu... Adieu...

– Adieu...

L'Ancêtre leva l'arme du Santerrian très haut, puis il l'abattit d'un geste implacable.

Épilogue

Lorsque Orvak Shen Komi s'écroula, Eldwen sentit sa présence s'évanouir comme une fumée que le vent disperse. Elle demeura immobile dans son obscurité d'aveugle, l'âme ravagée de sentiments contradictoires. La joie d'avoir vaincu Vorgrar le disputait aux peines que le combat avait coûtées, particulièrement la perte d'Ardahel. La jeune femme cherchait un sens à tout ce qui venait de se produire et de nouvelles questions lui brûlaient les lèvres. Elle avait le sentiment d'avoir été bernée par Ogi tout en lui devant la réussite de sa mission.

Le Guide s'approcha ; il entoura d'un bras les épaules de l'aveugle. Lentement, irrésistiblement, malgré sa résistance, il la força à se serrer contre lui, à laisser tomber ses défenses. Lui aussi avait besoin de réconfort. Eldwen ressentit à quel point Ogi avait souffert et qu'il vivait comme elle les mêmes émotions opposées de joie et de peine.

Enfin, Ogi brisa le silence.

– Je te dois certaines explications, murmura-t-il. Je suis Jeim Meir Pehar, le membre de la Race Ancestrale que mes frœurs nomment l'Ancêtre. Il y a fort longtemps, j'ai eu la certitude que Vorgrar deviendrait puissant au point d'être capable de contrôler le Monde d'Ici selon sa Pensée. J'ai aussi été convaincu que mes frœurs ne réussiraient jamais à le neutraliser définitivement. Il existe entre nous des liens qui ne s'expliquent pas et qui nous rendent à la fois solidaires et dépendants. Ces liens font qu'en pratique, seul l'un de nous pouvait vaincre Orvak Shen Komi, tandis que celui-ci avait la capacité de prévoir et de contrecarrer toutes nos actions. Face à ce dilemme, j'ai pris la décision d'agir à l'insu de mes frœurs, même de ton parent Alios. Comme j'étais devenu le seul détenteur du droit d'enfanter les Races qui peuplent le Monde d'Ici, j'ai utilisé ce privilège pour combattre Vorgrar. Dans le plus grand secret, j'ai engendré un autre moi-même, un double en tout point identique, mais dont l'existence était ignorée de mes frœurs.

De parler pour donner ces explications sembla soulager l'Ancêtre au plus haut point. Il poursuivit d'une voix mieux assurée.

– J'existais en tant que l'Ancêtre qui donnait l'impression de se désintéresser de la situation, et simultanément, en tant qu'Ogi qui veillait à préparer la route de la Désignée qui porterait à Vorgrar le refus du Monde d'Ici. De loin, dans la clandestinité, sans jamais avoir le moindre contact avec mes frœurs, surtout avec mon autre moi-même, j'ai surveillé les actions et les destins de ceux qui s'élevaient contre l'Esprit Mauvais. Quand j'ai eu la conviction que tu jouerais un rôle décisif, j'ai pris le risque de m'approprier de toi pour te former, pour t'enseigner, pour te préparer. Je t'ai suivie, je t'ai aidée de mon mieux, en préparant cet instant où tu aurais tellement affaibli Vorgrar que je pourrais enfin l'affronter pour lui porter le coup fatal.

– Ce que je n'aurais pas pu faire seule, compléta Eldwen. Tu ne pouvais pas être celui qui le vainc. Il était impossible pour un membre de la Race Ancestrale de vaincre Orvak Shen Komi. Tu pouvais être uniquement celui qui le juge et l'exécute.

– Voilà la vérité, fillette ! Crois-moi, je mesure tout ce que je t'ai fait souffrir...

– Et moi, je mesure tout le bonheur que j'ai eu, répondit Eldwen avec chaleur. Grâce à toi, n'ai-je pas vécu une existence exceptionnelle, qui dépasse même l'entendement !

– Tout est accompli maintenant, soupira l'Ancêtre.

Il regarda le corps de son frœur gisant à leurs pieds, le Glaive Nouveau transperçant son cœur. Un instant, il s'interrogea sur son sort.

– Veux-tu récupérer l'arme d'Ardahel ? demanda-t-il.

– Non, répondit Eldwen sans hésiter. Le Glaive Nouveau porte désormais ce nom, car il a permis d'imposer non pas la force des grands, mais plutôt la justice des petits. Il n'a plus rien à combattre.

Ogi remonta son capuchon sur sa tête et fit de même avec celui d'Eldwen.

– Quittons ces lieux au plus vite, ordonna-t-il. Je pressens que quelque chose va se produire. Ce domaine n'a plus de signification sans Vorgrar et...

Ogi fut interrompu par un grondement sourd ; une onde de choc ébranla le sol, puis le calme revint. Sans plus tarder, l'Ancêtre entraîna l'aveugle à sa suite. À la course, suivis par Renard, ils se dirigèrent vers ce que Jeim Meir Pehar avait identifié comme une sortie. En effet, il arriva à l'un de ces assemblages dont ses frœurs et lui détenaient le secret. Il vit avec satisfaction les colonnes de liquide coloré dans lesquelles montaient ou descendaient des bulles, les sources d'énergie des plateformes permettant d'accéder aux différents niveaux de leurs constructions. D'un coup d'œil, il évalua la hauteur à gravir, plus de cinquante tails, jusqu'au dôme transparent qui occupait tout le centre de la Forteresse Sombre pour laisser pénétrer la lumière du jour dans le domaine souterrain.

La première onde d'un possible tremblement de terre avait semé l'inquiétude chez les résidants du domaine de Vorgrar. Ils regardaient autour d'eux en s'interrogeant sur ce qu'il convenait de faire. Malgré leur crainte, ils demeuraient sur place, indécis, dans l'attente vaine d'un signal de leur maître. Les deux fuyards ne s'arrêtèrent pas ; personne ne prêtait attention à leur passage, probablement parce que l'effet du baume larousquais les protégeait encore. Jeim Meir Pehar s'engouffra sur une plateforme avec Eldwen et Renard. Aussitôt, ils furent emportés vers le haut. Une nouvelle secousse ébranla le domaine, faisant craindre à l'Ancêtre que la plateforme ne cède. L'assemblage tint bon et, finalement, ils arrivèrent à la surface de l'île, dans les bâtiments de la Forteresse Sombre. Là aussi, la panique régnait ; les gardes avaient vu la mer se gonfler pour lancer ses vagues à l'assaut de l'île. Espérant que l'intérieur du domaine leur procurerait plus de sécurité, ils se précipitaient sur les plateformes pour descendre rejoindre les autres.

Après une nouvelle course dans les escaliers, l'Ancêtre, Eldwen et Renard se retrouvèrent seuls au sommet du plus haut bâtiment de la Forteresse. La terre se remit alors à trembler, cette fois sans s'accorder de pause. Jeim Meir Pehar se précipita sur le bord intérieur pour regarder le dôme transparent qui absorbait tant bien que mal les chocs. Tout à coup, accompagnée d'une clameur horrible, une lueur rouge apparut en dessous du dôme. Sous l'effet de la chaleur, il se fissura et éclata dans un vacarme assourdissant, laissant voir à l'Ancêtre le spectacle hallucinant de la lave qui jaillissait du sol. La roche en fusion se répandait partout dans le domaine de Vorgrar, ravageant les bâtiments, engloutissant les jardins, balayant les rues de sa fureur, emportant dans son incandescence tous les serviteurs de Vorgrar.

Le grondement de la terre s'amplifia encore. Soudain, une fissure s'ouvrit dans la muraille opposée à l'endroit où s'étaient réfugiés Jeim Meir Pehar et Eldwen. Un pan complet de la Forteresse Sombre bascula en avant ; une section entière de l'île s'effondra. Aussitôt, la mer s'engouffra dans l'ouverture béante. Au contact de la lave, l'eau forma une gigantesque colonne de vapeur giclant vers le ciel avec un gémissement strident. Projetés sur le sol, l'Ancêtre et l'aveugle s'accrochaient l'un à l'autre tout en se bouchant les oreilles.

Enfin, le sol cessa de bouger et le silence s'imposa graduellement. Encore terrorisé, Renard se blottit contre Eldwen pendant que Jeim Meir Pehar se relevait prudemment. Il retourna sur le bord de la muraille pour examiner les lieux. Il ne restait de l'île et de la Forteresse que la section où les survivants se trouvaient, comme un gros cube noir posé sur un piton rocheux entouré d'eau.

– La Terre a de brèves mais terribles colères, fit Jeim Meir Pehar d'une voix mal assurée. Je crois bien qu'elle m'a pardonné... ou bien j'ai profité de la présence de celle qu'elle désirait épargner !

– Qu'avait-elle à te reprocher ? s'enquit Eldwen en se relevant lentement. Je me rappelle que tu as admis de lourdes fautes contre elle avant de pénétrer en son sein.

– Nous, de la Race Ancestrale, nous avons troublé sa quiétude, nous l'avons meurtrie en plusieurs occasions. Rappelle-toi la désolation et la souffrance sur le Plateau des Alisans ; la Terre nous en tient responsables, car c'est l'un d'entre nous qui est à l'origine de cette blessure. Il en est de même pour les actes des Géants et bien d'autres manques de respect. C'est à cause de Vorgrar, me diras-tu, mais la Terre n'en tient pas compte. Nous sommes solidaires dans nos mérites comme dans nos fautes.

Eldwen prit Renard dans ses bras. La chaleur de l'animal la réconforta. Elle marcha en silence en respirant à pleins poumons l'air maintenant calme, chargé des odeurs sereines de la mer et du bruit des vagues éternelles. Elle avait de la difficulté à se concentrer tant les idées, les émotions et les questions se bousculaient en elle. L'aveugle ressentait le besoin de parler, surtout pour ne pas se sentir seule, un peu pour comprendre ce qu'il adviendrait à partir de ce moment. Elle s'immobilisa brusquement pour se tourner en direction de Jeim Meir Pehar.

– Dis-moi, est-ce que la paix règne maintenant en Monde d'Ici ? supplia Eldwen.

L'Ancêtre s'approcha pour lui répondre, la voix résignée.

– Crois-tu qu'avec la disparition de Vorgrar les armées ont laissé tomber les armes ? Malheureusement non. Cependant, elles ont perdu leur chef, celui qui donnait un but à leurs combats. Avec beaucoup de courage et de sacrifices, ceux qui ont courbé la tête pourront la relever.

✧ ✧ ✧

Le destin de Belgaice

Lorsque la Cahanne avait enfoncé l'épée noire dans le cœur de Kurak, elle avait ressenti un choc puissant la renverser. Encore étourdie, elle avait vu l'Empereur tenter de se redresser, puis retomber inerte dans le lit. Alors, la lame avait brillé d'un reflet rouge menaçant pour enfin devenir terne, d'un gris sale.

Habilement, Belgaice avait tourné le drame à son avantage. Elle avait réuni les officiers pour leur annoncer que l'Empereur Kurak avait lui-même mis fin à ses jours parce qu'il avait démérité de son maître, le tout-puissant Seigneur Vorgrar. Elle en avait donné pour preuve son comportement bizarre avant de se retirer dans sa tente pour accomplir le geste funeste. Tous les officiers avaient bien constaté à quel point il était absent d'esprit, qu'il écoutait à peine les rapports les plus importants, qu'il ne manifestait aucun intérêt pour la conduite des opérations.

L'aplomb de Belgaice avait convaincu les officiers ; de plus, elle assurait détenir les secrets des armes extraordinaires à leur disposition. La Cahanne renforça donc le commandement qu'elle avait exercé durant l'absence de Kurak. Sans laisser le temps aux officiers de s'organiser autrement que selon sa volonté, elle donna le signal du départ vers le Gueldroc. Avant de partir, elle ordonna que le navire interdit soit gardé sous haute surveillance, que personne n'y monte ni n'en descende jusqu'à son retour. Belgaice se réservait la rencontre avec sa sœur Beldouse au moment de son retour triomphal.

L'armée des Squales fonça donc à toute vitesse vers le Gueldroc où l'attendait déjà Sudan, le chef des Scasudens. Ils se retrouvèrent environ soixante mille guerriers dans la plaine, devant la porte d'Ul-Luel où Loruel avait déjà affronté victorieusement les Sorvaks Pétrud et Tiorkar. Cette fois-ci, le Roi du Pays de Gueld avait sous ses ordres des troupes équivalentes à celles de l'adversaire. Elles comptaient l'armée de Del Afrenaie qui avait fui le Pays de Mauser, plusieurs bataillons de Tornas du Kalar Dhun, et une partie des propres troupes de Gueld. En effet, Loruel avait préféré répartir le plus gros de son armée en divers lieux stratégiques pour lancer des contre-attaques d'un peu partout au cas où le Gueldroc aurait besoin d'aide ou, pire, s'il tombait aux mains de l'ennemi.

Du haut des murailles du Gueldroc, Loruel contempla avec appréhension les machines de guerre que les troupes de Belgaice installaient dans la plaine. Il craignait que la porte d'Ul-Luel ne puisse résister à leur assaut. Lowen se tenait à ses côtés, en habits de combat. Elle portait une arme pour la première fois depuis sa fuite héroïque de la place forte sorvak d'Horor avec ses frères Suirdor et Tornas gravement blessés. C'est elle, Lowen la Juste, qui avait convaincu son époux de faire face à l'ennemi. Malgré les souvenirs atroces de la guerre contre les Sorvaks, malgré la perspective affreuse de la guerre, Lowen affichait une détermination qui avait redonné confiance à Loruel. Celui-ci avait donc organisé la défense du Pays de Gueld tout en se réservant la possibilité de rencontrer l'Empereur Kurak pour tenter une négociation.

Précédé de cavaliers avec des drapeaux de parlementaire, flanqué de Lowen, de Tornas et de Del Afrenaie, Loruel s'avança dans la plaine pour rencontrer son adversaire. Ce fut Belgaice qui vint à sa rencontre, accompagnée de Sudan le Scasuden et deux de ses principaux officiers.

– Je croyais rencontrer l'Empereur Kurak, s'étonna Loruel après avoir fait les salutations d'usage.

– L'Empereur n'est plus, répondit fièrement la Cahanne. Désormais, c'est moi, Belgaice, Reine de la Terre Cahan et Impératrice du Monde d'Ici, qui commande. Je viens prendre tout ce que je désire, cela à mes conditions ; votre seul choix est de vous soumettre totalement.

– Quelles sont tes conditions ? demanda Loruel.

– Je possède toutes les terres avec tous les pouvoirs politiques et commerciaux.

– Cela ne ressemble pas à ce que j'ai entendu dire de la façon dont Kurak négociait ses conquêtes, objecta Loruel.

– Il n'y a rien à négocier avec moi. La toute-puissance de Vorgrar, le Maître du Monde d'Ici, m'accompagne et me guide.

Visiblement, Belgaice avait hâte de passer à l'attaque ; elle n'avait aucune intention de discuter. Elle n'avait accepté cette rencontre que pour satisfaire le respect que portaient ses officiers aux traditions. Le premier à réagir fut Del Afrenaie. Le Mauseran s'approcha à la hauteur de Loruel, puis il cracha sur le sol devant Belgaice. Il fit faire demi-tour à sa monture pour repartir vers le Gueldroc. Tornas imita immédiatement son geste.

Lowen aussi s'avança en toisant la Cahanne, l'apostrophant d'une voix ferme.

– Je n'ai pas connu Kurak, mais j'ai une certitude en te voyant : ce que son empire pouvait avoir de grandeur est disparu avec lui. Laisse-moi t'affirmer que ton règne sera bref et qu'il se terminera dans le malheur.

Tandis qu'une rage destructrice emplissait le cœur de la Cahanne, Lowen retourna aussi vers le Gueldroc. Loruel fit de même après une dernière parole à l'intention de Sudan, le Chef Scasuden qui se tenait près de Belgaice.

– Les cendres des armées venues des Terres Mortes engraissent cette plaine. Si tu veux éviter le même sort à ton peuple, je te conseille de quitter rapidement les lieux.

En disant cela, Loruel savait qu'il bluffait ; pourtant, il avait le sentiment que cela pouvait s'avérer la réalité.

– Reculez-vous ! s'écria Belgaice à l'intention de ceux qui l'accompagnaient. Vous allez voir comment ma puissance va renverser ces minables souverains qui osent espérer s'opposer à moi.

Fébrile, la Cahanne descendit de sa monture ; elle sortit de sa ceinture les Cassettes des Forces du Feu, de l'Air et de l'Eau. Grâce à elles, Vorgrar avait affirmé que ses armées étaient invincibles, que le Gueldroc n'était plus qu'un fragile château de sable. La Cahanne tendit les mains devant elle en élevant les Cassettes et en priant Vorgrar de déchaîner leur puissance contre les ennemis.

Comme dans un rêve au ralenti, Belgaice vit surgir de ses mains trois énergies fabuleuses qui se joignirent en un tourbillon aux teintes de Feu, d'Air et d'Eau. Elle sentit une puissance inimaginable qui l'enveloppait pour la broyer, la réduire à néant, l'éliminer totalement du Monde d'Ici. Vorgrar, qu'elle priait de la mener à la victoire, n'existait plus. Celui qui devait diriger la Puissance des Cassettes était absent.

De la Porte d'Ul-Luel, Loruel, Lowen et les défenseurs du Gueldroc virent s'élever dans la plaine une onde d'énergie indescriptible. Contenue, puis rabattue par l'Air, une monstrueuse masse de Feu retomba en gouttes d'Eau enflammée sur l'armée de Belgaice. En un instant, les machines de guerre ne furent plus que des décombres fumants tandis que les troupes étaient décimées. Abandonnant sur place toutes leurs armes, les survivants de l'armée de l'Empereur du Monde d'Ici s'enfuirent le plus rapidement possible, la terreur au cœur.

En retombant sur le sol, les trois Cassettes dégageaient encore tellement de chaleur et d'énergie qu'elles s'y enfoncèrent profondément. La Terre les engloutit définitivement.

✧ ✧ ✧

L'héritage de Kurak

L'équipage du navire interdit réagit rapidement après la disparition de Kurak et la défaite de l'armée des Squales devant le Gueldroc. Le capitaine du navire fit hisser les voiles pour quitter les lieux sans attendre. Lorsqu'il fut en haute mer, le bateau prit directement la route de la Terre Cahan.

Le capitaine se rendit à la cabine où Beldouse, grandement intriguée par les mouvements du navire, attendait son imprévisible amoureux. Dès qu'elle vit entrer un autre que Kurak, elle comprit qu'il venait lui annoncer une terrible nouvelle.

La peine de la Cahanne fut déchirante. Sa plainte emplit tout le navire, touchant au cœur chaque membre de l'équipage. Le capitaine était un marin vieux et sage que Kurak avait choisi pour ses qualités de cœur tout autant que pour son expérience de la mer et de la vie. Tel un père, il demeura près de la jeune femme pour la soutenir et la consoler. Enfin, lorsque ce fut le bon moment, il lui présenta un coffret précieux fermé par des sceaux portant la marque de l'Empereur.

– Ceci contient l'héritage que Kurak te réserve, expliqua le capitaine. Il m'a donné l'ordre de te le remettre, et de veiller sur toi si jamais il devait périr au cours de cette guerre.

Refoulant ses larmes, Beldouse ouvrit respectueusement le coffret. Elle vit quelques documents officiels portant le sceau de l'Akares, quatre fioles étranges ainsi qu'une lettre qui lui était adressée. Sachant qu'elle lirait ces mots uniquement s'il avait été vaincu, Kurak lui ordonnait de continuer à vivre sans lui. Les documents contenus dans le coffret affirmaient qu'elle était désormais la seule Reine légitime de la Terre Cahan ; l'Empereur lui confiait la destinée de son pays afin qu'elle en fasse une contrée de paix et d'abondance pour son peuple. Kurak lui expliquait aussi ce qu'il savait des quatre fioles qu'il avait prises au Santerrian ; il avait la certitude que la sagesse et la bonté de la Cahanne la guideraient pour en faire un usage judicieux. L'Akares terminait sa lettre par des mots qui traduisaient la tendresse de son amour éternel pour Beldouse.

La jeune femme referma le coffret. Elle passa sa main sur son ventre, là où elle savait que se formait l'enfant de Kurak.

– Ton plus précieux héritage grandit en moi, murmura Beldouse. Il sera grand comme toi, capable des plus grands exploits. Sois rassuré, mon amour, je veillerai sur lui.

✧ ✧ ✧

Lorsqu'il avait quitté le bac où il s'était réfugié, Tocsand s'était d'abord rendu à la rencontre des troupes du général Sordac. Les Sormens avaient progressé à vive allure et ils longeaient la Rivière des Eaux, à la limite de la Région des Récoltes. Ils étaient surveillés par des troupes sous la conduite du Capitaine Bilgor, grand responsable des armées dans la Région des Métiers. C'était l'Artan qui avait été vaincu par MeilThimas lors de la joute au Temple du Roi et des Sages.

Le Capitaine accueillit avec soulagement le retour de son Roi en compagnie de MeilThimas.

– Nous ne savons pas quoi faire d'autre qu'observer, impuissants, l'avance de l'ennemi, déplora Bilgor. Ils demeurent en groupe compact, inattaquable. Chaque tentative s'est avérée un échec coûteux.

– Obéissez-moi, affirma le Roi, et nous allons les arrêter avant la fin de la journée !

Le récit qu'avait fait Meilsand de l'attaque des Magistiens en Magolande avait inspiré Tocsand même s'il ne disposait pas de la magie des Races Premières. Il ordonna de mettre le feu à la forêt en deux vastes arcs de cercle autour des Sormens. En cette période de l'année propice aux incendies, les bois s'embrasèrent facilement. Bientôt, les Sormens se retrouvèrent encerclés par les flammes, obligés de se lancer dans la rivière pour leur échapper. Entre les deux rives enflammées, la chaleur et la fumée devenaient insupportables, forçant les guerriers à remonter ou à descendre le cours d'eau. Ils offraient alors des cibles faciles pour les archers de Santerre qui occupaient des positions avantageuses en amont comme en aval.

Le général Sordac constata que la tactique qui l'avait si bien servi depuis son entrée en Pays de Santerre se retournait maintenant contre lui. Il prépara une contre-attaque que Tocsand avait prévue. Lorsque les Sormens quittèrent le lit de la rivière à la limite de la forêt enflammée, ils n'avaient pas le loisir de se protéger en demeurant sur place avec leurs longues lances pointées vers les assaillants et les archers en position de tir. Au contraire, ils devaient foncer à la hâte pour échapper aux flammes. La cavalerie de Santerre se tenait prête.

Menés par Tocsand, MeilThimas et Bilgor, les défenseurs de Santerre se lancèrent à l'assaut. L'Autegentienne fut la plus impressionnante de tous les combattants. Son glaive FenThas brillait dans l'air assombri par la fumée des brasiers. Ses adversaires tombaient l'un après l'autre, incapables de résister. Voyant ses guerriers reculer devant MeilThimas, le général Sordac fonça dans sa direction pour l'affronter lui-même. Le choc des armes fut terrible, faisant frémir de peur Tocsand. Sa compagne paraissait si minuscule devant le géant des Terres Mortes. Pourtant, ce dernier dut reculer sous les coups de l'arme autegentienne et s'avouer vaincu.

Sordac tomba à la renverse, son arme brisée en deux, sa cuirasse profondément entaillée, le sang coulant abondamment de ses plaies. Il tenta de se remettre debout, mais il retomba sur ses genoux, la tête courbée, un bras tendu devant lui en signe de soumission. Aussitôt, la nouvelle se répandit dans les rangs des Sormens qui laissèrent tomber leurs armes.

Le Roi Tocsand savoura pleinement cette victoire cruciale.

Sans plus attendre, Tocsand et MeilThimas prirent la direction du Temple du Roi et des Sages pour y rejoindre leur fils Meilsand ainsi que les jumeaux Noakel et Eldguin. Ceux-ci avaient accompli une mission secrète dictée par le Roi. Discrètement, ils avaient pris contact avec chacun des Sages résidant au Temple en alléguant avoir reçu un message du Maître de l'Empire du Monde d'Ici, une formulation assez vague et accrocheuse à la fois pour inciter un éventuel traître à se montrer intéressé.

Les rencontres avec les premiers Sages furent stériles. Alors, les trois jeunes gens se présentèrent aux appartements du Sage Geneu. C'était un vieillard à la tête ronde, au nez fort, aux lèvres épaisses, aux yeux petits enfouis sous de lourdes paupières. Imberbe, les sourcils clairsemés, il portait les cheveux si court qu'il paraissait chauve. Il avait une voix désagréable, haut perchée, qui devenait stridente lorsqu'il s'énervait.

Le Sage les accueillit avec surprise. Il paraissait inquiet, torturé par l'incertitude. Meilsand entama la comédie mise au point auparavant.

– Sage Geneu, déclara le fils du Roi avec déférence, nous connaissons votre clairvoyance ainsi que votre influence dans la conduite du Pays de Santerre.

– Nous avons confiance en vous, poursuivit Eldguin en tournant langoureusement autour du vieillard flatté des égards que les jeunes gens lui témoignaient.

– Vous savez que la situation est critique pour l'ancienne Royauté de Santerre, enchaîna Noakel. Vous savez aussi que les Paroles Oubliées nous désignent, ma sœur et moi, comme les Premiers de la Nouvelle Lignée.

– J'ignore ce dont vous parlez, nia Geneu.

– Tous les Sages de Santerre le savent, rétorqua Meilsand qui flairait maintenant la bonne piste. Il y a longtemps, le Sage Delbon nous a confié en avoir parlé avec le Conseil au grand complet !

– Peut-être, bredouilla le Sage, il y a si longtemps. Je ne me rappelle pas très bien.

De toute évidence, Geneu mentait pour gagner du temps et voir venir, ce qui confirma aux trois amis qu'ils avaient débusqué un suspect. Ils poussèrent la comédie encore plus loin.

– L'établissement de la Nouvelle Lignée est lié à celui de l'Empire, confia Eldguin. Nous servons le même Maître, au-delà de l'Amiral Andrak, bien au-delà de l'Empereur Kurak l'Akares..., au-delà de toutes les Races Anciennes et Présentes du Monde d'Ici.

– Nous participons à un ordre nouveau, poursuivit Noakel. Le Pays de Santerre est appelé à jouer un rôle crucial.

– Pour cela, ajouta Meilsand, les jumeaux Noakel et Eldguin doivent occuper le Trône de Santerre.

Geneu était étourdi par ces propos. Les trois jeunes gens venaient donner un sens à ses propres interrogations, mais le Sage hésitait encore à dévoiler son secret.

– Ton père est le Roi, objecta Geneu malicieusement. Tu te rends coupable de trahison devant un Sage de Santerre !

– Mon père a déjà quitté Santerre, répondit Meilsand avec mépris. Il est en route avec MeilThimas pour l'Augenterie, le pays des Hautes Gens, le peuple des Races Premières auquel appartient ma mère.

Toutes ces révélations confirmaient à Geneu qu'il pouvait faire confiance au fils du Roi et aux jumeaux. Il demeurait toutefois très prudent.

– Si tout ce que vous affirmez est vrai, que cherchez-vous auprès de moi ?

Les trois amis s'approchèrent pour parler chacun à leur tour d'une voix très basse, dans un murmure craintif que seul le Sage pouvait entendre, comme si leur demande était si grave qu'elle ne devait être qu'à peine entendue.

– Nous avons besoin de l'action immédiate d'un serviteur du Maître Suprême...

– Il faut accomplir un geste décisif au sein même du Conseil des Sages...

– Vous devez prendre tous les pouvoirs que vous confie notre Maître afin de régner sur les Pays du Couchant avec nous...

La convoitise fit briller le regard du vieillard.

– Il nous appelle et nous récompense pour notre attente dévouée, se réjouit Geneu.

– Telle est la volonté du Maître, renchérit Eldguin dans un murmure sensuel.

– Que Vorgrar soit loué, proclama Geneu d'une voix ferme en levant haut les bras en signe de victoire. Je suis son humble serviteur depuis si longtemps !

Le vieillard remarqua alors que ses trois visiteurs ne parlaient plus ; ils se tenaient devant lui, les bras croisés, un sourire indéfinissable sur leur visage. Geneu se mit à craindre un danger qu'il n'identifiait pas encore. Un rideau s'écarta pour laisser passer les personnes qui s'étaient dissimulées dans la pièce voisine. Il y avait les Sages Cordal et Golbur, les Princes Karer et Gravelas, ainsi que trois officiers de la Garde Royale.

Démasqué, Geneu passa aux aveux. Contrarié de ne jouer qu'un rôle secondaire au Conseil, il avait été séduit par les promesses de Vorgrar. Il avait recruté Ardur, un vieux Prétendant choqué d'être privé du titre de Prince. Ensemble, ils avaient lancé des rumeurs pour déstabiliser le Roi. Geneu avait enrôlé des étrangers tels que Jontel pour répandre le doute dans la population. Le vieillard avait aussi compris comment manœuvrer le Prince Jeifil à son profit, l'incitant habilement à prendre la tête de ceux qui critiquaient le règne de Tocsand.

Patiemment, agissant en secret, guidé tant par la vengeance que la soif de pouvoir, le Sage Geneu avait ébranlé la royauté héritée d'Alahid au profit de son frœur Vorgrar.

La nouvelle de l'arrestation du Sage Geneu, du Prétendant Ardur et des aveux de leur traîtrise chassa le climat malsain qui régnait au Temple. Les deux Conseils retrouvèrent leur détermination à faire face à l'ennemi sous la conduite de leur Roi. Lorsque Tocsand fut de retour au Temple en annonçant la victoire totale contre les Sormens, il fut accueilli avec enthousiasme. Les Princes Rahilas et Gravelas, grands amis de Jeifil, furent les premiers de ceux qui avaient douté de Tocsand à lui demander pardon.

L'unité retrouvée autour de lui, Tocsand pouvait enfin faire face à l'armée des Lions conduite par l'Amiral Andrak du Pays d'Akar. Il était à la tête de l'armée de Santerre, trois fois plus importante en nombre que l'ennemi qui remontait la Rivière Alahid avec ses machines de guerre.

Tocsand savait la valeur de l'ennemi. Il fallait donc frapper au moment et de la manière à laquelle il ne s'attendait pas. Le Roi donna donc l'impression aux éclaireurs d'Andrak qu'il regroupait ses forces à proximité du Temple du Roi et des Sages. À la vitesse à laquelle il progressait, l'Akares prévoyait arriver sur place à la mi-jour du lendemain. Il décida d'accorder une nuit de sommeil à ses troupes, afin que chacun soit au mieux de sa forme. Dès le lever du soleil, il haranguerait ses guerriers et il ferait avancer les machines de guerre en première ligne d'attaque sur la rivière.

Durant la nuit, il régna un calme relatif parmi les rangs des Akares. Aucun guerrier ne prêta attention aux branches emportées par le courant dans la rivière. Personne ne remarqua les nageurs dissimulés sous les feuilles qui émergèrent près des plateformes flottantes servant au transport des machines de guerre. Ils grimpèrent en silence sur les assemblages, maîtrisant les gardes sans donner l'alarme. Les observations des guerriers lors de la première attaque avaient permis à Tocsand de comprendre en gros le fonctionnement de ces mécaniques. Selon lui, il fallait les orienter vers la cible et frapper à l'arrière pour déclencher l'explosion qui propulsait les projectiles sur l'ennemi. En faisant le moins de bruit possible, les guerriers de Santerre firent donc tourner les gueules des machines vers les points stratégiques du campement. Les armes des Akares se retournaient contre eux.

Les guerriers de Santerre s'échangeaient des signes convenus. Lorsqu'ils furent prêts, ils donnèrent le signal pour faire tomber les bâches. Immédiatement après, ils frappèrent de toutes leurs forces sur les plaques afin de provoquer les explosions souhaitées. Il y avait six machines ; elles rugirent comme une seule dans la nuit calme du Pays de Santerre. Le bruit fut si effroyable que le sol en trembla. Un feu rouge éclatant éclaira la nuit tel un gigantesque éclair. Les gueules de centaines de tubes crachèrent des projectiles inimaginables pour les Gens de Santerre. Ici, de longs bâtons portaient des globes noirs qui explosaient au contact du sol en brûlant tout autour ; là, une pluie de traits sifflants s'abattait sur le campement brusquement éveillé ; ailleurs, de minuscules projectiles aux arêtes tranchantes se répandaient dans toutes les directions ou d'autres globes libéraient des gaz pénétrant dans les poumons pour les calciner de l'intérieur.

Une horreur sans nom prit possession des lieux. Écœurés par ce qu'ils voyaient, les guerriers de Santerre se hâtèrent de répandre l'huile qu'ils avaient apportée pour y mettre le feu. Enfin, ils sautèrent à l'eau afin de fuir le plus vite possible l'origine de ce carnage tandis que les machines de guerre s'enflammaient, torches gigantesques qui éclairaient le campement désemparé. Hébétés, un grand nombre des leurs mutilés ou brûlés, les Akares virent alors fondre sur eux les troupes du Roi Tocsand.

Avant le lever du soleil, la défaite des Akares fut totale. La lumière du jour éclaira un spectacle démentiel qui rendit malade les guerriers des deux armées. Personne n'avait cru que le génie de détruire pouvait produire une telle horreur. Personne ne trouva la moindre gloire d'avoir participé à ce dernier sursaut de la Pensée de l'Esprit Mauvais en Monde d'Ici.

✧ ✧ ✧

Projets d'avenir

En revenant au Temple du Roi et des Sages, personne n'avait le goût de célébrer avec faste la victoire. Ce qu'ils avaient vu sur le champ de bataille hantait les esprits. Tocsand donna l'ordre d'afficher les emblèmes de deuil, autant en signe de respect pour les pertes chez les Gens de Santerre que chez les Akares. Il fit remettre toute cérémonie de réjouissances à plus tard, lorsque les traces du combat seraient effacées.

Tard en soirée, Tocsand, MeilThimas, Meilsand, Eldguin et Noakel se retrouvèrent dans les appartements royaux pour prendre leur repas.

– La guerre est enfin terminée, déclara Tocsand. J'espère ne plus jamais connaître cette folie.

– S'il était possible d'arracher des esprits des Basses Races ce qui les pousse à se comporter ainsi, soupira MeilThimas.

– C'est notre projet, déclara alors Meilsand avec un ton solennel.

Le Roi et sa compagne se regardèrent avec surprise, puis ils dévisagèrent les trois jeunes gens devant eux. Eldguin prit la parole à son tour.

– Il y a longtemps que nous réfléchissons à cela. Nous ignorons s'il faut prêter foi aux Paroles Oubliées qui nous désignent comme les Premiers de la Nouvelle Lignée. Par contre, nous savons ce que nous désirons faire à partir de maintenant.

– Nous souhaitons continuer à voyager en Monde d'Ici, poursuivit Noakel. Cette fois, ce sera pour raconter à tous ceux que nous croiserons que la seule manière de vivre en paix est de bâtir des amitiés, de mieux se connaître, d'établir des échanges. L'Empereur Kurak a déployé ses armées afin d'imposer la paix par la force. Cela est illusoire ; c'est une idée qui découle de la Pensée de Vorgrar.

– On combat celui que l'on craint ; on partage avec celui que l'on connaît, conclut Eldguin. La paix par l'amitié doit être désormais le projet du Monde d'Ici.

– Vous êtes des rêveurs, fit Tocsand en souriant. Je vous soutiendrai, car ce sont les rêveurs qui rendront meilleur le Monde d'Ici.

Meilsand prit la main d'Eldguin et il s'adressa, non pas au couple royal, mais cette fois à ses parents.

– Je suis partie prenante de ce projet, père et mère. J'en fais partie parce que nous l'avons conçu ensemble. Il y a une autre raison ; désormais, mon existence est liée à celle d'Eldguin. Aussitôt que possible, nous souhaitons être unis par l'Union Sacrée.

Tocsand et MeilThimas eurent une expression de bonheur comme leur fils n'en avait pas vu depuis très longtemps. Ils se levèrent pour s'embrasser, les yeux et la voix chargés d'émotion heureuse.

Eldnade

Le dernier bâtiment encore debout de la Forteresse Sombre ressemblait à un gros cube ridicule sur l'ultime morceau de l'île qui émergeait encore de la mer déserte à perte de vue. Les journées s'y succédaient, longues et identiques en tout point. L'Ancêtre et Eldwen disposaient de tout leur temps pour discuter, mais ils avaient rapidement fait le tour de leurs interrogations et des réponses qu'ils pouvaient y apporter. Le jour, ils tenaient ces conversations à l'extérieur, au sommet du bâtiment, afin de profiter de la chaleur du soleil ; le soir venu, ils descendaient à l'intérieur pour moins subir le froid qu'apportait la nuit.

Jeim Meir Pehar avait exploré les lieux avec Renard sans rien y trouver d'intéressant ; aucune nourriture, aucun matériau ne permettant de construire un radeau, rien pour fabriquer des lignes à pêche. La construction n'était qu'un lieu de passage pour accéder au domaine désormais englouti sous la lave et les eaux. L'attente d'un événement inconnu et improbable devint désespérément fastidieuse.

Le premier à prendre une décision fut Renard. Un matin, après avoir cherché et obtenu les caresses d'Eldwen, il descendit sur les roches au bord de l'eau. Il sembla flairer longuement l'horizon, puis il se jeta à l'eau. Renard partit à la nage vers la Mi-Nuit, la direction du rivage le plus proche, celui du Pays d'Akar.

– A-t-il une chance de se rendre jusqu'à un rivage ? s'inquiéta Eldwen.

– J'ai bon espoir, estima l'Ancêtre. C'est une bête résistante et déterminée ; il m'en a donné la preuve tellement de fois. Je crois qu'il finira par se rendre à Akar, qu'il gagnera une forêt giboyeuse et qu'il profitera de sa liberté pour terminer son existence bien calmement.

– Il me manque déjà, soupira Eldwen.

– Tu vas lui manquer aussi...

Les deux oubliés du Destin se retrouvèrent définitivement seuls, de plus en plus faibles. Au soir d'une nouvelle journée pareille à toutes les précédentes, Jeim Meir Pehar se confia à Eldwen.

– Tu sais, fillette, je persiste à te tenir compagnie. Cependant, plus rien ne me retient en Monde d'Ici. Tous mes frœurs l'ont quitté ; quant à moi, je ne suis que le double d'un disparu, une ombre de moi-même.

– Tu sais, Ogi, je persiste à te tenir compagnie, répéta l'aveugle sur le même ton, un mince sourire sur les lèvres. J'ignore aussi ce qui pourrait me retenir en Monde d'Ici. Quel est notre destin désormais ? Ta connaissance des Paroles Oubliées peut-elle nous éclairer ? Il me semblait qu'Ardahel et moi allions encore accomplir de grandes choses ensemble. Est-ce qu'elles se seraient trompées ?

Jeim Meir Pehar eut un rictus ironique.

– Les Paroles Oubliées se seraient trompées ? Mais à quoi s'attendre d'autre ! Sur ce point, je partage totalement l'avis de mon frœur Orvak Shen Komi ! Tous ces textes ne sont que la vision que certains ont d'un avenir probable si chacun se conformait à ce qui est déjà écrit. Quelle foutaise ! Le Destin n'est pas figé. L'Avenir n'est pas écrit. Certains devinent ce qui peut survenir tout simplement par une logique bien ordinaire. Crois aux Paroles Oubliées et tu les feras se réaliser. N'y accorde aucune foi et tu écriras ton histoire selon ta volonté.

L'Ancêtre s'approcha d'Eldwen pour lui prendre les mains et les serrer avec passion.

– Toi, Eldwen, tu as écrit ton propre Destin avec une volonté au-delà de tout ce que nous aurions pu imaginer. Tu as inscrit ton histoire, l'*Eldnade*, c'est-à-dire l'Histoire d'Eldwen, dans l'éternité du Monde d'Ici.

– Alors, répliqua sereinement la jeune femme, je suis rendue au dernier chapitre de cette Eldnade. Je n'aspire maintenant qu'à la terminer.

Jeim Meir Pehar leva les yeux vers le ciel. Il avait pris des teintes d'or et de rouge qui s'attardaient encore à l'horizon. Au-dessus d'eux, des étoiles brillaient déjà, imposant lentement leur présence rassurante et éternelle. Une présence semblable à celle d'Eldwen, songea l'Ancêtre des Races du Monde d'Ici.

Le membre de la Race Ancestrale serra encore un peu plus fort les mains de l'aveugle. Il accorda sa respiration à la sienne, puis il en fit ralentir le rythme progressivement. Leurs corps étaient si faibles, si prêts à s'abandonner, que Jeim Meir Pehar n'eut aucun effort à faire pour que les deux respirations cessent.

Eldwen se sentit agréablement bien. Elle regarda autour d'elle, se voyant à côté de Jeim Meir Pehar, comme si elle se trouvait à quelques jambés d'elle-même. Elle réalisa qu'elle possédait un nouveau corps, à la fois semblable au premier et différent, doué de possibilités étonnantes. Surtout, elle voyait ! Ses yeux n'étaient plus aveugles. Son nouveau corps n'était plus infirme. Elle savait qu'elle irait maintenant se présenter devant Elhuï. Elle savait qu'elle serait guidée vers l'Être de Lumière. Une intense émotion la saisit à cette idée. Son guide vers Elhuï serait certainement celui qu'elle souhaitait de tout son cœur.

Eldwen sentit une présence. Elle retarda le moment de le regarder ; puis, lentement, elle leva les yeux pour détailler la présence des pieds à la tête. Elle découvrit la teinte dorée de la longue chevelure qu'elle comparait aux blés du Pays de Santerre ainsi que le regard couleur de l'eau profonde. Dans ce visage symétrique aux traits fins et nobles qu'elle connaissait par cœur, du bout des doigts, elle lisait une bonté sereine, un amour joyeux. Heureuse, la jeune femme le voyait exactement comme elle l'avait toujours imaginé. Il était maintenant là avec elle, lui souriant du bonheur de la retrouver.

Ardahel tendit la main à Eldwen pour la conduire dans l'éternité.

Fin

À propos du Monde d'Ici

Les Histoires du Pays de Santerre se déroulent en Monde d'Ici. Il est nommé ainsi par distinction avec les Mondes d'Ailleurs qui sont cependant tous l'œuvre du même Dieu créateur Elhuï.

Lorsque arriva le temps de peupler le Monde d'Ici, Elhuï commença par engendrer les six membres de la Race Ancestrale qui avaient pour mission d'enfanter les Races et de les guider dans leur épanouissement. Or, le plus puissant d'entre eux, Orvak Shen Komi, détourna sa Pensée de celle du Dieu Elhuï. La confrontation entre les deux Pensées existantes en Monde d'Ici est à l'origine de tous les conflits qui opposent des individus, des peuples ou des races.

Le peuplement du Monde d'Ici s'est fait en plusieurs vagues successives jusqu'à l'enfantement des Basses Races, nommées aussi le Moyen Peuple.

La Race Ancestrale

Les membres de cette Race sont responsables de la création physique des différentes Races qui peuplent le Monde d'Ici. Ils sont hermaphrodites ; le terme *frœurs* sert à désigner leurs liens à la fois de frères et de sœurs.

Les Races Anciennes

La première vague de peuplement a été celle des Races originelles appelées à disparaître rapidement pour céder la place aux autres Races. Parmi elles, on compte notamment les douze Géants, les Oiseleurs et leurs descendants Gardols, les Facombres, les Gobins et les Saymails.

Les Races Premières

Dans la deuxième vague sont apparues les premières grandes Races à habiter le Monde d'Ici et à le régir. Très diversifiées, on compte notamment parmi elles les Alisans, les Autegentiens, les Belles-Gens, les Magistiens, les Magomiens et les Nains.

Les Basses Races

Troisième et dernière vague de Races qui sont apparues en Monde d'Ici et qui occupent désormais tous les continents. Relativement homogènes quant à leurs caractéristiques et à leur organisation sociale, ces races se désignent sous la grande appellation de Moyen Peuple alors que, par mépris, les races précédentes les qualifient de Basses Races.

La géographie du Monde d'Ici

Le Monde d'Ici est représenté par le Moyen Peuple depuis la Terre Abal au Couchant jusqu'à la Terre Cahan au Levant, et des Terres de Glace à la Mi-Nuit jusqu'aux Terres Blanches à la Mi-Jour. Au-delà de ces contrées, il n'y a que des îles ou des landes désertiques où ne réside aucun peuple.

L'orientation en Monde d'Ici se fait avec quatre points cardinaux faisant référence au soleil et qui sont le Levant, la Mi-Jour, le Couchant et la Mi-Nuit. Les moments de la journée sont aussi désignés avec les mêmes termes, mais ils s'écrivent alors sans majuscules.

Les mesures principales utilisées sont :

- la main, distance du poignet au bout des doigts d'un adulte
- le jambé, distance du large pas d'un adulte
- le miljie, qui vaut mille jambés
- le tail, mesure de courte hauteur équivalant à la hauteur d'un adulte

Ainsi, on calcule la superficie d'une pièce en jambés et celle d'un territoire en miljies. Pour la hauteur d'un édifice, on utilise le tail et pour la taille d'une personne, ce sera une fraction de tail. Lorsque la mesure est très grande, pour la hauteur d'une falaise par exemple, la mesure en miljie peut être préférée.

Le continent du Lentremers est le plus important, tant par la population qui y demeure que par son histoire. C'est du Lentremers que sont originaires tous les peuples vivant en Monde d'Ici. En effet, c'est au cœur de ce continent que réside l'Ancêtre.

Outre les Terres et les continents identifiés sur les cartes, il existe en Monde d'Ici certains lieux accessibles uniquement par des routes secrètes. Il s'agit notamment de :

L'Augenterie – Pays fabuleux des Autegens (ou Autegentiens), impossible à atteindre sans y être conduit par l'un d'eux. C'est là qu'ils compilent le Vérécit, l'histoire complète de tous les habitants du Monde d'Ici.

Le Nalahir – L'un des grands domaines cachés de la Race Ancestrale, vestiges répartis en divers lieux de ce qu'était le Monde d'Ici au début des âges.

Le Taslande – Domaine souterrain du Peuple Fouisseur, les Tanês, parents éloignés des Nains, qui s'étend sous les Montagnes Interdites depuis le Plateau des Alisans jusqu'au Kalar Dhun.

La Race Ancestrale

Les six membres de cette Race sont responsables de la création physique et de l'épanouissement des différentes Races qui peuplent le Monde d'Ici. Êtres hermaphrodites, ce sont des frœurs. Comme leur tâche doit demeurer secrète du Moyen Peuple, ils ont l'habitude de se dévoiler sous une apparence semblable aux membres de cette race.

Orvak Shen Komi – Le plus puissant des membres de la Race Ancestrale et, au début, l'un des plus grands serviteurs du Monde d'Ici. Cet être exceptionnel aurait pu engendrer ce qu'il y a de plus valable. Malheureusement, son désir d'amener les races au plus haut degré de perfection l'a conduit à s'écarter de la Pensée du Dieu Elhuï dont il se crut l'égal. Cela entraîna sa chute, à la suite de laquelle il fut confiné aux Terres Mortes. C'est ainsi qu'il est devenu Vorgrar, l'Esprit Mauvais. Il survécut dans ce pays de glace et il refit ses forces.

Hunil Ahos Nuhel – Deuxième en puissance parmi les membres de la Race Ancestrale, il est connu parmi le Moyen Peuple sous l'identité de Maître Alios. Il mène secrètement le combat contre Vorgrar. Son rôle ne devient évident qu'au fil de l'Eldnade.

Jeim Mier Pehar – C'est à lui que furent remis exclusivement tous les pouvoirs d'enfantement de la Race Ancestrale après la déchéance d'Orvak Shen Komi. L'Ancêtre se tient le plus possible en retrait des conflits entre les membres de sa race.

Shar Mohos Varkur – Responsable de l'épanouissement de nombreuses races, notamment de celles occupant les Pays du Levant. Son attachement très intense aux Sorvaks est utilisé par Vorgrar pour l'entraîner dans sa Pensée et s'en faire un allié contre ses frœurs. Cela l'enferme finalement dans son identité de Maître Sorvak pour se consacrer uniquement à la vengeance de ce peuple refoulé en Terres Mortes.

Shan Tair Cahal – Responsable de l'épanouissement des races résidant notamment en Pays du Couchant. Il est surtout connu sous l'identité d'Alahid, le Roi légendaire du Pays de Santerre. Incapable d'affronter ouvertement son frœur Vorgrar, il enfante Ardahel, le Santerrian, et le confie au couple de bateliers Noak et Irguin.

Jein Dhar Thaar – L'adversaire le plus acharné de Vorgrar, connu sous plusieurs identités, notamment le Sage Delbon en Pays de Santerre, Kaldan l'*Ami-qui-se-cache* chez les Saymails, Nobled chez les Autegentiens et Myset Thag en terre alisane. Il était très lié avec son frœur Shar Mohos Varkur et il tient Vorgrar totalement responsable d'avoir souillé sa pensée.

Les Races Anciennes

Ce sont les Races originelles, les premières à habiter le Monde d'Ici. Parmi elles, on remarque les douze Géants, les Oiseleurs, les Facombres, les Gobins et les Saymails. À l'époque du Santerrian, il ne reste que quelques-unes d'entre elles dont la présence est très discrète. Les Races Anciennes évitent au maximum les contacts avec les races des autres vagues de peuplement.

Les Géants – Ils ont été au nombre de douze. Lors d'une guerre durant les âges anciens, les Géants étaient en litige avec les Saymails pour qui ils avaient creusé le Col d'Otrek. Urgagon le Géant Roux porte la responsabilité d'avoir exterminé les Sayfaimes. La légende raconte qu'ils ont autrefois divisé la grande forêt du Lentremers en deux en poussant l'un contre l'autre les rochers des Terres Mortes et ceux des Terres Brûlées pour en faire les Remparts Vivants qui séparent désormais le Magolande du Magistan. Toutes les Races firent alors une trêve pour anéantir les Géants en les transformant eux-mêmes en montagnes.

Les Oiseleurs – Cette race d'êtres mi-Oiseaux et mi-Gens s'est faite très discrète avec le temps. Des ententes avec les Sages du Pays de Santerre, par le biais de Delbon, en font des gardiens invisibles des frontières du pays ainsi que des messagers fiables par tout le Lentremers. Les nobles de cette race portent le titre d'Oiselien.

Les Gardols – Il s'agit de descendants des Oiseleurs qui ont été souillés par l'Esprit Mauvais. Ils se tiennent ensemble, en un grand voilier, et ils demeurent au-dessus de la forêt du Magolande où ils mangent tous les êtres vivants qu'ils trouvent durant la nuit. Il était donc impossible pour quiconque de voyager durant la nuit en Magolande avant qu'Ardahel ne réussisse à les anéantir.

Les Saymails – Ce peuple pacifique a été décimé par des conflits avec les autres races. Il ne reste plus de Sayfaimes – celles de sexe féminin – et il n'y a donc plus de naissances. Depuis le massacre de leur dernier Roi, Otrek, et de sa fille

Ochen Saymien, Reine-porteuse-du-Destin, les derniers membres sont divisés en deux groupes. Les Saymails Gris qui tombèrent sous la domination des Magomiens, et les Saymails Blancs qui subirent l'esclavage des Magistiens.

Les Races Premières

Ce sont les premières grandes Races à habiter le Monde d'Ici et à le régir. Très diversifiées, on compte parmi elles notamment les Alisans, les Autegentiens, les Belles-Gens, les Magistiens, les Magomiens et les Nains.

Les Alisans – Ce peuple est la seule des races du Monde d'Ici qui n'a pas été engendrée par l'Ancêtre (exception faite de la Race Ancestrale elle-même, évidemment). Le germe en venait d'Orvak Shen Komi. Celui-ci avait cru participer avec éclat aux actes du Dieu Créateur en donnant aux Alisans la beauté, la force et surtout une intelligence telle qu'ils avaient percé une partie des secrets de la Vie et des Énergies constituant le Monde d'Ici. De grands savants faisaient l'orgueil de cette race, mais les Alisans jouèrent avec les Énergies de la Nature sans en comprendre tous les aspects. Mithris Sauragon le Splendide pensa détenir le Secret de la Création ainsi que de l'Énergie Vivante de la moindre particule existante. Malheureusement, il perdit tout contrôle sur les Forces qu'il mettait en action. Libérées brutalement, elles rasèrent Saur-Almeth et transformèrent en quelques secondes le Plateau des Alisans en un désert souillé. Les derniers Alisans étaient dorénavant si laids, eux si beaux auparavant, qu'ils cachèrent leurs corps sous de grands manteaux et sous des masques leur couvrant tout le visage. Une grande honte les saisit en même temps qu'une haine féroce envers Vorgrar, cause de leur éclat, mais aussi de leur déchéance.

Les Autegens – Nommés aussi les Hautes Gens ou les Autegentiens, ils se disent descendants royaux des enfants d'Elhuï. Ils entourent leur indépendance d'une discrétion jalouse, ce qui les pousse à éviter les Basses Races. Ils voisinent les autres Races Anciennes amicalement, sans plus, ou alors dans l'indifférence. Ce sont des êtres inattaquables qui se défendent en retournant toute attaque contre leur agresseur. Ils observent tout ce qui se passe, cela en conservant une totale neutralité. Ils accomplissent leur tâche universelle de consigner dans le Vérécit l'histoire complète de tous les individus, de toutes les Races. Leur pays, l'Augenterie, semble situé hors des limites connues, invisible à qui n'y est point invité. Ils aiment se déplacer en Monde d'Ici, élevant instantanément une coupole protectrice à l'endroit choisi pour camper. Les liens familiaux sont très puissants chez les Autegens et c'est en famille élargie qu'ils voyagent un peu partout en Monde d'Ici.

Les Magomiens – Les habitants du Magolande vivent dans des repaires souterrains dont les accès sont d'énormes maisarbres aménagés pour permettre de descendre sous terre. Ils ont la particularité de pouvoir s'approprier des années de vie chez les gens des autres races. Ils capturent donc les voyageurs ou leurs ennemis pour en faire des réserves d'une éternelle jeunesse. Leurs liens avec leurs voisins du Magistan sont tendus.

Les Magistiens – Réfugiée dans le Magistan, cette race a développé à de rares sommets l'art de l'illusion et de la magie. Adversaires déclarés des Magomiens, ils vivent cependant très repliés sur eux-mêmes.

Les Nains – Ainsi qu'il est bien connu en Monde d'Ici, les Nains forment un Peuple fort étrange aux liens parfois difficiles à démêler. Tous se réclament d'une même lignée originelle, mais leur appartenance va à leur groupe spécifique qu'ils considèrent comme une race à part entière et distincte. Ainsi, lorsqu'il se dissimulait sous l'identité de Kaldan le Nain, Jein Dhar Thaar prenait l'allure des Conteurs Nains. Les Tzigits représentent la branche des Nains Commerçants. Les grottes du Taslande sont le domaine des Tanês, dit aussi le Peuple Fouisseur. On connaît aussi les Petits-Génies, Natriciens, Sauteurs, Poilus et Nageurs. Selon les légendes, le Peuple Nain devait se diversifier afin de conquérir tout le Monde d'Ici et ainsi préparer la souveraineté des Nains Véritables, les Vrainains, qui demeurent dans la Forêt des Nains en Lentremers. Les Nains vivent un peu en parallèle des autres Gens, partageant pacifiquement les ressources de ce Monde.

Les Naliens – Race enfantée par l'Ancêtre uniquement dans le but de veiller au bon ordre des endroits préservés de l'influence de Vorgrar. Artisans fameux et artistes exceptionnels, il leur revient, et à eux seuls, de servir le Maître du Domaine, de préparer la nourriture, de cueillir fruits et légumes, de construire maisons et dépendances, d'entretenir jardins, haltes et forêts. Les Naliens sont très jaloux de leurs tâches et ils s'affairent constamment, redessinant les jardins jusqu'à la perfection, élevant les édifices avec un art empreint de délicatesse et ne tolérant nulle autre intervention pour la bonne tenue des lieux.

Les Basses Races
(ou Moyen Peuple)

Troisième et dernière vague de Races à apparaître en Monde d'Ici, les Basses Races ont su occuper graduellement tous les continents. Relativement homogènes quant à leurs caractéristiques et à leur organisation sociale, elles forment le Moyen Peuple, réparti en plusieurs pays, notamment au Pays de Santerre et dans les Pays du Levant.

Les Basses Races ne possèdent aucun pouvoir particulier. Elles doivent compter sur leur capacité d'apprendre et d'inventer pour s'imposer comme des Races d'avenir en Monde d'Ici. Lorsque l'Ancêtre rencontre Ardahel, il lui affirme que le Moyen Peuple est l'une de ses belles réussites parce qu'il l'a fait de telle sorte qu'il possède peu de connaissances, mais qu'il cherche continuellement à en découvrir de nouvelles. À tout prendre, l'Ancêtre lui-même estime que cette Race durera plus longtemps que bien d'autres sur lesquelles il s'est attardé de longs siècles.

Le Pays de Santerre

Situé sur la côte du Couchant du Lentremers, le Pays de Santerre est en fait une confédération de quatre régions distinctes à plusieurs points de vue. Les mœurs et les tâches sont spécialisées, ce qui rend les quatre groupes très interdépendants. L'administration politique et religieuse se fait avec une grande autonomie. Toutefois, le pouvoir central s'exerce depuis l'une des régions où les administrations régionale et nationale se confondent.

La Région des Neiges – De la Mi-Nuit jusqu'au Levant du pays, cette région regorge de gibier et de matières premières. Elle est habitée par les Fretts et le siège de l'administration est le Temple du Glacier sous la responsabilité du Sage Blanc.

La Région de la Baie – Au Couchant du pays, cette région habitée par les Baïhars s'avère le haut lieu des activités artistiques et artisanales. Ce fut le premier centre politique du pays. Le Sage Moucidar réside au Temple des Arts.

La Région des Métiers – Située entre les deux précédentes, cette région est spécialisée dans la production des armes et des produits transformés. Depuis le Temple de Bronze, le Sage Féror dirige les Artans.

La Région des Récoltes – À la Mi-Jour, les terres du Pays de Santerre se révèlent particulièrement fertiles. Elles sont mises en valeur par les Culters. Désormais la région la plus importante, on y retrouve le Temple du Roi et des Sages où le Roi et Cordal l'Aînée se partagent les responsabilités politiques et religieuses.

La Forêt des Renards – Cet endroit situé en bordure des Forêts Oubliées est le domaine sacré réservé aux seuls Sages du Pays de Santerre. Il est entouré par les hambras, des arbres protecteurs, et surveillé par les Oiseleurs. Les Sages y séjournent durant de nombreuses années pour parfaire leur formation.

L'organisation politique – Alahid, le premier Roi du Pays de Santerre, suscite chez les Gens de Santerre les vocations de Sages et celles de Princes, parmi lesquels sera choisi le Roi. Celui-ci dirige le pays en étant secondé par le Conseil des dix-sept Princes et le Conseil des seize Sages. Les Prétendants – ceux qui sont en formation afin de pouvoir prétendre un jour au titre de Prince – agissent comme administrateurs itinérants. Ils observent ce qui se passe, recueillent les demandes des gens, transmettent les ordonnances et ils possèdent l'autorité pour entendre et régler certains litiges. Pour leur part, les Princes peuvent rendre des jugements au nom du Roi et le représenter officiellement en Pays de Santerre ou à l'étranger. Ils assurent la cohérence politique dans tout le pays.

Les Pays du Levant

Appellation des pays situés au Levant du Plateau des Alisans. Les peuples de ces pays sont autonomes, mais unis par une origine commune.

Le Kalar Dhun – Pays des Kalardhins, le Pays-de-l'Amitié, c'est un territoire couvert presque entièrement par les Montagnes de la Croisée, quelques vallées fertiles et de très nombreuses grottes. Les Rebelles qui résistent aux Sorvaks y sont regroupés en clans très autonomes.

Le Pays de Mauser – Pays des Mauserans, un peuple d'agriculteurs.

Le Pays de Coubaliser – Pays des Coubalisins, un peuple de chasseurs des plaines.

Le Pays de Hippar – Pays des Hipparans, un peuple d'artisans, de commerçants et d'agriculteurs. Lieu remarquable par sa douceur de vivre.

Le Pays de Gueld – Pays des Gueldans, c'est un territoire composé de la plaine de Gueld au bord de la Mer du Levant et d'une partie des Montagnes de la Croisée où se trouve le Gueldroc, près des grottes de Taluhed. Le Gueldroc est un ensemble de constructions et de fortifications naturelles au cœur duquel s'élève la forteresse du Trône Argenté. Le Roi de Gueld est redevable devant l'Assemblée de Gueld, formée de neuf Sages, vingt-trois Nobles chefs de familles et quinze Chefs de guerre.

Les Terres Mortes – Contrée d'exil des Sorvaks, ce sont de vastes étendues désertiques au climat froid, en partie couvertes de glaciers. Elles sont habitées entre la Ligne des Glaces et le Grand Cap par trois peuples : les Sormens au

Couchant, les Scasudens au centre et les Sorvaks au Levant. La ville fortifiée d'Aklarama, dite Aklarama la Mauvaise ou Algan Gorla, est construite à la limite des terres occupées par les Sorvaks et les Scasudens.

Hors du Lentremers

Le Pays de Akar – Situé en Mer Intérieure de la Riche Terre, Akar occupe toute la superficie d'une vaste île éloignée des grands parcours de navigation. Le pays doit sa prospérité aux Seigneurs du commerce et à leurs flottes de grands navires à cinq voiles. Marins d'expérience, militaires redoutables au besoin, conquérants et pillards à l'occasion, les Akares savent profiter de toutes les occasions pour transporter et échanger les marchandises les plus diverses dans les ports du Monde d'Ici. Officiellement, l'Assemblée des Élus prend les décisions politiques et l'Assemblée des Sages dirige les divers aspects de la vie sociale, religieuse et culturelle. Cependant, les Seigneurs du commerce jouissent d'un grand renom et les plus fameux détiennent le véritable pouvoir.

La Terre Cahan – Vers le Levant, passée la pointe des Terres Brûlées, le monde connu s'arrête à la Terre Cahan. Au-delà, on ne connaît qu'un océan aux quelques îles sauvages. C'est vaste comme un continent, mais habité par un seul peuple. Hormis quelques villes importantes, dont le centre de la royauté à Nahac, les Cahans n'ont pas de lieux fixes de résidence. Une bonne partie de la population vit sur des bateaux, l'autre en chasseurs nomades. Avec près de vingt mille habitants, la ville de Nahac s'impose comme le centre névralgique, administratif, religieux, commerçant, culturel et militaire de la Terre Cahan. C'est là que demeurent le Roi et les grandes familles cahannes enrichies par le commerce.

La Terre Abal – Limite des terres connues vers le Couchant.

Index des principaux personnages du tome 4

La présentation comprend : le nom ; la race ou le peuple ; les particularités notables le cas échéant.

L'astérisque (*) indique que le personnage est surtout relié à l'époque des combats contre les Sorvaks.

A

Adrigal* ; Peuple Gueldan ; jeune guerrière amoureuse de Loruel.

Alahid ; Race Ancestrale ; Shan Tair Cahal, premier Roi du Pays de Santerre.

Albas* ; Saymail Blanc ; porteur du titre de Saymien.

Alextane* ; Gens de Santerre ; dite la Petite, qui sait se faufiler partout, membre de la Compagnie Frett.

Alios ; Race Ancestrale ; Hunil Ahos Nuhel, Maître Alios.

Almé ; présence masculine du Dieu créateur ; dit aussi enfant ou fils d'Elhuï.

Andrak ; Peuple Akares ; amiral de l'armée des Lions qui dirige l'attaque contre le Pays de Santerre.

Ancêtre ; Race Ancestrale ; Jeim Mier Pehar.

Ardahel ; Gens de Santerre ; dont le nom signifie Présent-des-eaux, fils d'Alahid, porteur du titre de Santerrian, nommé Gueldahel par les Saymails, ce qui signifie Celui-qui-offre-la-liberté.

Ardrueld* ; Peuple Gueldan ; le plus âgé des Nobles de Gueld parmi l'Assemblée.

Ardur ; Gens de Santerre ; vieux Prétendant Culter, frustré de ne jamais avoir été nommé Prince.

Argasane* ; Gens de Santerre ; dite l'Éclaireur, compagne de Tudoras, membre de la Compagnie Frett.

AuruSildon* ; Magomien ; Seigneur du Commerce, blessé par Ardahel en Magolande, il s'associe au Maître Sorvak pour se venger.

B

Bacheras* ; Gens de Santerre ; commandant de la Compagnie Frett, frère du Prince Tiras.

Beldouse ; Peuple Cahan ; sœur cadette de Belgaice, amoureuse de Kurak.

Belgaice ; Peuple Cahan ; servante de Vorgrar, maîtresse de Kurak.

Bertane* ; Gens de Santerre ; dite la Flèche, dont l'arc magique atteint toujours sa cible, membre de la Compagnie Frett.

Bilgor ; Gens de Santerre ; Capitaine Artan qui se mesure à MeilThimas durant une joute.

Bober ; Gens de Santerre ; tenancier de l'Auberge au Toit Houblonneux, point de ralliement pour les informations à transmettre aux Sages.

Bouhar ; Gens de Santerre ; vieux Baïhar, Prince du Pays de Santerre.

Bral* ; Saymails Gris ; frère de Nuk et qui aide Ardahel en Magolande.

Briseros* ; Gens de Santerre ; dit Grande-Épée, qui manie son arme si vite qu'elle semble invisible, membre de la Compagnie Frett.

C

Carel ; Peuple Volupien ; plus jeune enfant de Kadil Orahen.

Casahueld* ; Peuple Gueldan ; le plus jeune des Nobles.

Chosrokar* ; Peuple Sorvak ; Grand Capitaine dont les troupes doivent rejoindre celles de Pétrud.

Cordal ; Gens de Santerre ; dite l'Aînée, membre du Conseil des Sages.

D

Dalfe ; race inconnue ; marcheur sur « le chemin ».

Del Afrenaie ; Peuple Mauseran ; guerrier intègre, chef politique du Pays de Mauser.

Delbon ; Race Ancestrale ; identité de Sage en Santerre de Jein Dhar Thaar.

DoigtsVigneux ; Nalien ; responsable des vignes au Nalahir.

Doldana ; Peuple Larousquais ; dite la généreuse, responsable du Peuple de Larousque, qui remet à Eldwen un baume issu de l'art du camouflage des Anciens Larousquais.

Dranke ; Magistien.

E

Eldguin ; Gens de Santerre ; fille naturelle de Noak et Irguin, jumelle de Noakel.

Eldwen ; Gens de Santerre ; ou Heldhou Hen, est nommée Valedwen par les Saymails, ce qui signifie Celle-dont-le-cœur-voit-sans-les-yeux, instruite par Ogi à qui elle a donné sa vue.

Elhuï ; Dieu créateur et unique.

Emla ; origine inconnue ; guide d'Eldwen auprès d'Almé.

ErDern Beg* ; Peuple Kalardhin ; dit le Boiteux, chef de Clan qui s'allie le premier à Ardahel.

F

Féror ; Gens de Santerre ; Artan membre du Conseil des Sages.

Frados* ; Gens de Santerre ; dit le Pisteur, qui sait lire toutes les traces sur le sol, membre de la Compagnie Frett.

G

Garglesmar* ; Peuple Sorvak ; dernier Grand Capitaine des armées Sorvaks.

Geneu ; Gens de Santerre ; vieux Baïhar, membre du Conseil des Sages.

GenThimas le Gris* ; Autegentien ; chef de la famille Thimas.

Gerteras* ; Gens de Santerre ; dit le Taille-Roc, jeune capable de casser le roc à mains nues, membre de la Compagnie Frett.

Golbur ; Gens de Santerre ; Sage Culter demeurant à la résidence des Sages au Temple, membre du Conseil des Sages.

Gouand ; origine inconnue ; ménestrel, troubadour, chantre du Moyen Peuple, auteur des chroniques relatant les Histoires du Pays de Santerre.

Gravelas ; Gens de Santerre ; membre du Conseil des Princes, amie de Jeifil.

Guelnou ; Saymail ; l'Aîné qui réunit les derniers de sa race au service d'Ardahel.

H

Hunil Ahos Nuhel ; Race Ancestrale ; dit Maître Alios.

I

Ilsenkar* ; Peuple Gueldan ; Maître du navire qui permet au jeune Loruel d'échapper aux Sorvaks.

Irguin ; Gens de Santerre ; de la Famille Delande, mère adoptive d'Ardahel, cinquantième descendante d'Eiline.

J

Jabet* ; Peuple Gueldan ; servante qui sauve Loruel des Sorvaks.

JadThimas la Resplendissante ; Autegentienne ; épouse de GenThimas, qui prend Ardahel en aversion.

Jeifil ; Gens de Santerre ; membre du Conseil des Princes, critique envers Tocsand.

Jeim Mier Pehar ; Race Ancestrale ; dit l'Ancêtre.

Jein Dhar Thaar ; Race Ancestrale ; dit le Sage Delbon, dit le Nain Nobled.

Jontel ; Race Tincre ; mercenaire de Vorgrar qui sème le doute au sujet du Roi Tocsand.

JuPras* ; Peuple Kalardhin ; membre du Clan de SiFrim, traître envers les siens.

K

Kadil ; Peuple Volupien ; chef de la famille Orahen, père de Migal, Lodas et Carel.

Kurak ; Peuple Akares ; grand Seigneur du commerce, appelé de Vorgrar.

L

Laulane ; Gens de Santerre ; dite la Sagace, celle qui lit dans les yeux, sœur de Tocsand, membre de la Compagnie Frett, appelée à la formation de Sage du Pays de Santerre.

Liebmas* ; Gens de Santerre ; dit le Gourmet, qui sait tout cuisiner, en toutes circonstances, membre de la Compagnie Frett, dit aussi Thal Aldet, Celui-qui-périt-par-son-amitié-aveugle.

Lodas ; Peuple Volupien ; frère de Migal Orahen.

Loruel ; Peuple Gueldan ; dit Loruel de Nulle-Part, l'Héritier du Trône Argenté du Pays de Gueld, que les Saymails nomment Obran, le Roi-de-Retour.

Lowen ; Peuple Kalardhin, puis Gueldan ; dite l'Aimée parmi son Clan, dite Lowen la Guérisseuse en Kalar Dhun, dite Lowen la Juste comme Reine du Pays de Gueld, sœur de Tornas, épouse de Loruel.

Lyridia* ; Peuple Hipparan ; guerrière et stratège efficace, reine du Pays de Hippar.

M

Maggnos* ; Gens de Santerre ; dit le Chasseur, qui sait toujours trouver du gibier, membre de la Compagnie Frett, dit aussi Maggnos l'Errant, Thol Wisan, Celui-qui-s'est-donné-l'exil-pour-expier-sa-faute.

MainFleurie ; Nalien ; jardinier au Nalahir, dernier de sa race.

Manke ; Magistien ; gardien et messager.

Matiowen* ; demi-Magomienne et demi-Magistienne ; dite Matiowen-qui-vend-son-corps, qui habite dans les Remparts Vivants entre le Magolande et le Magistan ; elle fait voir l'avenir à Ardahel.

Meilsand ; demi-Gens de Santerre et demi-Autegentien ; fils de Tocsand et de MeilThimas.

MeilThimas de Haute-Voix ; Autegentienne ; Muse de la musique autegentienne, épouse de Tocsand.

Melda ; Magistienne.

Migal ; Peuple Volupien ; fille de Kadil Orahen, qui donne à Eldwen des moyens de voyager dans les domaines souterrains.

Mithris Sauragon ; Alisan ; dit le Splendide, qui dirigeait la cité Alisane de Saur-Almeth à son apogée.

Mitor Dahant ; Alisan ; gardien des frontières du Levant du Plateau des Alisans.

Mitral Sudrau ; Alisan ; membre souverain du Conseil des Alisans.

Mitras Daimaur ; Alisan ; gardien des frontières du Couchant du Plateau des Alisans.

N

NiCaor* ; Peuple Kalardhin ; guerrière redoutable et chef de Clan très influente.

Noak le Batelier ; Gens de Santerre ; de la Famille Ober, époux d'Irguin, père adoptif d'Ardahel.

Noakel ; Gens de Santerre ; fils naturel de Noak et Irguin, jumeau d'Eldguin.

Nobled* ; Race Ancestrale ; identité naine de Jein Dhar Thaar.

Nuk ; Saymail Gris ; qui aide Ardahel en Magolande et dernier porteur du titre de Saymien.

O

Ogi ; origine cachée ; maître à penser d'Eldwen lorsqu'elle était restée prisonnière d'un puits profond durant sa jeunesse et à qui elle avait donné sa vue pour le remercier.

Orvak Shen Komi ; Race Ancestrale ; dit Vorgrar, dit l'Esprit Mauvais.

Otrek* ; Saymail ; dernier Roi Saymail.

P

Pétrud* ; Peuple Sorvak ; Grand Capitaine de l'armée Sorvak et favori du Maître Sorvak.

Pokhiau ; Peuple Cahan ; mercenaire dans l'armée de Kurak, officier de confiance de Belgaice.

R

Rahilas ; Gens de Santerre ; membre du Conseil des Princes, ami de Jeifil.

Renard ; animal ; le renard apprivoisé d'Ogi et d'Eldwen.

Rolas* ; Gens de Santerre ; dit le Conteur, imposant guerrier et sensible poète, membre de la Compagnie Frett.

Ruenduelf* ; Peuple Gueldan ; Grand Sage, père d'Adrigal et de Fadruel, le Noble représentant de sa famille.

S

Sabyl ; Vrainain ; guide d'Eldwen sur « le chemin » avec son âne Guenuche.

Seltane* ; Gens de Santerre ; dite la Parole, qui a le don des langues, membre de la Compagnie Frett.

Shan Tair Cahal ; Race Ancestrale ; dit le Roi Alahid.

Shar Mohos Varkur ; Race Ancestrale ; dit le Maître Sorvak.

SiFrim* ; Peuple Kalardhin ; chef de Clan du Kalar Dhun.

SiMa ; Magistienne ; préside l'assemblée des Grands Magistiens.

Sordac ; Peuple Sormen ; général qui mène l'assaut contre le Pays de Santerre.

Souglas* ; Gens de Santerre ; dit l'Imprévu, qui accomplit des prodiges imprévisibles, membre de la Compagnie Frett.

Soule ; Peuple Absent ; jumelle d'Eldwen dans son imagination.

SpédomSildon ; Magomienne ; Seigneur puissante qui fait enlever Eldwen en raison de leur grande ressemblance.

Sudan ; Peuple Scasuden ; chef de guerre qui mène l'assaut contre le Kalar Dhun.

T

Tantal* ; Peuple Gueldan ; responsable des chevaux et des écuries.

Terkasam* ; Peuple Coubalisin ; chef politique du Pays de Coubaliser.

Thadé* ; Gens de Santerre ; Roi qui impose Tocsand comme son successeur sur le Trône d'Alahid.

Tiorkar* ; Peuple Sorvak ; Grand Capitaine rival de Pétrud.

Tiras ; Gens de Santerre ; un Frett, Prince du Pays de Santerre.

Toame ; Magistien.

Tocsand ; Gens de Santerre ; dit le Posé, dit SanOfras par les Saymails, le Roi-allié-loin-de-son-pays, membre de la Compagnie Frett, Roi de Santerre.

Tornas ; Peuple Kalardhin ; fils d'ErDern, qui devient le Roi du Kalar Dhun, frère de Lowen et beau-frère de Loruel.

Toulame ; Gens de Santerre ; une Artan, Prince du Pays de Santerre.

Trastar* ; Saymail Gris ; porteur du titre de Saymien.

Tudoras* ; Gens de Santerre ; dit le Marcheur, compagnon d'Argasane, membre de la Compagnie Frett.

TuorDern* ; Peuple Kalardhin ; sœur de ErDern et veuve de KerDern, désireuse de se venger de son frère et qui révèle aux Sorvaks l'emplacement des grottes du Clan.

U

Uelphar* ; Peuple Gueldan ; Aîné parmi les Sages de Gueld.

Ulinas* ; Gens de Santerre ; dit Belle-Langue, interprète, membre de la Compagnie Frett.

V

Valduel* ; Peuple Gueldan ; frère de Virgal.

Valissa ; présence féminine du Dieu créateur ; dite aussi enfant ou fille d'Elhuï.

Veisa ; Magistienne.

Velsa ; Peuple Larousquais ; joueuse de flûte élève de Sabyl.

Virgal* ; Peuple Gueldan ; fille de Handuel le Chef des Montagnards, guerrière qui commande les résistants de Gueld.

Vlek* ; Saymails Gris ; frère de Nuk et qui aide Ardahel en Magolande.

Vorgrar ; Race Ancestrale ; Orvak Shen Komi, dit l'Esprit Mauvais.

Z

Zar* ; Saymails Gris ; frère de Nuk et qui aide Ardahel en Magolande.

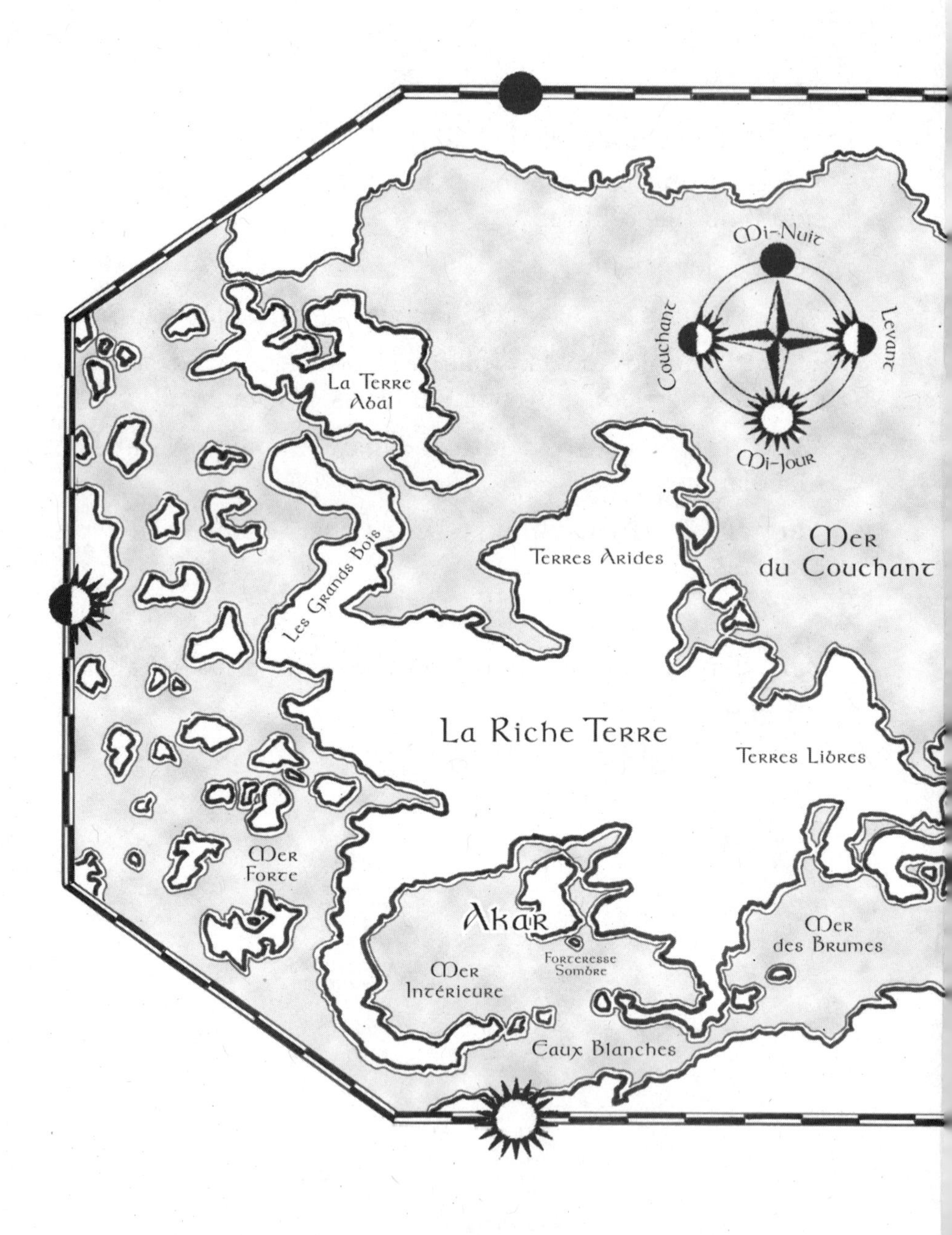

Le Monde d'Ici – Carte des marins de Santerre

L'orientation se fait avec quatre points cardinaux faisant référence au mouvement du soleil et qui sont le Levant, la Mi-Jour, le Couchant et la Mi-Nuit.

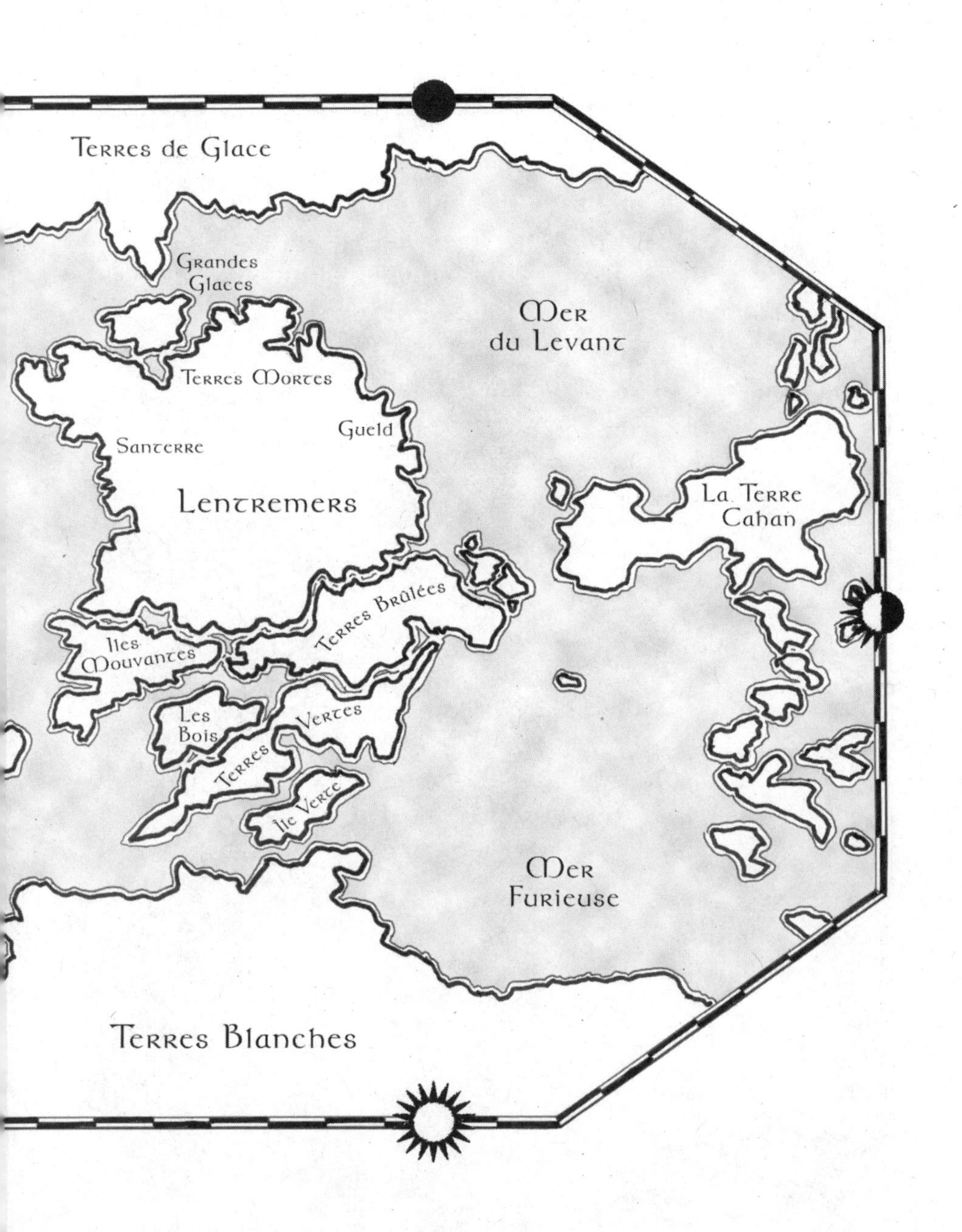

Le Monde d'Ici est représenté par le Moyen Peuple depuis la Terre Abal au Couchant jusqu'à la Terre Cahan au Levant, et des Terres Blanches à la Mi-Jour aux Terres de Glace à la Mi-Nuit. Au-delà de cette représentation, il n'y a que des îles ou des landes inexplorées où ne réside aucun peuple.

Les Terres du Lentremers – Extrait des cartes du Sage Delbon

Le continent du Lentremers est le plus important, tant par la population qui y demeure que par son histoire. Tous les peuples vivant en Monde d'Ici en sont originaires.

Contrée des Sormens
Glacier des Eaux
Pays des Chasseurs
Temple du Glacier
Région des Neiges
Région des Métiers
Temple de Bronze
Rivière des Eaux
Rivière Ingléged
Temple des Arts
Région des Récoltes
Région de la Baie
Temple du Roi et des Sages
Forêt des Renards
Pays des Oiseleurs
Mer du Couchant

Le Pays de Santerre
Carte administrative des quatre Régions

Le plus puissant et le plus important des états situés au Couchant du Lentremers, le Pays de Santerre est en fait une confédération de quatre régions à la fois distinctes et très interdépendantes. Le pouvoir central s'exerce depuis le Temple du Roi et des Sages.

Les Pays du Levant – Extrait des cartes du Sage Delbon

Au Levant du Lentremers, les peuples du Kalar Dhun ainsi que des Pays de Gueld, de Mauser, de Coubaliser et de Hippar sont autonomes, mais unis par une origine commune.

Les Histoires du Pays de Santerre
L'Eldnade

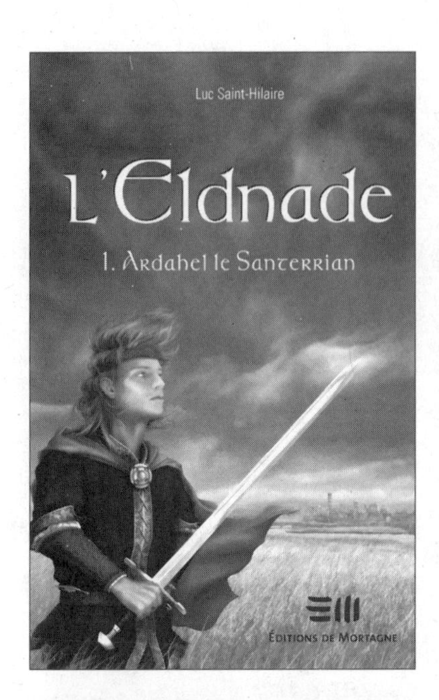

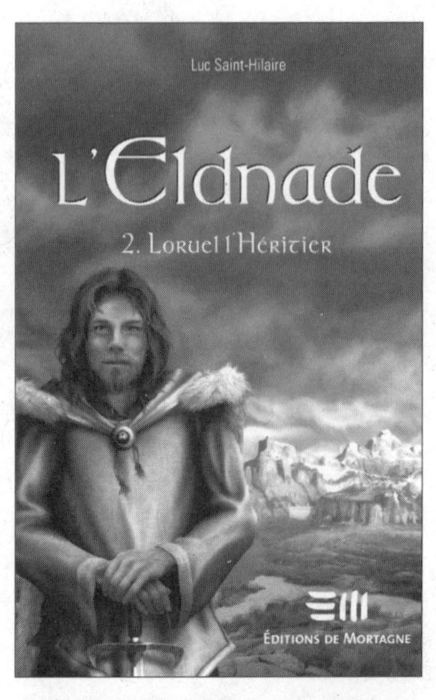

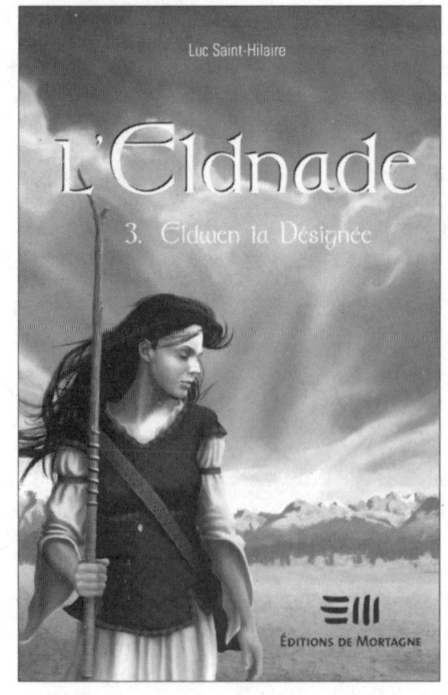

À paraître en 2008

Bientôt, le géant de l'imaginaire nous ramènera en Monde d'Ici avec une nouvelle histoire, *Les Princes de Santerre*, où nous suivrons la destinée de deux frères. Tout les unit, car ils sont jumeaux et Marqués-du-destin par Vorgrar, le plus puissant des six membres de la Race Ancestrale. Tout les oppose, car l'un est élevé par son père, le Grand Seigneur Alisan, et l'autre par sa mère, originaire du Pays de Santerre. C'est en eux que se précisent les deux Pensées, celles qu'on nomme le Bien et le Mal. Ils deviendront des adversaires qui s'aiment autant qu'ils se haïssent. De l'issue de leur affrontement dépendra l'avenir de tous les peuples du Monde d'Ici.

Cette nouvelle série nous ramène cinquante générations avant le récit des exploits d'Ardahel et d'Eldwen.

Tome 1 – Premier Mal

Tandis que Vorgrar tourne le dos à ses frœurs, les événements se précipitent à Saur-Almeth, la flamboyante cité Alisane. Le Grand Seigneur Mithris Sauragon découvre que son épouse s'est enfuie en emmenant un de ses fils en Pays de Santerre. Une poursuite sans pitié s'engage tandis que le second fils reste auprès de son père, convoitant son pouvoir, première étape qu'il doit franchir afin de dominer le Monde d'Ici. Inexorablement, les Races Anciennes, les Races Premières et le Moyen Peuple seront entraînés dans le Premier Mal.

Pour plus de détails, consulter le site :

www.eldnade.com

Imprimé sur du papier 100 % recyclé